Tb 11
13.
D

RECHERCHES PHYSIOLOGIQUES

SUR

LA VIE ET LA MORT

CORBEIL, typ. et stér. de CRÉTÉ.

RECHERCHES PHYSIOLOGIQUES

SUR

LA VIE ET LA MORT

PAR F.-X. BICHAT.

NOUVELLE ÉDITION

ORNÉE D'UNE VIGNETTE SUR ACIER,

PRÉCÉDÉE

D'UNE NOTICE SUR LA VIE ET LES TRAVAUX DE BICHAT

ET SUIVIE DE NOTES

PAR LE DOCTEUR CERISE.

PARIS

LIBRAIRIE VICTOR MASSON ET FILS

PLACE DE L'ÉCOLE DE MÉDECINE

1862

1861

NOTICE

SUR LA VIE ET LES TRAVAUX

DE BICHAT.

La vie des hommes célèbres est, en général, pleine de vicissitudes. La gloire qu'elle donne est le prix des plus douloureuses agitations. C'est un drame dans lequel les émotions se pressent, et dont le dénoûment n'a souvent lieu qu'après la mort, lorsque l'acteur princiҏal a disparu de la scène. De là ce charme puissant qui nous attache aux récits des biographes, lorsqu'ils nous font assister aux luttes du génie aux prises à la fois avec le monde et avec lui-même.

La vie de Bichat a été, par exception, exempte de ces vicissitudes. A une époque où la société, remuée dans tous ses éléments séculaires, accomplit la plus radicale et la plus violente des révolutions, tout, dans cette vie, reste simple, paisible, régulier. Né dans une famille aisée, où les sciences médicales sont en honneur, il n'a point à se débattre contre la mauvaise fortune. Son génie consiste moins à triompher des obstacles, à vaincre les résistances, qu'à obtenir les plus grands résultats, avec les moyens modestes dont il dispose. Calme au milieu du bruit qui se fait autour de lui, il n'a qu'un but, une pensée, la science. La science l'a conquis tout entier. A peine quelques vives et orageuses passions exigent-elles un tribut de sa jeunesse, elles ne le dominent point ; car involontairement, naturellement, par vocation, par éducation, il appartient à la science.

Aussi nulle excursion dans le domaine des événements sociaux n'est commandée à celui qui raconte cette vie si courte et si bien remplie. Point de tourments secrets à révéler, point de déceptions à peindre, point de péripéties dramatiques à retracer. Des travaux opiniâtres, des découvertes utiles, de grandes et fécondes idées à rappeler, voilà sa tâche (1).

BICHAT (Marie-François-Xavier) naquit le 11 septembre 1771, à Thoirette, département du Jura, alors province de Bresse. Son père, Jean-Baptiste, qui était docteur en médecine de la Faculté de Montpellier, et qui exerçait sa pro-

_____

(1) Bichat ayant soulevé, dans ses écrits, les plus grands problèmes de la physiologie et de la pathologie, il nous est impossible de développer et de discuter, dans cette courte notice, toutes les idées qu'il a émises sur tant de sujets différents. Quant à celles qu'il a exposées plus particulièrement dans ses *Recherches physiologiques sur la vie et la mort*, nous en avons fait, pour cette édition, l'objet d'une série de notes qui termine le volume.

fession à Poncin en Bugey, l'initia de bonne heure au langage de la science dont il devait plus tard reculer les limites. « Familier dès ses premières années, dit Buisson, son cousin, avec ce langage dont le plus grand nombre n'acquiert la connaissance qu'au moment où il faut s'en servir, accoutumé à voir l'application du précepte avant de connaître les préceptes eux-mêmes, il eut tout l'avantage de cette éducation d'exemple qui dispose insensiblement l'esprit à un genre déterminé de travail, en présentant sous un aspect d'agrément et de curiosité ce qui doit être un jour l'objet d'une occupation sérieuse, éducation si puissante qu'on regrette tant de fois quand on ne l'a pas reçue, et qu'on ne méprise que quand on est incapable d'en apprécier les heureux effets. » Sans attribuer à cette éducation l'importance que Buisson semble y attacher, il est permis de croire qu'elle a pu servir à déterminer la vocation de Bichat, sans rien ajouter à son génie. Celui-ci aurait pris son essor, indépendamment de cette sorte d'initiation médicale que les biographes ont sans doute exagérée.

Ce fut au collège de Nantua et au séminaire de Lyon que Bichat reçut son instruction scolastique. On dit qu'il s'y distingua constamment.

En 1791, à l'âge de vingt ans, il aborda, dans cette dernière ville, l'étude de la médecine, ou plutôt de la chirurgie. Le génie chirurgical des médecins français préludant, en quelque sorte, aux sanglantes batailles de la République et de l'Empire, brillait alors d'un vif éclat, grâce aux hommes qui avaient illustré notre ancienne Académie de chirurgie. L'impulsion donnée fut un instant générale et irrésistible. Il en résulta que l'anatomie, jusqu'alors trop négligée par les élèves en médecine, fut mieux étudiée. Bichat subit cette impulsion, et ses premiers travaux eurent presque exclusivement la chirurgie pour objet.

A. Petit, à Lyon, et Desault, à Paris, représentaient glorieusement la chirurgie française. Bichat eut le bonheur de devenir successivement l'élève de prédilection de ces deux maîtres célèbres. L'anatomie, introduction obligée des études chirurgicales, l'occupa presque exclusivement pendant les deux années qu'il passa à Lyon. Il ne tarda pas à briller entre tous ses condisciples, par son habileté dans les opérations.

Après le trop fameux siége de 1793, dans lequel il eut l'occasion de donner des preuves de courage et de dévouement, Bichat quitta les bords du Rhône, séjourna quelque temps à Bourg, et vint à Paris dans le but de se perfectionner dans cette partie de l'art de guérir. Il paraît que son intention était de s'attacher à nos armées en qualité de chirurgien. Le sort en décida autrement, et la science devait le posséder sans partage. Le petit événement qui contribua puissamment à cet heureux résultat doit être rappelé. « C'était, dit Buisson, un usage établi dans l'école de Desault que certains élèves choisis se chargeassent de recueillir, chacun à son tour, la leçon publique et de la rédiger en forme d'extrait. On lisait cet extrait le lendemain, après la leçon du jour ; et cette lecture authentique, présidée par le chirurgien en second, avait le double avantage de représenter une seconde fois aux élèves les utiles préceptes dont ils doivent se pénétrer et de suppléer à l'inattention assez ordinaire de la multitude dans une première leçon. Un jour où Desault avait disserté longtemps sur une fracture de la clavicule, et avait démontré l'utilité de son bandage en l'appliquant en même temps sur un malade, l'élève qui devait recueillir ces détails se trouva absent. Bichat s'offrit pour le remplacer. La lecture de son extrait causa la plus vive sensation. La pureté de son style, la précision et la netteté de ses idées, l'exactitude scrupuleuse de son résumé, annonçaient plutôt un professeur qu'un élève. Il fut écouté avec un silence extraordinaire, et sortit comblé d'éloges et couvert d'applaudissements réitérés. » Informé de ce qui s'était passé, par Manoury, le chirurgien en second, Desault voulut connaître Bichat. A peine l'eut-il connu, qu'il s'empressa de lui offrir sa maison, où il fut considéré comme un fils. Ce noble et généreux procédé fut pour l'heureux élève le plus puissant des encouragements. Bichat sentit son amour pour la science s'accroître de toute la reconnaissance qui remplissait son cœur. Il se trouvait d'ailleurs engagé d'honneur à répondre dignement à des espérances si unanimement manifestées par le maître et par les condisciples.

Sous l'empire de ces sentiments nouveaux, Bichat se livra au travail avec une ardeur extrême. Il déploya une activité

vraiment prodigieuse. Il faisait le service de chirurgien externe à l'hopital; il visitait au dehors une partie des malades
de Desault; il l'accompagnait et le secondait dans ses opérations; il répondait par écrit aux consultations nombreuses
qui étaient envoyées de toutes les parties de la France;
une partie de ses nuits était consacrée à des recherches
sur divers points de la chirurgie qui devaient servir aux
leçons de son maître; et au milieu de toutes ces occupations, il savait encore trouver de précieux instants pour
compléter par la dissection ses connaissances anatomiques,
pour répéter les opérations sur le cadavre, et pour conférer
avec ses condisciples sur d'importantes questions d'anatomie et de chirurgie.

En 1795, Desault mourut presque subitement. Bichat,
que cette mort affligea profondément, ne fut point abattu.
Il sembla même puiser dans le sentiment de son isolement
une force nouvelle pour s'élancer dans une carrière plus
vaste et plus brillante. Ce fut alors, en effet, qu'on le vit
entreprendre cette série de découvertes qui ont révélé son
génie et immortalisé son nom.

En 1797, après deux ans de travaux opiniâtres, Bichat
fit un premier cours d'anatomie dans lequel il agitait des
problèmes nouveaux de physiologie et recourait fréquemment aux vivisections. Il fit, bientôt après, un cours de
médecine opératoire. Dans l'intervalle des leçons, il discu-
tait avec ses élèves les plus laborieux et les plus instruits;
se livrait à des digressions où perçait toujours ce regard

prompt et hardi qui, du même coup, saisit les faits les plus nombreux et entrevoit les inductions les plus éloignées.

Une hémoptysie grave le surprit au milieu de ses leçons et le força de suspendre ses travaux. A peine rétabli, il entreprit un cours d'anatomie plus étendu que le premier, et dirigea les dissections de près de 80 élèves. Très-souvent il préparait lui-même les pièces destinées à ses leçons. Il faisait de nombreuses expériences sur les animaux ; et, après avoir ainsi employé sa journée, il rédigeait pendant la nuit les *Œuvres chirurgicales* de Desault, le dernier volume du *Journal de Chirurgie*, et le *Traité des maladies des voies urinaires*, de ce grand chirurgien (1798), voulant élever à la mémoire de son maître un monument impérissable de sa reconnaissance.

Les aperçus physiologiques, que Bichat répandait à profusion dans ses leçons d'anatomie, étaient un exercice pour le professeur, comme ils étaient un enseignement pour les disciples. D'aperçus en aperçus, il s'éleva bientôt à un ensemble de données fécondes, à une doctrine générale des phénomènes de la vie. Le physiologiste se montra enfin laissant loin derrière lui l'anatomiste et l'opérateur. Ce fut alors qu'il comprit sa véritable voie et qu'il y entra pleinement. La transition fut marquée, d'un côté, par la découverte des membranes synoviales, qui donna naissance à ses recherches sur les membranes et sur les divers tissus de l'organisme ; et de l'autre, par sa conception des propriétés vitales, qui donna naissance à ses recherches sur les phénomènes propres aux deux vies, la vie animale et la vie organique. C'est de ces deux germes, déposés dans son esprit, le premier par les écrits de Bordeu, le second par les leçons de Grimaud, que sortirent les deux chefs-d'œuvre de Bichat, l'*Anatomie générale* et les *Recherches physiologiques sur la vie et la mort.*

Ces deux ouvrages se complètent à ce point, qu'on a pu dire du dernier qu'il était le commencement et la fin du premier. Ils constituent le plus beau titre à la gloire de Bichat. On y aperçoit, à chaque page, la grande pensée à laquelle il fut fidèle jusqu'à la mort, et qui avait pour objet la rénovation complète de la médecine. Il y poursuit sans cesse le lien mystérieux qui doit unir l'organologie à la physiologie, à la pathologie et à la thérapeutique. Ce lien, aperçu et signalé par Bordeu, avait été le point de départ des travaux de Pinel. On sait que ce médecin célèbre avait eu égard, dans sa Nosographie philosophique, à la distinction des tissus qui composent l'organisme ; mais cette conception, restée si incomplète dans la première édition de cet ouvrage remarquable, Bichat se sentit entraîné, comme par instinct, à la réaliser avec netteté et précision. Il la réalisa, du moins quant à la physiologie et à l'anatomie pathologique, sur lesquelles, en créant l'anatomie générale, il répandit les flots d'une lumière inconnue. Comme s'il était secrètement averti qu'un petit nombre de jours lui était réservé, il n'eut pas plus tôt exposé ses vues physiologiques et anatomo-pathologiques, qu'il se hâta de les appliquer à la pathogénie et à la thérapeutique. C'est dans ce but qu'il entreprit les autopsies nombreuses et les expériences cliniques qui occupèrent la dernière année de sa vie. La mort le surprit au moment même où il méditait un système complet de médecine, fondé sur les données d'anatomie et de physiologie générales qu'il avait exposées dans ses immortels ouvrages.

Les principes étant posés et les premières tentatives d'application ayant été faites en présence de jeunes confrères et d'élèves distingués, on pouvait espérer que cette grande et belle tâche serait accomplie après sa mort par quelques-uns d'entre eux. Vain espoir! Elle est restée inachevée. Cette gloire n'était réservée à personne. Broussais, qui se glorifiait de suivre les traces de Bichat, se montra plutôt le disciple de l'Écossais Brown que du physiologiste français. Il en fut de même des pathologistes italiens. Ceux-ci, au moins, proclamèrent sans hésiter leur véritable maître, le docteur Brown. Est-il possible, au fond, de reconnaître autre chose, dans l'*irritabilité* du célèbre professeur du Val-de-Grâce, que l'*incitabilité* plus ou moins localisée du théoricien d'Édimbourg? Une seule propriété vitale, l'irritabilité, servant à exprimer des faits entièrement différents, les faits d'intelligence, de volonté, de sensibilité, de contractilité, de tonicité, de sympathie, etc.; une seule action organique, l'irritation, dominant à la fois la psychologie, la physiologie et la pathologie; un seul ordre d'agents thérapeutiques, les débilitants, tendants à envahir toute la

matière médicale ; une seule maladie, la phlegmasie gastro-
intestinale, présidant à toute la nosographie ; au-dessus de
tout cela, une *chimie vivante* qui dissout et recompose tous
les tissus, fait briller et disparaître tous les phénomènes...
à ces signes peut-on reconnaître le fidèle et rigoureux in-
terprète de la pensée de Bichat ? Non assurément. A quelques égards, Broussais suivit les **traces** du créateur de l'anatomie générale : témoin sa distinction des différentes formes
de l'irritation d'après la diversité des tissus et la diversité
des réactions sympathiques propres à chacun d'eux. Mais
quel est le pathologiste moderne dont la doctrine a pu se
soustraire à l'influence des travaux de Bichat? Broussais
a subi, dans ses théories pathologiques, le courant des
idées développées par le physiologiste français, idées que,
s'il faut l'en croire, J. Hunter aurait émises, avant Bichat
lui-même, dans son *Traité de l'Inflammation*. Il n'a fait,
sous ce rapport, ni plus ni moins qu'un autre ; mais dans
ce qu'il a fait il a imprimé le cachet de son génie propre ;
et maintenant que la pathologie a secoué le joug de ses
erreurs, rien ne nous empêche de reconnaître tous les services qu'il a rendus à la science. Nous ajouterons même
que le moment est venu où, l'impartialité étant possible,
ces services devraient être appréciés comme ils le méri-
tent. Quoi qu'il en soit, l'œuvre de systématisation complète de la médecine, indiquée par Bichat, d'après le plan
qu'il en avait conçu et d'après les données qu'il a émises,
n'a point été continuée. Le sera-t-elle un jour? Nous ne le

croyons point. Depuis l'instant où Bichat a fait briller une lumière nouvelle qui promettait d'éclairer les profondeurs de la science, bien d'autres points de vue se sont produits et de nouveaux horizons ont apparu. D'anciens principes ont été réhabilités, à la condition de subir l'alliance des faits récemment observés ; le vitalisme a reconquis, en se réformant, son légitime empire ; le rôle des humeurs a été mieux apprécié ; l'intervention des forces physico-chimiques a été moins dédaignée ; le caractère des diverses altérations anatomo-pathologiques a été l'objet de recherches moins systématiques. Ce qui eût été possible pour un esprit ébloui par la splendeur de ses propres découvertes ne saurait l'être aujourd'hui pour celui qui, envisageant ces découvertes sous un autre aspect, les regarderait d'un œil moins enthousiaste, plus calme et plus impartial. L'éclectisme de notre temps s'accommoderait mal d'un système qu'une conception exclusive pourrait seule permettre de concevoir et d'édifier. La doctrine des *propriétés de la fibre vivante*, qui s'est substituée à la doctrine de la *force vitale*, et qui, tranchons le mot, a escamoté, à l'aide de quelques analogies de langage, le vitalisme de Bordeu, de Vicq-d'Azyr, de Barthez, de Chaussier, de Hallé, etc., poursuit néanmoins en Italie ses applications à la pathologie et à la thérapeutique ; c'est là, dans l'école du contra-stimulisme, qu'accomplit sa destinée le dynamisme solidiste, proclamé par Albert de Haller, conçu par Frédéric Hoffmann et déposé en germe dans la doctrine anticartésienne de Leibnitz.

Ce dynamisme, devant lequel succombèrent à la fois les
principes des mécaniciens, ceux des chimistes et ceux des
animistes, qui mit en péril le vitalisme lui-même, après
avoir combattu, sous le même drapeau, ces trois communs
adversaires, commanda à l'imagination puissante de Brown,
de Rasori et de Broussais. Il reçut une forme nouvelle,
plus savante, plus précise et moins abstraite, par Bichat,
qui, en l'enrichissant de ses découvertes sur les tissus élémentaires, en y introduisant sa doctrine des deux vies, et
sa conception des deux espèces de sensibilité et de contractilité, en fut un des plus puissants propagateurs. On vit
ainsi les plus beaux génies de la science médicale se réunir
pour enseigner cette doctrine d'analyse et de décomposition
qui, transformant la loi de l'unité vitale en un fait de relations sympathiques, devait aboutir à l'organicisme, après
avoir substitué à la force de formation qui régit l'ensemble
des phénomènes de la vie l'action isolée des tissus et des
organes. Il est permis de croire que Bichat, avec la portée
de son coup d'œil, la flexibilité de son talent et la marche
rapide de ses conceptions, ne serait point resté dans les
limites de cette théorie ontologique qui, expliquant les
divers phénomènes physiologiques à l'aide d'une ou de plusieurs propriétés dites vitales, fait dépendre tous les phénomènes pathologiques de l'exaltation, de la diminution ou
de l'altération de ces propriétés. Il les aurait certainement
franchies, s'il n'avait été arrêté si brusquement dans le
cours de ses travaux. Même en restant dans ces limites, il

eût fait une œuvre supérieure à toutes celles qui ont été tentées dans cette direction. Cette pensée ajoute aux regrets que sa mort prématurée n'a cessé d'inspirer aux amis de la science.

Ce fut en 1800 que Bichat, nommé, à vingt-neuf ans à peine, médecin adjoint de l'Hôtel-Dieu, conçut cette vaste pensée que ses biographes n'ont pas assez appréciée. L'anatomie pathologique et la thérapeutique devinrent ses études de prédilection. Il ouvrit six cents cadavres dans un seul hiver, afin de répandre dans ses leçons quelques lumières nouvelles sur l'histoire encore si obscure des altérations morbides. Il expérimenta plusieurs médicaments, les prenant un à un, afin d'en étudier les rapports avec les divers tissus, avec leurs propriétés et avec leurs réactions sympathiques. C'est à ce point de vue qu'il méditait une réforme complète de la matière médicale, où, comme chacun sait, règnent encore l'empirisme le plus grossier et la confusion la plus déplorable.

Tant de travaux et l'atmosphère impure qu'il se créait par ses préparations anatomiques, altérèrent sa santé. Quelques excès y contribuèrent peut-être ; car le laborieux physiologiste, l'infatigable écrivain trouvait encore, au dire de ses contemporains, le temps d'abuser des plaisirs. Affaibli par de fréquentes affections gastriques, il inspirait déjà à ses amis de graves inquiétudes, lorsque le 6 juillet 1802, il fit une chute en descendant l'escalier de l'Hôtel-Dieu. Cette chute détermina une exacerbation des troubles gastriques, avec une tendance constante à l'assoupissement ; des phénomènes ataxiques s'ajoutèrent à ces symptômes et durèrent jusqu'au 22. Il succomba après quatorze jours de maladie, durant lesquels Corvisart et Lepreux, médecins en chef de l'Hôtel-Dieu, lui avaient prodigué les soins les plus assidus. Il avait atteint sa trente et unième année.

La courte vie de Bichat avait été trop bien remplie pour que sa mort ne fut pas suivie d'un deuil général. Tous les professeurs et tous les élèves de l'Ecole de médecine se trouvèrent réunis autour de son cercueil. Son éloge fut prononcé par Hallé en présence de la Faculté de Paris ; Sue consacra à sa mémoire la première séance de son cours de bibliographie médicale. Corvisart écrivit au Premier Consul ces lignes mémorables : *« Bichat vient de mourir sur un champ de bataille qui compte aussi plus d'une victime ; personne, en si peu de temps, n'a fait tant de choses et aussi bien. »* Le Premier Consul répondit à cette communication en donnant l'ordre d'élever à l'Hôtel-Dieu même, un monument en l'honneur de Desault et de Bichat. Associer ces deux noms, c'était doublement les glorifier.

« Les plus aimables qualités morales, dit Buisson, relevèrent dans la personne de Bichat l'éclat de son mérite. Jamais on ne vit plus de franchise et de candeur, plus de facilité à sacrifier ses opinions, lorsqu'on lui proposait une objection solide. Incapable de colère et d'impatience, il était aussi accessible dans un moment où un travail pénible l'occupait que dans ses moments de loisir. Sa générosité fut toujours une ressource assurée à ceux de ses élèves que l'éloignement de leurs familles mettait quelques moments dans l'indigence, ou que le défaut de moyens empêchait de se procurer ailleurs l'instruction nécessaire. Habile à distinguer les talents, il les encourageait de toutes les manières possibles, dès qu'il les avait découverts. L'envie s'attacha quelquefois à ses pas, et chercha à lui ravir sa réputation, ne pouvant lui pardonner son mérite ; mais il se contenta de mépriser de vaines attaques, et ne se mit jamais en devoir de les repousser directement ; toujours prêt à renouveler avec ses détracteurs une amitié qu'eux seuls avaient rompue. »

Ce témoignage de Buisson a été confirmé récemment par le plus illustre de ses élèves, M. Roux, dans le beau discours qu'il a prononcé le 3 novembre 1851, à l'occasion de la rentrée et de la distribution des prix de la Faculté.

Le monument élevé par l'ordre du Premier Consul semblait avoir suffi à la reconnaissance nationale, distraite sans doute par les gigantesques combats de l'Empire et par les luttes animées de la Restauration. Les héros de la guerre et de la politique ont souvent fait oublier ceux de la science. Mais l'autorité des écrits de Bichat, acceptée par l'Europe médicale, était trop grande pour que la gloire de son nom ne franchît pas l'enceinte des académies et ne fût pas proclamée au milieu de ses concitoyens pour y recevoir les honneurs populaires.

En 1833, la Société d'émulation du Jura procéda à l'é-
rection d'une pierre monumentale destinée à consacrer la
maison dans laquelle était né, à Thoirette, le célèbre physiologiste.

Deux départements limitrophes s'étant disputé l'honneur
de posséder le berceau de Bichat dans leurs circonscrip-
tions, deux monuments furent élevés en son honneur, l'un
à Lons-le-Saulnier, chef-lieu du département du Jura, et
l'autre à Bourg, chef-lieu du département de l'Ain. Le
premier, exécuté par M. Huguenin, consiste en un buste
en bronze placé sur une colonne. Il a été inauguré, le 5
mai 1839, en présence du préfet, du général commandant
le département, du maire, du conseil général, de la Société
d'émulation du Jura, d'un grand nombre de médecins et
de parents de Bichat. Le second est l'œuvre de notre sculp-
teur national, M. David (d'Angers). Il consiste en une statue
de bronze représentant Bichat dans l'attitude de la méditation, une main sur le cœur d'un enfant dont elle semble
suivre les battements, image de la vie, et ayant à ses pieds,
près d'un cadavre, une lampe symbolique éclairant les
sombres domaines de la mort (1). Ce monument, dans lequel l'artiste nous montre Bichat interrogeant tour à tour
la vie et la mort, demandant à l'une les secrets de l'autre,

---

(1) Cette statue, comme on le voit, est particulièrement destinée à
rappeler les *Recherches physiologiques sur la vie et la mort.* M. David
(d'Angers), dont la générosité patriotique si souvent éprouvée a tant
fait pour la mémoire de Bichat, a bien voulu que le dessin de cette
statue fut placé en tête de cette édition.

a été inauguré le 14 août 1843. Rien n'a manqué à l'éclat de cette inauguration, à laquelle concoururent, avec les habitants du pays et des départements voisins, les dépositaires de l'autorité centrale, les élus du peuple et les délégués des principales corporations médicales du royaume.

Nous sommes heureux de pouvoir dire que les restes de Bichat, abandonnés pendant près d'un demi siècle, au cimetière de Clamart, près Paris, ont été transférés solennellement en 1845 au cimetière du Père-Lachaise, et que la foule, toujours nombreuse dans cette immense cité des morts, s'arrête avec respect devant le tombeau de notre illustre physiologiste. La translation des cendres de Bichat a été enfin opérée. C'est le mémorable congrès médical de 1845 qui a rendu à sa mémoire cet hommage, trop longtemps différé. Le monument, encore inachevé, a été confié à M. David (d'Angers), qui, usant noblement du privilége accordé au génie des beaux-arts, avait déjà librement, spontanément, sans subir la lenteur des décisions administratives, appelé Bichat à recevoir, sur le fronton du Panthéon, les hommages de la patrie reconnaissante. L'éminent artiste est aujourd'hui exilé. Un moment son compagnon d'infortune, sous les mêmes verroux, nous l'avons entendu se plaindre des rigueurs du sort, qui l'empêchaient de mettre la dernière main à la statue destinée à orner le péristile de l'École de médecine de Paris. Il pleurait ses œuvres délaissées, bien plus que sa liberté ravie.

Bichat a publié plusieurs écrits dont un grand nombre

ont enrichi les Mémoires de la Société médicale d'émulation. En voici les titres dans l'ordre des dates de publication. Cette simple indication suffira pour faire voir la marche ascendante et rapide que suivit l'esprit de Bichat, jusqu'au moment où il embrassa dans sa pensée la médecine tout entière.

Notice historique sur Desault. Paris, 1795 (volume IV du Journal de chirurgie de Desault).

Description d'un nouveau trépan (vol. II des Mémoires de la Société médicale d'émulation).

Il s'agit de rendre mobile la couronne du trépan, afin qu'on puisse l'élever et l'abaisser au moyen d'une vis, et que la pyramide rentre dans la couronne après avoir exécuté la perforation, sans qu'on soit obligé de l'ôter.

Mémoire sur la fracture de l'extrémité scapulaire de la clavicule (ibid.).

Bichat démontre que, dans ce genre de fracture, la clavicule ne se déplace pas ou se déplace peu, de sorte que le bandage de Desault ou tout autre est inutile.

Description d'un procédé nouveau pour la ligature des polypes (ibid.).

Il pense que le porte-nœud de Desault étant quelquefois nuisible au succès de l'opération, peut être abandonné sans inconvénient.

Mémoire sur la membrane synoviale des articulations (ibid.).

C'est dans ce mémoire que l'on voit percer pour la première fois la grande idée de la distinction des tissus qui a reçu tous ses développements anatomiques et physiologiques dans l'*Anatomie générale.* Les membranes articulaires, appelées jusqu'alors *bourses muqueuses,* y reçurent le nom de *membranes synoviales,* qu'elles conservent aujourd'hui.

Dissertation sur les membranes et sur leurs rapports généraux d'organisation (ibid.).

Cette dissertation complète le mémoire précédent en étendant à toutes les membranes les recherches dont les bourses synoviales avaient été l'objet. L'arachnoïde y est signalée comme appartenant à la classe des membranes séreuses, ce qui n'avait pas encore été fait avant Bichat.

Mémoire sur les rapports qui existent entre les organes à formes symétriques et ceux à forme irrégulière (ibid.).

La distinction des deux vies, la vie animale et la vie organique, se trouve indiquée dans ce mémoire de manière à faire connaître l'importance que Bichat y attachait. Ainsi qu'on le voit dans les *Recherches physiologiques sur la vie et la mort*, la forme symétrique des organes de la vie animale et la forme irrégulière de ceux de la vie organique sont envisagés surtout dans leurs rapports avec cette distinction systématique.

Traité des membranes en général et des diverses membranes en particulier. Paris, 1800, in-8.

Le *Traité des membranes* est, à proprement parler, le premier ouvrage de Bichat. Jusque là il n'avait écrit que des mémoires sur quelques points de chirurgie, d'anatomie et de physiologie. Les membranes y sont divisées en *simples* et *composées* ; les simples sont les *muqueuses*, les *séreuses* et les *fibreuses* ; les composées sont les *fibro-séreuses*, les *fibro-muqueuses*, les *séro-muqueuses* et les *fibro-muqueuses*. Plusieurs membranes difficiles à caractériser y sont rangées dans une classe séparée. Les membranes *accidentelles* sont mentionnées à la fin. — Un traité sur l'*arachnoïde* et un autre sur la *membrane synoviale* terminent ce volume. La doctrine émise dans cet ouvrage a été critiquée sévèrement ; mais elle est restée dans la science, qui l'a acceptée moyennant quelques rectifications que l'observation, dirigée par les aperçus de Bichat lui-même, a autorisées. Ce livre a été réimprimé sous les auspices de M. Husson en 1802 et en 1816.

Recherches physiologiques sur la vie et la mort. Paris, 1800, in-8.

Ce livre, dont on compte plusieurs éditions, se compose de deux parties qui ne s'enchaînent point nécessairement. La première, toute théorique, a pour objet la distinction systématique des deux vies, la vie animale et la vie organique. La seconde, toute expérimentale, a pour objet la détermination du rôle qui appartient au cerveau, au cœur et au poumon, dans la production de la mort, abstraction faite des états pathologiques auxquels elle succède. C'est dans la première partie de cet ouvrage que Bichat a résumé sa doctrine physiologique, résumé admirable par la concision, par la rapidité et par une inimitable clarté. Sa distinction des deux vies n'est point rigoureuse, car ce qu'il appelle vie animale est moins la vie proprement dite qu'un ordre spécial de fonctions. Pourquoi donner à un ordre de fonctions une dénomination servant exclusivement à expliquer un ensemble de phénomènes qui les comprend toutes? Le mot *vie* faisant naître une idée absolue, générale, a entraîné Bichat dans des subtilités qu'il eût évitées en se servant d'une expression moins générale. L'exagération a été portée si loin, que l'on voit Bichat prendre dans les fonctions animales le type et même le nom des propriétés de la vie organique. C'est ainsi que la sensibilité et la contractilité ou la motilité sont portées du domaine de la sensation et de la locomotion dans celui des phénomènes de formation, d'accroissement et de nutrition. Ce qui rend cette distinction des deux vies moins exacte encore, c'est la confusion que Bichat a faite, sous le nom de vie animale, des phénomènes sensorio-moteurs, communs à l'homme et aux animaux, avec les actes moraux et intellectuels propres à l'homme seul ; confusion déplorable qui a dû embarrasser souvent la rédaction de ce livre remarquable ; car Bichat, parlant à la fois de l'homme et de l'animal, se voyait conduit à prêter à celui-ci des facultés qui n'appartiennent qu'à celui-là. Comme les physiologistes n'ont pas l'habitude d'exposer séparément les phénomènes de la vie humaine, ils tombent tous, ou à peu près, dans la même confusion : aussi la critique, qui n'a pas épargné les écrits de Bichat, a-t-elle été muette à cet égard. Buisson est le premier qui ait rétabli sur une base plus rationnelle les principes de la science de l'homme, en distinguant sous le nom de vie *nutritive* les phénomènes qui ont pour résultat spécial la nutrition, et sous le nom de vie *active* les actes qui se lient plus étroitement à l'intelligence et à la volonté. Dans la doctrine de Buisson, la vie animale de Bichat est en quelque sorte décomposée en deux éléments, dont l'un, comprenant les sens *explorateurs* de l'odorat et du goût, les fonctions *préparatoires* de la respiration et de l'alimentation, et les fonctions nutritives proprement dites, se rapporte à la première, tandis que l'autre comprend tous les actes dans lesquels l'activité morale et intellectuelle de l'homme puise plus directement ses moyens de manifestation. Cette doctrine n'est pas à l'abri de tout reproche ; car l'activité morale et intellectuelle intervient plus que ne le croit Buisson dans *les fonctions de la vie nutritive*. Quoi qu'il en soit, les *Recherches sur la vie et la mort* sont encore la plus belle introduction aux études physiologiques. Le génie à la fois poétique et positif de Bichat s'y montre tout entier. M. Magendie en a publié une édition annotée en 1829. Celle de M. le docteur Bardinat est de 1824.

Anatomie générale, appliquée à la physiologie et à la médecine. 2 vol. in-8 ; Paris, 1801.

L'*anatomie générale* a pour objet de présenter un tableau complet des divers tissus qui concourrent à la formation des organes. Le nombre des tissus élémentaires y est porté à vingt et un. Richerand et Dupuytren l'ont réduit à dix-sept, et M. Magendie à dix-huit en y comprenant les tissus érectiles. C'est dans les considérations générales qui précédent ce traité célèbre que Bichat expose ses idées sur l'ensemble des sciences médicales. Les propriétés dites vitales y occupent une grande place. Les fonctions, les maladies, les actions thérapeutiques s'y trouvent entièrement subordonnées à l'intervention de ces propriétés. On y aperçoit le plan nouveau que Bichat comptait suivre dans ses projets de réformation médicale. Il s'agissait, selon lui, d'étudier l'action des médicaments sur la sensibilité et la contractilité de chaque tissu. « Car, disait-il, chaque force vitale a ses médicaments qui lui conviennent... Il faut que les médicaments, non seulement diminuent et augmentent chacune des forces vitales, mais encore la ramènent à la modification naturelle dont elle s'était écartée. » Pour Bichat, les maladies, comme les remèdes, « se rapportent aux propriétés vitales ; leur augmentation, leur diminution et leur altération sont, en dernière analyse, le but invariable des méthodes curatives. » C'est ainsi que le dynamisme ontologique s'allie dans cet ouvrage aux plus importantes découvertes et à la plus admirable méthode. Celles-ci resteront, lorsque celui-là aura disparu. Ce qu'il y a de plus remarquable dans l'anatomie générale, après l'appréciation anatomique des divers tissus fondée sur la dissection, la putréfaction, la macération, la dessiccation, la coction, les réactifs, etc., c'est l'application que Bichat en a faite à la physiologie et à la pathologie. L'anatomie pathologique, qui n'était qu'un recueil

c

de faits isolés, y est élevée au rang d'une science. Les données premières de cette science nouvelle, si heureusement développées par
l'École de Paris, s'y trouvent répandues à profusion. On peut dire en
parlant de ce livre que jamais le génie médical ne s'était élevé d'un
seul bond à une telle hauteur. Béclard a publié, en 1821, un volume
d'additions pour servir de complément aux éditions de 1801 et de 1812.

Nous ne mettons pas au nombre des ouvrages de Bichat
le *Traité d'anatomie descriptive* qui porte son nom : il n'en
est point l'auteur. Il n'a écrit que le commencement du
troisième volume ; c'est Buisson, l'auteur du deuxième et
du quatrième, qui l'a achevé : le premier et le cinquième
volume sont de M. Roux. Mais nous devons rappeler le
Discours préliminaire placé en tête des œuvres chirurgicales de Desault, et qui est resté un des monuments les plus
admirés de la littérature médicale.

Le style de Bichat est remarquable par la précision et la
rapidité. C'est l'image fidèle de sa pensée prompte, nette,
hardie. Ce qu'il avait écrit d'un premier jet, il l'envoyait à
l'imprimeur ; jamais il n'écrivit deux fois les pages appelées
à une si grande publicité. Il écrivait plus rapidement qu'il
ne parlait. Cette précipitation explique les négligences
qu'on y rencontre. L'événement a trop cruellement justi-
fié l'impatience avec laquelle il publiait ses écrits. « Une
telle ardeur était nécessaire, dit M. Pariset, pour produire
en si peu d'années tant d'ouvrages étincelants de vérités
neuves et fécondes. »

TABLE ANALYTIQUE

DES MATIÈRES.

PREMIÈRE PARTIE.

RECHERCHES PHYSIOLOGIQUES SUR LA VIE.

ARTICLE PREMIER.

Division générale de la vie.

ARTICLE DEUXIÈME.

Différences générales des deux vies par rapport aux formes extérieures de leurs organes respectifs.

§ II. *Tout ce qui est relatif aux passions appartient à la vie organique.*
— Distinction des passions d'avec les sensations. — Preuves que toutes
les passions affectent les fonctions organiques. — Examen de chaque
fonction sous ce rapport. — L'état des organes internes influe sur celui
des passions. — Preuves de cette assertion dans la santé et dans la maladie.. 39-46

§ III. *Comment les passions modifient les actes de la vie animale, quoiqu'elles aient leur siége dans la vie organique.* — Exemple particulier
de la colère, de la crainte, etc. — Considérations générales sur les mouvements des muscles volontaires produits par les passions. — Ces mouvements sont sympathiques. — Considérations diverses à cet égard. —
Influence de l'estomac sur la peau, au moyen des passions... 46-51

§ IV. *Du centre épigastrique ; il n'existe point dans le sens que les auteurs
ont entendu.* Il n'appartient ni au pylore, ni au diaphragme, ni au plexus
solaire du grand sympathique. Note sur ce nerf; l'idée qu'on s'en forme
communément est inexacte. — C'est un ensemble de systèmes nerveux,
et non un nerf particulier. — Il n'y a point, à proprement parler, de
centre épigastrique. — Pourquoi on rapporte à la région supérieure de
l'abdomen les impressions vives. — Rapports divers qu'ont entre eux
les phénomènes de l'entendement et des passions.......... 51-55

ARTICLE SEPTIÈME.

Différences générales des deux vies par rapport aux forces vitales.

Dans l'étude des forces de la vie, il faut remonter des phénomènes aux principes, et ne pas descendre des principes aux phénomènes.... 55-56

§ Ier. *Différences des forces vitales d'avec les lois physiques.* — Instabilité des unes comparée à la stabilité des autres. — Cette différence doit
en établir une essentielle dans la manière d'étudier les sciences des
corps bruts et celle des corps vivants................ 56-59

§ II. *Différences des forces vitales d'avec celles de tissus.....* 59-60

§ III. *Des deux espèces de sensibilités, animale et organique.*—Sensibilité
organique. — Sensibilité animale. — Attributs respectifs de ces deux
propriétés. — Elles ne paraissent différer que par leur intensité, et non
par leur nature. — Preuves diverses de cette assertion, tirées de leur
enchaînement insensible, des excitants, de l'habitude, de l'inflammation, etc... 60-64

§ IV. *Du rapport qui existe entre la sensibilité de chaque organe et les
corps qui lui sont étrangers.* — Chaque organe a une somme déterminée
de sensibilité. — C'est cette somme de sensibilité, et non la nature
particulière de cette propriété, qui fait varier ses rapports avec les corps
étrangers. — Preuves nombreuses de cette assertion. — Applications
diverses........ 64-68

§ V. *Des deux espèces de contractilités, animale et organique.* — Les par-

ARTICLE HUITIÈME.

De l'origine et du développement de la vie animale.

ARTICLE NEUVIÈME.

De l'origine et du développement de la vie organique.

ARTICLE DIXIÈME.

De la fin naturelle des deux vies.

SECONDE PARTIE.

RECHERCHES PHYSIOLOGIQUES SUR LA MORT.

ARTICLE PREMIER.

Considérations générales sur la mort.

ARTICLE DEUXIÈME.

De l'influence que la mort du cœur exerce sur celle du cerveau.

ARTICLE TROISIÈME.

De l'influence que la mort du cœur exerce sur celle du poumon.

ARTICLE QUATRIÈME.

De l'influence que la mort du cœur exerce sur celle de tous les organes.

J'ai passé sous silence l'influence de la mort du cœur à sang noir sur celle des organes, parce qu'il est infiniment rare que la mort commence par là.

ARTICLE CINQUIÈME.

De l'influence que la mort du cœur exerce sur la mort générale.

ARTICLE SIXIÈME.

De l'influence que la mort du poumon exerce sur celle du cœur.

ARTICLE SEPTIÈME.

De l'influence que la mort du poumon exerce sur celle du cerveau.

ARTICLE HUITIÈME.

De l'influence que la mort du poumon exerce sur celle de tous les organes.

ARTICLE NEUVIÈME.

De l'influence que la mort du cerveau exerce sur la mort générale.

ARTICLE DIXIÈME.

De l'influence que la mort du cerveau exerce sur celle du poumon.

ARTICLE ONZIÈME.

De l'influence que la mort du cerveau exerce sur celle du cœur.

ARTICLE DOUZIÈME.

De l'influence que la mort du cerveau exerce sur celle de tous les organes.

ARTICLE TREIZIÈME.

De l'influence que la mort du cerveau exerce sur la mort générale.

RECHERCHES PHYSIOLOGIQUES

SUR

LA VIE ET LA MORT.

PREMIÈRE PARTIE

RECHERCHES PHYSIOLOGIQUES SUR LA VIE.

ARTICLE I.

DIVISION GÉNÉRALE DE LA VIE.

On cherche dans des considérations abstraites la définition de la vie ; on la trouvera, je crois, dans cet aperçu général : *la vie est l'ensemble des fonctions qui résistent à la mort.*

Tel est, en effet, le mode d'existence des corps vivants, que tout ce qui les entoure tend à les détruire. Les corps inorganiques agissent sans cesse sur eux ; eux-mêmes exercent les uns sur les autres une action continuelle ; bientôt ils succomberaient s'ils n'avaient en eux un principe permanent de réaction. Ce principe est celui de la vie ; inconnu dans sa nature, il ne peut être apprécié que par ses phénomènes : or, le plus général de ces phénomènes est cette alternative habituelle d'action de la part des corps extérieurs et de réaction de la part du corps vivant, alternative dont les proportions varient suivant l'âge.

Il y a surabondance de vie dans l'enfant, parce que la réaction surpasse l'action. L'adulte voit l'équilibre s'établir

1

entre elles, et par là même cette turgescence vitale disparaître. La réaction du principe interne diminue chez le
vieillard, l'action des corps extérieurs restant la même ;
alors la vie languit et s'avance insensiblement vers son
terme naturel, qui arrive lorsque toute proportion cesse.

La mesure de la vie est donc, en général, la différence
qui existe entre l'effort des puissances extérieures et celui
de la résistance intérieure. L'excès des unes annonce sa faiblesse ; la prédominance de l'autre est l'indice de sa force [A].

§ I. Division de la vie en animale et organique.

Telle est la vie considérée dans sa totalité ; examinée plus
en détail, elle nous offre deux modifications remarquables.
L'une est commune au végétal et à l'animal, l'autre est le
partage spécial de ce dernier. Jetez, en effet, les yeux sur
deux individus de chacun de ces règnes vivants, vous verrez l'un n'exister qu'au dedans de lui, n'avoir avec ce qui
l'environne que des rapports de nutrition, naître, croître et
périr fixé au sol qui en reçut le germe ; l'autre allier à cette
vie intérieure, dont il jouit au plus haut degré, une vie
extérieure qui établit des relations nombreuses entre lui et
les objets voisins, marie son existence à celles de tous les
autres êtres, l'en éloigne ou l'en rapproche suivant ses
craintes ou ses besoins, et semble ainsi, en lui appropriant
tout dans la nature, rapporter tout à son existence isolée.

On dirait que le végétal est l'ébauche, le canevas de l'a-
nimal, et que, pour former ce dernier, il n'a fallu que
revêtir ce canevas d'un appareil d'organes extérieurs propres à établir des relations.

Il résulte de là que les fonctions de l'animal forment deux
classes très-distinctes. Les unes se composent d'une succession habituelle d'assimilation et d'excrétion ; par elles il
transforme sans cesse en sa propre substance les molécules
des corps voisins, et rejette ensuite ces molécules lorsqu'elles lui sont devenues hétérogènes. Il ne vit qu'en lui,

par cette classe de fonctions; par l'autre il existe hors de lui; il est l'habitant du monde, et non comme le végétal du lieu qui le vit naître. Il sent et aperçoit ce qui l'entoure, réfléchit ses sensations, se meut volontairement d'après leur influence, et le plus souvent peut communiquer par la voix ses désirs et ses craintes, ses plaisirs ou ses peines.

J'appelle vie *organique* l'ensemble des fonctions de la première classe, parce que tous les êtres organisés, végétaux ou animaux, en jouissent à un degré plus ou moins marqué, et que la texture organique est la seule condition nécessaire à son exercice. Les fonctions réunies de la seconde classe forment la vie *animale,* ainsi nommée parce qu'elle est l'attribut exclusif du règne animal.

La génération n'entre point dans la série des phénomènes de ces deux vies, qui ont rapport à l'individu, tandis qu'elle ne regarde que l'espèce : aussi ne tient-elle que par des liens indirects à la plupart des autres. Elle ne commence à s'exercer que lorsque les autres fonctions sont depuis longtemps en exercice; elle s'éteint bien avant qu'elles ne finissent. Dans la plupart des animaux, ses périodes d'activité sont séparées par de longs intervalles de nullité; dans l'homme, où ses rémittences sont moins durables, elle n'a pas des rapports plus nombreux avec les fonctions. La soustraction des organes qui en sont les agents est marquée presque toujours par un accroissement général de nutrition. L'eunuque jouit de moins d'énergie vitale; mais les phénomènes de la vie se développent chez lui avec plus de plénitude. Faisons donc ici abstraction des lois qui nous donnent l'existence pour ne considérer que celles qui l'entretiennent; nous reviendrons sur les premières [B].

§ II. Subdivision de chacune des vies, animale et organique, en deux ordres de fonctions.

Chacune des deux vies, animale et organique, se composé de deux ordres de fonctions qui se succèdent et s'enchaînent dans un sens inverse.

Dans la vie animale, le premier ordre s'établit de l'extérieur du corps vers le cerveau, et le second de cet organe vers ceux de la locomotion et de la voix. L'impression des objets affecte successivement les sens, les nerfs et le cerveau. Les premiers reçoivent, les seconds transmettent, le dernier perçoit cette impression, qui, étant ainsi reçue, transmise et perçue, constitue nos sensations.

L'animal est presque passif dans ce premier ordre de fonctions ; il devient actif dans le second, qui résulte des actions successives du cerveau, où naît la volition à la suite des sensations, des nerfs qui transmettent cette volition, des organes locomoteurs et vocaux, agents de son exécution. Les corps extérieurs agissent sur l'animal par le premier ordre de fonctions ; il réagit sur eux par le second.

Une proportion rigoureuse existe, en général, entre ces deux ordres : où l'un est très-marqué, l'autre se développe avec énergie. Dans la série des animaux, celui qui sent le plus se meut aussi davantage. L'âge des sensations vives est celui de la vivacité des mouvements ; dans le sommeil, où le premier ordre est suspendu, le second cesse ou ne s'exerce que par secousses irrégulières. L'aveugle, qui ne vit qu'à motié pour ce qui l'entoure, enchaîne ses mouvements avec une lenteur qu'il perdrait bientôt si ses communications extérieures s'agrandissaient.

Un double mouvement s'exerce aussi dans la vie organique : l'un compose sans cesse, l'autre décompose l'animal. Telle est, en effet, comme l'ont observé les anciens et d'après eux plusieurs modernes, sa manière d'exister, que ce qu'il était à une époque, il cesse de l'être à une autre : son organisation reste toujours la même, mais ses éléments varient à chaque instant. Les molécules nutritives, tour à tour absorbées et rejetées, passent de l'animal à la plante, de celle-ci au corps brut, reviennent à l'animal et en ressortent ensuite.

La vie organique est accommodée à cette circulation continuelle de la matière. Un ordre de fonctions assimile à l'animal les substances qui doivent le nourrir, un autre lui enlève ces substances devenues hétérogènes à son organisation, après en avoir fait quelque temps partie.

Le premier, qui est l'ordre d'assimilation, résulte de la digestion, de la circulation, de la respiration et de la nutrition. Toute molécule étrangère au corps reçoit, avant d'en devenir l'élément, l'influence de ces quatre fonctions.

Quand elle a ensuite concouru quelque temps à former nos organes, l'absorption la leur enlève, la transmet dans le torrent circulatoire, où elle est charriée de nouveau, et d'où elle sort par l'exhalation pulmonaire ou cutanée et par les diverses sécrétions dont les fluides sont tous rejetés au dehors.

L'absorption, la circulation, l'exhalation, la sécrétion, forment donc le second ordre des fonctions de la vie organique, ou l'ordre de désassimilation.

Il suit de là que le système sanguin est un système moyen, centre de la vie organique, comme le cerveau est celui de la vie animale, où circulent confondues les molécules qui doivent être assimilées, et celles qui, ayant déjà servi à l'assimilation, sont destinées à être rejetées ; en sorte que le sang est composé de deux parties, l'une récrémentitielle, qui vient surtout des aliments, et où la nutrition puise ses matériaux ; l'autre excrémentitielle, qui est comme le débris, le résidu de tous les organes, et qui fournit aux sécrétions et aux exhalations extérieures. Cependant ces dernières fonctions servent aussi quelquefois à transmettre au dehors les produits digestifs, sans que ces produits aient concouru à nourrir les parties. C'est ce qu'on voit dans l'urine et la sueur à la suite des boissons copieuses. La peau et le rein sont alors organes excréteurs, non de la nutrition, mais bien de la digestion. C'est ce qu'on observe encore dans la production du lait, fluide provenant manifestement de la portion du sang

1.

qui n'a point encore été assimilée par le travail nutritif.

Il n'y a point entre les deux ordres des fonctions de là vie organique le même rapport qu'entre ceux de la vie animale; l'affaiblissement du premier n'entraîne pas la diminution du second : de là la maigreur, le marasme, états dans lesquels l'assimilation cesse en partie, la désassimilation s'exerçant au même degré.

Ces grandes différences placées entre les deux vies de l'animal, ces limites non moins marquées qui séparent les deux ordres des phénomènes dont chacune est l'assemblage, me paraissent offrir au physiologiste la seule division réelle qu'il puisse établir entre les fonctions.

Abandonnons aux autres sciences les méthodes artificielles; suivons l'enchaînement des phénomènes, pour enchaîner les idées que nous nous en formons, et alors nous verrons la plupart des divisions physiologiques n'offrir que des bases incertaines à celui qui voudrait y élever l'édifice de la science.

Je ne rappellerai point ici ces divisions; la meilleure manière d'en démontrer le vide, c'est, je crois, de prouver la solidité de celle que j'adopte. Parcourons donc en détail les grandes différences qui isolent l'animal vivant au dehors de l'animal existant au dedans, et se consumant dans une alternative d'assimilation et d'excrétion [C].

ARTICLE II.

DIFFÉRENCES GÉNÉRALES DES DEUX VIES PAR RAPPORT AUX FORMES EXTÉRIEURES DE LEURS ORGANES RESPECTIFS.

La plus essentielle des différences qui distinguent les organes de la vie animale de ceux de la vie organique, c'est la symétrie des uns et l'irrégularité des autres. Quelques animaux offrent des exceptions à ce caractère, surtout pour la vie animale; tels sont, parmi les poissons, les

soles, les turbots, etc., diverses espèces parmi les animaux
non vertébrés, etc., etc. ; mais il est exactement tracé
dans l'homme, ainsi que dans les genres voisins du sien
par la perfection. Ce n'est que là où je vais l'examiner ;
pour le saisir, l'inspection seule suffit.

§ I. Symétries des formes extérieures dans la vie animale.

Deux globes parfaitement semblables reçoivent l'impression de la lumière. Le son et les odeurs ont chacun aussi
leur organe double analogue. Une membrane unique est
affectée aux saveurs, mais la ligne médiane y est manifeste ;
chaque segment indiqué par elle est semblable à celui du
côté opposé. La peau ne nous présente pas toujours des
traces visible de cette ligne, mais partout elle y est supposée.
La nature, en oubliant pour ainsi dire de la tirer, plaça
d'espace en espace des points saillants qui indiquent son
trajet. Les rainures de l'extrémité du nez, du menton, du
milieu des lèvres, l'ombilic, le raphé du périnée, la saillie
des apophyses épineuses, l'enfoncement moyen de la partie
postérieure du cou, forment principalement ces points
d'indication.

Les nerfs qui transmettent l'impression reçue par les sens,
tels que l'optique, l'acoustique, le lingual, l'olfactif, sont
évidemment assemblés par paires symétriques.

Le cerveau, organe où l'impression est reçue, est remarquable par sa forme régulière : ses parties paires se ressemblent de chaque côté, telles que la couche des nerfs optiques,
les corps cannelés, les hippocampes, les corps frangés, etc.
Les parties impaires sont toutes symétriquement divisées
par la ligne médiane, dont plusieurs offrent des traces
visibles, comme le corps calleux, la voûte à trois piliers,
la protubérance annulaire, etc., etc.

Les nerfs qui transmettent aux agents de la locomotion
et de la voix les volitions du cerveau, les organes locomoteurs formés d'une grande partie du système musculaire,

du système osseux et de ses dépendances, le larynx et ses accessoires, doubles agents de l'exécution de ces volitions, ont une régularité, une symétrie, qui ne se trahissent jamais.

Telle est même la vérité du caractère que j'indique, que les muscles et les nerfs cessent de devenir réguliers dès qu'ils n'appartiennent plus à la vie animale. Le cœur, les fibres musculaires des intestins, etc., en sont une preuve pour les muscles ; pour les nerfs, le grand sympathique, partout destiné à la vie intérieure, présente dans la plupart de ses branches une distribution irrégulière ; les plexus solaire, mésentérique, hypogastrique, splénique, stomachique, etc., en sont un exemple.

Nous pouvons donc, je crois, conclure d'après la plus évidente inspection, que la symétrie est le caractère essentiel des organes de la vie animale de l'homme.

§ II. Irrégularité des formes extérieures dans la vie organique.

Si nous passons maintenant aux viscères de la vie organique, nous verrons qu'un caractère exactement opposé leur est applicable. Dans le système digestif, l'estomac, les intestins, la rate, le foie, etc., sont tous irrégulièrement disposés.

Dans le système circulatoire, le cœur, les gros vaisseaux, tels que la crosse de l'aorte, des veines caves, l'azygos, la veine porte, l'artère innominée, n'offrent aucune trace de symétrie. Dans les vaisseaux des membres, des variétés continuelles s'observent : et ce qu'il y a de remarquable, c'est que dans ces variétés la disposition d'un côté n'entraîne point celle du côté opposé.

L'appareil respiratoire paraît, au premier coup d'œil, exactement régulier ; cependant, si l'on remarque que la bronche droite est différente de la gauche par sa longueur, son diamètre et sa direction ; que trois lobes composent l'un des poumons, que deux seulement forment l'autre ;

qu'il y a entre ces organes une inégalité manifeste de volume ; que les deux divisions de l'artère pulmonaire ne se ressemblent ni par leur trajet ni par leur diamètre ; que le médiastin sur lequel tombe la ligne médiane s'en dévie sensiblement à gauche, nous verrons que la symétrie n'était ici qu'apparente, et que la loi commune ne souffre point d'exception.

Les organes de l'exhalation, de l'absorption, les membranes séreuses, le canal thoracique, le grand vaisseau lymphatique droit, les absorbants secondaires de toutes les parties ont une distribution partout inégale et irrégulière.

Dans le système glanduleux, nous voyons les cryptes ou follicules muqueux partout disséminés sans ordre sous leurs membranes respectives. Le pancréas, le foie, les glandes salivaires même, quoiqu'au premier coup d'œil plus symétriques, ne se trouvent point exactement soumis à la ligne médiane. Les reins diffèrent l'un de l'autre par leur position, le nombre de leurs lobes dans l'enfant, la longueur et la grosseur de leur artère et leur veine, et surtout par leurs fréquentes variétés.

Ces nombreuses considérations nous mènent évidemment à un résultat inverse du précédent, savoir, que l'attribut spécial des organes de la vie intérieure, c'est l'irrégularité de leurs formes extérieures [D].

§ III. Conséquences qui résultent de la différence des formes extérieures dans les organes des deux vies.

Il résulte de l'aperçu qui vient d'être présenté que la vie animale est pour ainsi dire double ; que ses phénomènes, exécutés en même temps des deux côtés, forment, dans chacun de ces côtés, un système indépendant du système opposé ; qu'il y a, si je puis m'exprimer ainsi, une vie droite et une vie gauche ; que l'une peut exister, l'autre cessant son action, et que sans doute même elles sont destinées à se suppléer réciproquement.

C'est ce qui arrive dans ces affections maladives si communes où la sensibilité et la motilité animale, affaiblies ou même entièrement anéanties dans une des moitiés symétriques du corps, ne se prêtent à aucune relation avec ce qui nous entoure; où l'homme n'est, d'un côté, guère plus que ce qu'est le végétal, tandis que, de l'autre côté, il conserve tous ses droits à l'animalité, par le sentiment et le mouvement qui lui restent. Certainement ces paralysies partielles, dans lesquelles la ligne médiane est le terme où finit et l'origine où commence la faculté de sentir et de se mouvoir, ne doivent point s'observer avec autant de régularité dans les animaux qui, comme l'huître, ont un extérieur irrégulier.

La vie organique, au contraire, fait un système unique où tout se lie et se coordonne, où les fonctions d'un côté ne peuvent s'interrompre sans que, par une suite nécessaire, celles de l'autre s'éteignent. Le foie malade à gauche influe à droite sur l'état de l'estomac: si le colon d'un côté cesse d'agir, celui du côté opposé ne peut continuer son action ; le même coup qui arrête la circulation dans les gros troncs veineux et la portion droite du cœur, l'anéantit aussi dans la portion gauche et les gros troncs artériels spécialement placés de ce côté, etc. : d'où il suit qu'en supposant que tous les organes de la vie interne placés d'un côté cessent leurs fonctions, ceux du côté opposé restent nécessairement dans l'inaction, et la mort arrive alors.

Au reste, cette assertion est générale; elle ne porte que sur l'ensemble de la vie organique, et non point sur tous ses phénomènes isolés : quelques-uns, en effet, sont doubles, et peuvent se suppléer, comme le rein et le poumon en offrent un exemple.

Je ne rechercherai point la cause de cette remarquable différence qui, dans l'homme et les animaux voisins de lui, distingue les organes des deux vies ; j'observerai seulement qu'elle entre essentiellement dans l'ordre de leurs phénomènes ; que la perfection des fonctions animales doit être liée à la symétrie généralement observée dans leurs organes respectifs; en sorte que tout ce qui troublera cette symétrie altérera plus ou moins ses fonctions.

C'est de là sans doute que naît cette autre différence entre les organes des deux vies, savoir, que la nature se livre bien plus rarement à des écarts de conformation dans la vie animale que dans la vie organique. Grimaud s'est servi de cette observation, sans indiquer le principe auquel tient le fait qu'elle nous présente.

C'est une remarque qui n'a pu échapper à celui dont les dissections ont été un peu multipliées, que les fréquentes variations de forme, de grandeur, de position, de direction des organes internes, comme la rate, le foie, l'estomac, les reins, les organes salivaires, etc. Telles sont ces variétés dans le système vasculaire, qu'à peine deux sujets offrent-ils exactement la même disposition au scalpel de l'anatomiste. Qui ne sait que les organes de l'absorption, les glandes lymphatiques en particulier, se trouvent rarement assujettis, dans deux individus, aux mêmes proportions de nombre, de volume, etc. ? Les glandes muqueuses affectent-elles jamais une position fixe et analogue ?

Non-seulement chaque système, isolément examiné, est assujetti ainsi à de fréquentes aberrations, mais l'ensemble même des organes de la vie interne se trouve quelquefois dans un ordre inverse de celui qui lui est naturel. On apporta, l'an passé, dans mon amphithéâtre, un enfant qui avait vécu plusieurs années avec un bouleversement général des viscères digestifs, circulatoires, respiratoires et sécrétoires. A droite se trouvaient l'estomac, la rate, l'S du colon, la pointe du cœur, l'aorte, le poumon à deux lobes, etc. On voyait à gauche le foie, le cœcum, la base du cœur, les veines caves, l'azygos, le poumon à trois lobes, etc.

Tous les organes placés sous la ligne médiane, tels que le médiastin, le mésentère, le duodénum, le pancréas, la division des bronches, affectaient aussi un ordre renversé.

Plusieurs auteurs ont parlé de ces déplacements de viscéres, dont je ne connais pas cependant d'exemple aussi complet·

Jetons maintenant les yeux sur les organes de la vie animale, sur les sens, les nerfs, le cerveau, les muscles volontaires, le larynx : tout y est exact, précis, rigoureusement déterminé dans la forme, la grandeur et la position. On n'y voit presque jamais de variétés de conformation ; s'il en existe, les fonctions sont troublées, anéanties ; tandis qu'elles restent les mêmes dans la vie organique, au milieu des altérations diverses des parties.

Cette différence entre les organes des deux vies tient évidemment à la symétrie des uns, que le moindre changement de conformation eût troublée, et à l'irrégularité des autres, avec laquelle s'allient très-bien ces divers changements.

Le jeu de chaque organe est immédiatement lié, dans la vie animale, à sa ressemblance avec celui du côté opposé s'il est double, ou à l'uniformité de conformation de ses deux moitiés symétriques s'il est simple. D'après cela, on conçoit l'influence des changements organiques sur le dérangement des fonctions.

Mais ceci deviendra plus sensible quand j'aurai indiqué les rapports qui existent entre la symétrie ou l'irrégularité des organes et l'harmonie ou la discordance des fonctions.

ARTICLE III.

DIFFÉRENCE GÉNÉRALE DES DEUX VIES, PAR RAPPORT AU MODE D'ACTION DE LEURS ORGANES RESPECTIFS.

L'harmonie est aux fonctions des organes ce que la symétrie est à leur conformation ; elle suppose une égalité parfaite de force et d'action, comme la symétrie indique une exacte analogie dans les formes extérieures et la structure interne. Elle est une conséquence de la symétrie ; car deux parties essentiellement semblables par leur structure ne sauraient être différentes par leur manière d'agir. Ce simple raisonnement nous mènerait donc à cette donnée générale, savoir : que l'harmonie est le caractère des fonctions extérieures; que la discordance est, au contraire, l'attribut des fonctions organiques. Mais il est nécessaire de se livrer sur ce point à de plus amples détails.

§ I. De l'harmonie d'action dans la vie animale.

Nous avons vu que la vie extérieure résultait des actions successives des sens, des nerfs, du cerveau, des organes locomoteurs et vocaux. Considérons l'harmonie d'action dans chacune de ces grandes divisions.

La précision de nos sensations paraît être d'autant plus parfaite, qu'il existe entre les deux impressions dont chacune est l'assemblage une plus exacte ressemblance. Nous voyons mal quand l'un des yeux, mieux constitué, plus fort que l'autre, est plus vivement affecté, et transmet au cerveau une plus forte image. C'est pour éviter cette confusion qu'un œil se ferme quand l'action de l'autre est artificiellement augmentée par un verre convexe : ce verre rompt l'harmonie des deux organes; nous n'usons que d'un seul, pour qu'ils ne soient pas discordants. Ce qu'une lunette produit artificiellement, le strabisme nous l'offre dans l'état naturel. Nous louchons, dit Buffon, parce que nous détournons l'œil le plus faible de l'objet sur lequel le plus fort est fixé, pour éviter la confusion qui naîtrait dans la perception de deux images inégales.

Je sais que beaucoup d'autres causes concourent à produire cette affection, mais la réalité de celle-ci ne peut être mise en doute. Je sais aussi que chaque œil peut isolément agir dans divers animaux; que deux images diverses sont transmises en même temps par les deux yeux de certaines espèces; mais cela n'empêche pas que lorsque ces organes réunissent leur action sur le même objet, les deux impressions qu'ils transmettent au cerveau ne doivent pas être analogues. Un jugement unique en est, en effet, le résultat : or, comment ce jugement pourra-t-il être porté avec exactitude si le même corps se présente en même temps, et avec des couleurs vives, et avec un faible coloris, suivant qu'il se peint sur l'une ou l'autre rétine ?

Ce que nous disons de l'œil s'applique exactement à l'oreille. Si dans les deux sensations qui composent l'ouïe, l'une est reçue par un organe plus fort, mieux développé, elle y laissera une impression plus claire, plus distincte ; le cerveau, différemment affecté par chacune, ne sera le siége que d'une perception imparfaite : c'est ce qui constitue l'oreille fausse. Pourquoi tel homme est-il péniblement affecté d'une dissonance, tandis que tel autre ne s'en aperçoit pas ? C'est que chez l'un, les deux perceptions du même son se confondant dans une seule, celle-ci est précise, rigoureuse, et distingue le moindre défaut du chant, tandis que chez l'autre, les deux oreilles offrant des sensations diverses, la perception est habituellement confuse, et ne peut apprécier le défaut d'harmonie des sons. C'est par la même raison que vous voyez tel homme coordonner toujours l'enchaînement de sa danse à la succession des mesures, tel autre au contraire allier constamment aux accords de l'orchestre la discordance de ses pas.

Buffon a borné à l'œil et à l'ouïe ses considérations sur l'harmonie d'action ; poursuivons-en l'examen dans la vie animale.

Il faut dans l'odorat, comme dans les autres sens, distinguer deux impressions : l'une primitive, qui appartient à l'organe ; l'autre consécutive, qui affecte le sensorium : celle-ci peut varier, la première restant la même. Telle odeur fait fuir certaines personnes du lieu où elle en attire d'autres ; ce n'est pas que l'affection de la pituitaire soit différente, mais c'est que l'âme attache des sentiments divers à une impression identique, en sorte qu'ici la variété des résultats n'en suppose point dans leurs principes.

Mais quelquefois l'impression née sur la pituitaire diffère réellement de ce qu'elle doit être pour la perfection de la sensation. Deux chiens poursuivent le même gibier : l'un n'en perd jamais la trace, fait les mêmes détours et les mêmes circuits ; l'autre le suit aussi, mais s'arrête souvent, perd le pied, comme on le dit, hésite et cherche pour le retrouver, court et s'arrête encore. Le premier de ces deux chiens reçoit une vive impression des émanations odorantes : elles n'affectent que confusément l'organe du second. Or, cette confusion ne tient-elle point à l'inégalité d'action des deux narines, à la supériorité d'organisation de l'une, à la faiblesse de l'autre? Les observations suivantes paraissent le prouver.

Dans le coryza qui n'affecte qu'une narine, si toutes deux restent ouvertes, l'odorat est confus ; fermez celle du côté malade, il deviendra distinct. Un polype développé d'un côté affaiblit l'action de la pituitaire correspondante, celle de l'autre restant la même ; de là, comme dans le cas précédent, défaut d'harmonie entre les deux organes, et par là même, confusion dans la perception des odeurs. La plupart des affections d'une narine isolée ont des résultats analogues et qui peuvent être momentanément corrigés par le moyen que je viens d'indiquer ; pourquoi? parce qu'en rendant inactive une des pituitaires, on fait cesser sa discordance d'action avec l'autre.

Concluons de ceci que, puisque toute cause accidentelle, qui rompt l'harmonie de fonctions des organes, rend confuse la perception des odeurs, il est probable que quand cette perception est naturellement inexacte, il y a dans les narines une inégalité naturelle de conformation, et par là même de force.

Disons du goût ce que nous avons dit de l'odorat : souvent l'un des côtés de la langue est seul affecté de paralysie, de spasme. La ligne médiane sépare quelquefois une portion insensible de l'autre qui conserve encore toute sa sensibilité. Pourquoi ce qui arrive en plus n'arriverait-il pas en moins? Pourquoi l'un des côtés, en conservant la faculté de percevoir les saveurs, n'en jouirait-il pas à un moindre degré que l'autre? Or, dans ce cas, il est facile de concevoir que le goût serait irrégulier et confus, parce qu'une perception précise ne saurait succéder à deux sensations inégales et qui ont le même objet. Qui ne sait que dans certains corps où quelques-uns ne trouvent que d'obscures saveurs, les autres rencontrent mille causes subtiles de sensations pénibles ou agréables?

La perfection du toucher est, comme celle des autres sens, essentiellement liée à l'uniformité d'action des deux moitiés symétriques du corps, les deux mains en particulier. Supposons un aveugle naissant avec une main régulièrement organisée, tandis que l'autre, privée des mouvements d'opposition du pouce et de flexion des doigts, formerait une surface roide et immobile; cet aveugle-là n'acquerrait que difficilement les notions de grandeur, de figure, de direction, etc., parce qu'une même sensation ne naîtra pas de l'application successive des deux mains sur le même corps. Que toutes deux touchent une petite sphère, par exemple : l'une, en l'embrassant exactement par l'extrémité de tous ses diamètres, fera naître l'idée de rondeur; l'autre, qui ne sera en contact avec elle que par quelques points, donnera une sensation toute différente. Incertain entre ces deux bases de son jugement, l'aveugle ne saura que difficilement le porter; il pourra même faire correspondre à cette double sensation un jugement double sur la forme extérieure du même corps. Ses idées seraient plus précises s'il condamnait l'une de ses mains à l'inaction, comme celui qui louche détourne de l'objet l'œil le plus faible, pour éviter la confusion, inévitable effet de la diversité des deux sensations. Les mains se suppléent donc réciproquement; l'une confirme les notions que l'autre nous donne : de là, uniformité nécessaire de leur conformation.

Les mains ne sont pas les agents uniques du toucher :

les plis de l'avant-bras, de l'aisselle, de l'aine, la concavité du pied, etc., peuvent, en embrassant les corps, nous
fournir aussi des bases réelles, quoique moins parfaites,
de nos jugements sur les formes extérieures. Or, supposons l'une des moitiés du corps tout différemment disposée
que l'autre, la même incertitude dans la perception en
sera le résultat.

Concluons de tout ce qui vient d'être dit que, dans tout
l'appareil du système sensitif extérieur, l'harmonie d'action des deux organes symétriques, ou des deux moitiés
semblables du même organe, est une condition essentielle
à la perfection des sensations.

Les sens externes sont les excitants naturels du cerveau,
dont les fonctions dans la vie animale succèdent constamment aux leurs, et qui languiraient dans une inaction constante s'il ne trouvait en eux le principe de son activité.
Des sensations dérivent immédiatement la perception, la
mémoire, l'imagination, et par là même le jugement. Or,
il est facile de prouver que ces diverses fonctions, communément désignées sous le nom de *sens internes,* suivent,
dans leur exercice, la même loi que les sens externes, et
que, comme ceux-ci, elles sont d'autant plus voisines de
la perfection qu'il y a plus d'harmonie entre les deux portions symétriques de l'organe où elles ont leur siége.

Supposons, en effet, l'un des hémisphères plus fortement organisé que l'autre, mieux développé dans tous ses
points, susceptible par là d'être plus vivement affecté ; je
dis qu'alors la perception sera confuse, car le cerveau est
à l'âme ce que les sens sont au cerveau ; il transmet à
l'âme l'ébranlement venu des sens, comme ceux-ci lui en-
voient les impressions que font sur eux les corps environnants. Or, si le défaut d'harmonie dans le système sensitif
extérieur trouble la perception du cerveau, pourquoi l'âme
ne percevrait-elle pas confusément lorsque les deux hémisphères inégaux en force ne confondent pas en une
seule la double impression qu'ils reçoivent ?

2.

Dans la mémoire, faculté de reproduire d'anciennes sensations ; dans l'imagination, faculté d'en créer de nouvelles, chaque hémisphère paraît en reproduire ou en créer une. Si tous deux ne sont parfaitement semblables, la perception de l'âme qui doit les réunir sera inexacte et irrégulière. Or il y aura inégalité dans les deux sensations s'il en existe dans les deux hémisphères où elles ont leur siége.

La perception, la mémoire et l'imagination, sont les bases ordinaires du jugement. Si les unes sont confuses, comment l'autre pourra-t-il être distinct ?

Nous venons de supposer l'inégalité d'action des hémisphères, de prouver que le défaut de précision dans les fonctions intellectuelles doit en être le résultat ; mais ce qui n'est encore que supposition devient réalité dans une foule de cas. Quoi de plus commun que de voir coïncider avec la compression de l'hémisphère, d'un côté par le sang, le plus épanché, un os déprimé, une exostose développée à la face interne du crâne, etc., de nombreuses altérations dans la mémoire, la perception, l'imagination, le jugement ?

Lors même que tout signe de compression actuelle a disparu, si, par l'influence de celle qu'il a éprouvée, l'un des côtés du cerveau reste plus faible, ces altérations ne se prolongent-elles pas ? Diverses aliénations n'en sont-elles pas les funestes suites ? Si les deux côtés restaient également affectés, le jugement serait plus faible, mais il serait plus exact. N'est-ce pas ainsi qu'il faut expliquer plusieurs observations souvent citées, où un coup porté sur une des régions latérales de la tête a rétabli les fonctions intellectuelles troublées depuis longtemps à la suite d'un autre coup reçu sur la région opposée ?

Je crois avoir établi qu'en supposant l'inégalité d'action des hémisphères, les fonctions intellectuelles doivent être troublées. J'ai indiqué ensuite divers cas maladifs où ce trouble est le résultat évident de cette inégalité. Nous voyons ici l'effet et la cause ; mais là où le premier sens

est apparent, l'analogie ne nous indique-t-elle pas là seconde ? Quand habituellement le jugement est inexact, que
toutes les idées manquent de précision, ne sommes-nous
pas conduits à croire qu'il y a défaut d'harmonie entre les
deux côtés du cerveau ? Nous voyons de travers si la nature n'a mis de l'accord dans la force des deux yeux. Nous
percevons et nous jugeons de même si les hémisphères
sont naturellement discordants : l'esprit le plus juste, le
jugement le plus sain, supposent en eux l'harmonie la
plus complète. Que de nuances dans les opérations de
l'entendement ! Ces nuances ne correspondent-elles point
à autant de variétés dans le rapport de forces des deux
moitiés du cerveau ? Si nous pouvions loucher de cet organe comme des yeux, c'est-à-dire ne recevoir qu'avec un
seul hémisphère les impressions externes, n'employer
qu'un seul côté du cerveau à prendre des déterminations,
à juger, nous serions maîtres alors de la justesse de nos
opérations intellectuelles ; mais une semblable faculté
n'existe point.

Poursuivons l'examen de l'harmonie d'action dans le
système de la vie animale. Aux fonctions du cerveau succèdent la locomotion et la voix : la première semble, au
premier coup d'œil, faire exception à la loi générale de
l'harmonie d'action. Considérez, en effet, les deux moitiés
verticales du corps, vous verrez l'une constamment supérieure à l'autre par l'étendue, le nombre, la facilité des
mouvements qu'elle exécute. C'est, comme on le sait, la
portion droite qui l'emporte communément sur la gauche.

Pour comprendre la raison de cette différence, distinguons dans toute espèce de mouvement la force et l'agilité. La force tient à la perfection d'organisation, à l'énergie de nutrition, à la plénitude de vie de chaque muscle ;
l'agilité est le résultat de l'habitude et du fréquent exercice.

Remarquons maintenant que la discordance des organes
locomoteurs porte, non sur la force, mais sur l'agilité des

mouvements. Tout est égal dans le volume, le nombre des fibres, les nerfs de l'un et l'autre des membres supérieurs ou inférieurs : la différence de leur système vasculaire est presque nulle. Il suit de là que cette discordance n'est pas, ou presque pas, dans la nature; elle est la suite manifeste de nos habitudes sociales, qui, en multipliant les mouvements d'un côté, augmentent leur adresse, sans trop ajouter à leur force.

Tels sont, en effet, les besoins de la société, qu'ils nécessitent un certain nombre de mouvements généraux qui doivent être exécutés par tous dans la même direction, afin de pouvoir s'entendre. On est convenu que cette direction serait celle de gauche à droite. Les lettres qui composent l'écriture de la plupart des peuples sont dirigées dans ce sens. Cette circonstance entraîne la nécessité d'employer, pour former ces lettres, la main droite, qui est mieux adaptée que la gauche à ce mode d'écriture, comme celle-ci conviendrait infiniment mieux au mode opposé, ainsi qu'il est facile de s'en convaincre par le moindre essai.

La direction des lettres de gauche à droite impose la loi de les parcourir des yeux de la même manière. De l'habitude de lire ainsi, naît celle d'examiner la plupart des objets suivant le même sens.

La nécessité de l'ensemble dans les combats a déterminé à employer généralement la main droite pour saisir les armes; l'harmonie qui dirige la danse des peuples les plus sauvages exige dans les jambes un accord qu'ils conservent en faisant toujours porter sur la droite leurs mouvements principaux. Je pourrais ajouter à ces divers exemples une foule d'autres analogues.

Ces mouvements généraux, convenus de tous dans l'ordre social, qui rompraient l'harmonie d'une foule d'actes si tout le monde ne les exécutait pas dans le même sens, ces mouvements nous entraînent inévitablement, par l'influence de l'habitude, à employer pour nos mouvements particuliers les membres qu'ils mettent en action. Or, ces membres étant ceux placés à droite, il résulte que les membres de ce côté sont toujours en activité, soit pour les besoins relatifs aux mouvements que nous coordonnons avec ceux des autres individus, soit pour les besoins qui nous sont personnels.

Comme l'habitude d'agir perfectionne l'action, on conçoit la cause de l'excès d'agilité du membre droit sur le gauche. Cet excès n'est presque pas primitif; l'usage l'amène d'une manière insensible.

Cette remarquable différence dans les deux motifs symétriques du corps n'est donc point, dans la nature, une exception de la loi générale de l'harmonie d'action des fonctions externes. Cela est si vrai, que l'ensemble des mouvements exécutés avec tous nos membres est d'autant plus précis qu'il y a moins de différence dans l'agilité des muscles gauches et droits. Pourquoi certains animaux franchissent-ils avec tant d'adresse des rochers où la moindre déviation les entraînerait dans l'abîme, courent-ils avec une admirable précision sur des plans à peine égaux en largeur à l'extrémité de leurs membres? Pourquoi la marche de ceux qui sont les plus lourds n'est-elle jamais accompagnée de ces faux pas si communs dans la progression de l'homme? C'est que chez eux la différence étant presque nulle entre les organes locomoteurs de l'un et l'autre côté, ces organes sont en harmonie constante d'action.

L'homme le plus adroit dans ses mouvements de totalité est celui qui l'est le moins dans les mouvements isolés du membre droit; car, comme je le prouverai ailleurs, la perfection d'une partie ne s'acquiert jamais qu'aux dépens de celle de toutes les autres. L'enfant qu'on élèverait à faire un emploi égal de ses quatre membres aurait dans ses mouvements généraux une précision qu'il acquerrait difficilement pour les mouvements particuliers de la main droite, comme pour ceux qu'exigent l'écriture, l'escrime, etc.

Je crois bien que quelques circonstances naturelles ont influé sur le choix de la direction des mouvements généraux qu'exigent les habitudes sociales ; tels sont le léger excès de diamètre de la sous-clavière droite, le sentiment de lassitude qui accompagne la digestion, et qui, plus sensible à gauche à cause de l'estomac, nous détermine à agir pendant ce temps du côté opposé ; tel est l'instinct naturel qui, dans les affections vives, nous fait porter la main sur le cœur, où la droite se dirige bien plus facilement que la gauche. Mais ces causes sont presque nulles, comparées à la disproportion des mouvements des deux moitiés symétriques du corps, et sous ce rapport il est toujours vrai de dire que leur discordance est un effet social, et que la nature les a primitivement destinées à l'harmonie d'action.

La voix est, avec la locomotion, le dernier acte de la vie animale dans l'enchaînement naturel de ses fonctions. Or, la plupart des physiologistes, Haller en particulier, ont indiqué, comme cause de son défaut d'harmonie, la discordance des deux moitiés symétriques du larynx, l'inégalité de force dans les muscles qui meuvent les aryténoïdes, d'action dans les nerfs qui vont de chaque côté de cet organe, de réflexion des sons dans l'une et l'autre narine, dans les sinus droits et gauches. Sans doute la voix fausse dépend souvent de l'oreille : quand nous entendons faux, nous chantons de même ; mais quand la justesse de l'ouïe coïncide avec le défaut de précision des sons, la cause en est certainement dans le larynx.

La voix la plus harmonieuse est donc celle que les deux parties du larynx produisent à un degré égal, où les vibrations d'un côté, exactement semblables par leur nombre, leur force, leur durée, à celles du côté opposé, se confondent avec elles pour produire le même son, de même que le chant le plus parfait serait celui que produiraient deux voix exactement identiques par leur portée, leur timbre et leurs inflexions.

Des nombreuses considérations que je viens de présenter

découle, je crois, ce résultat général, savoir, qu'un des principes essentiels de la vie animale est l'harmonie d'action des deux parties analogues, ou des deux côtés de la partie simple qui concourent à un même but. On voit facilement, sans que je l'indique, le rapport qui existe entre cette harmonie d'action, caractère des fonctions, et la symétrie de forme, attribut des organes de la vie animale.

Je préviens, au reste, en finissant ce paragraphe, qu'en y indiquant les dérangements divers qui résultent, dans la vie animale, du défaut d'harmonie des organes, je n'ai prétendu assigner qu'une cause isolée de ces dérangements ; je sais, par exemple, que mille circonstances autres que la discordance des deux hémisphères du cerveau peuvent altérer le jugement, la mémoire, etc., etc. [E]

§ II. Discordance d'action dans la vie organique.

A côté des phénomènes de la vie externe, plaçons maintenant ceux de la vie organique ; nous verrons que l'harmonie n'a sur eux aucune influence. Qu'un rein plus fort que l'autre sépare plus d'urine ; qu'un poumon mieux développé admette, dans un temps donné, plus de sang veineux et renvoie plus de sang artériel ; que moins de force organique distingue les glandes salivaires gauches d'avec les droites, qu'importe ? la fonction unique à laquelle concourt chaque paire d'organes n'est pas moins régulièrement exercée. Qu'un engorgement léger occupe l'un des côtés du foie, de la rate, du pancréas, la portion saine supplée, et la fonction n'est pas troublée. La circulation reste la même au milieu des variétés fréquentes du système vasculaire des deux côtés du corps, soit que ces variétés existent naturellement, soit qu'elles tiennent à quelques oblitérations artificielles de gros vaisseaux, comme dans l'anévrisme.

De là ces nombreuses irrégularités de structure, ces vices de conformation qui, comme je l'ai dit, s'observent dans la vie organique, sans qu'il y arrive pour cela discordance des fonctions. De là cette succession presque continue de modifications qui, agrandissant et rétrécissant tour à tour le cercle de ces fonctions, ne les laisse presque jamais dans un état fixe. Les forces vitales, et les excitants qui les mettent en jeu, sans cesse variables dans l'estomac, les reins, le foie, les poumons, le cœur, etc., y déterminent une instabilité constante dans les phénomènes. Mille causes peuvent à chaque instant doubler, tripler l'activité de la circulation et de la respiration, accroître ou diminuer la quantité de bile, d'urine, de salive sécrétées, suspendre ou accélérer la nutrition d'une partie; la faim, les aliments, le sommeil, le mouvement, le repos, les passions, etc., impriment à ces fonctions une mobilité telle, qu'elles 'passent chaque jour par cent degrés divers de force ou de faiblesse.

Tout, au contraire, est constant, uniforme, régulier dans la vie animale. Les forces vitales des sens ne peuvent, de même que les forces intérieures, éprouver ces alternatives de modifications, ou du moins à un degré aussi marqué. En effet, un rapport habituel les unit aux forces physiques qui régissent les corps extérieurs : or, celles-ci restant les mêmes dans leurs variations, chacune de ces variations anéantirait le rapport, et alors les fonctions cesseraient.

D'ailleurs, si cette mobilité qui caractérise la vie organique était aussi l'attribut des sensations, elle le serait, par là même, de la perception, de la mémoire, de l'imagination, du jugement, et conséquemment de la volonté. Alors que serait l'homme ? Entraîné par mille mouvements opposés, jouet perpétuel de tout ce qui l'entourerait, il verrait son existence, tour à tour voisine de celle des corps bruts, ou supérieure à celle dont il jouit en effet, allier à ce que l'intelligence montre de plus grand ce que la matière nous présente de plus vil [F].

ARTICLE IV.

DIFFÉRENCES GÉNÉRALES DANS LES DEUX VIES, PAR RAPPORT A LA DURÉE DE LEUR ACTION.

Je viens d'indiquer un des grands caractères qui distinguent les phénomènes de la vie animale d'avec ceux de la vie organique. Celui que je vais examiner n'est pas, je crois, d'une moindre importance; il consiste dans l'intermittence périodique des fonctions externes et la continuité non interrompue des fonctions internes.

§ I. Continuité d'action dans la vie organique.

La cause qui suspend la respiration et la circulation suspend et même anéantit la vie, pour peu qu'elle soit prolongée. Toutes les sécrétions s'opèrent sans interruption : et si quelques périodes de rémittence s'y observent, comme dans la bile, hors le temps de la digestion ; dans la salive, hors celui de la mastication, etc., ces périodes ne portent que sur l'intensité et non sur l'entier exercice de la fonction. L'exhalation et l'absorption se succèdent sans cesse ; jamais la nutrition ne reste inactive ; le double mouvement d'assimilation et de désassimilation dont elle résulte n'a de terme que celui de la vie.

Dans cet enchaînement continu des phénomènes organiques, chaque fonction est dans une dépendance immédiate de celles qui la précèdent. Centre de toutes, la circulation est toujours immédiatement liée à leur exercice ; si elle est troublée, les autres languissent ; elles cessent quand le sang est immobile : tels, dans leurs mouvements successifs, les nombreux rouages de l'horloge s'arrêtent-ils dès que le pendule qui les met tous en jeu est lui-même arrêté. Non-seulement l'action générale de la vie organique est liée à l'action particulière du cœur, mais encore chaque fonction s'enchaîne isolément à toutes les autres : sans sécrétion, point de digestion ; sans exhalation, nulle absorption ; sans digestion, défaut de nutrition.

Nous pouvons donc, je crois, indiquer comme caractère général des fonctions organiques leur continuité et la mutuelle dépendance où elles sont les unes des autres.

§ II. Intermittence d'action dans la vie animale.

Considérez, au contraire, chaque organe de la vie animale dans l'exercice de ses fonctions, vous y verrez constamment des alternatives d'activité et de repos, des intermittences complètes, et non des rémittences comme celles qu'on remarque dans quelques phénomènes organiques.

Chaque sens, fatigué par de longues sensations, devient momentanément impropre à en recevoir de nouvelles. L'oreille n'est point excitée par les sons, l'œil se ferme à la lumière, les saveurs n'irritent plus la langue, les odeurs trouvent la pituitaire insensible, le toucher devient obtus, par la seule raison que les fonctions respectives de ces divers organes se sont exercées quelque temps.

Fatigué par l'exercice continué de la perception, de l'imagination, de la mémoire ou de la méditation, le cerveau a besoin de reprendre, par une absence d'action proportionnée à la durée d'activité qui a précédé, des forces sans lesquelles il ne pourrait redevenir actif.

Tout muscle qui s'est fortement contracté ne se prête à de nouvelles contractions qu'après être resté un certain temps dans le relâchement. De là les intermittences nécessaires de la locomotion et de la voix.

Tel est donc le caractère propre à chaque organe de la vie animale, qu'il cesse d'agir par là même qu'il s'est exercé, parce qu'alors il se fatigue, et que ses forces épuisées ont besoin de se renouveler.

L'intermittence de la vie animale est tantôt partielle,

tantôt générale : elle est partielle quand un organe isolé a été longtemps en exercice, les autres restant inactifs. Alors cet organe se relâche ; il dort tandis que tous les autres veillent. Voilà sans doute pourquoi chaque fonction animale n'est pas dans une dépendance immédiate des autres, comme nous l'avons observé dans la vie organique. Les sens étant fermés aux sensations, l'action du cerveau peut subsister encore ; la mémoire, l'imagination, la réflexion y restent souvent. La locomotion et la voix peuvent alors continuer aussi ; celles-ci étant interrompues, les sens reçoivent également les impressions externes.

L'animal est maître de fatiguer isolément telle ou telle partie. Chacune devait donc pouvoir se relâcher, et par là même réparer ses forces d'une manière isolée ; c'est le sommeil partiel des organes.

§ III. Application de la loi d'intermittence d'action à la théorie du sommeil.

Le sommeil général est l'ensemble des sommeils particuliers ; il dérive de cette loi de la vie animale qui enchaîne constamment, dans ses fonctions, des temps d'intermittence aux périodes d'activité, loi qui la distingue d'une manière spéciale, comme nous l'avons vu, d'avec la vie organique : aussi le sommeil n'a-t-il jamais sur celle-ci qu'une influence indirecte, tandis qu'il porte tout entier sur la première.

De nombreuses variétés se remarquent dans cet état périodique auquel sont soumis tous les animaux. Le sommeil le plus complet est celui où toute la vie externe, les sensations, la perception, l'imagination, la mémoire, le jugement, la locomotion et la voix sont suspendus : le moins parfait n'affecte qu'un organe isolé ; c'est celui dont nous parlions tout à l'heure.

Entre ces deux extrêmes, de nombreux intermédiaires se rencontrent : tantôt les sensations, la perception, la locomotion et la voix, sont seules suspendues, l'imagination, la mémoire, le jugement restant en exercice ; tantôt à l'exercice de ces facultés qui subsistent se joint aussi l'exercice de la locomotion et de la voix. C'est là le sommeil qu'agitent les rêves, lesquels ne sont autre chose qu'une portion de la vie animale, échappée à l'engourdissement où l'autre portion est plongée.

Quelquefois même trois ou quatre sens seulement ont cessé leur communication avec les objets extérieurs : telle est cette espèce de somnambulisme où à l'action conservée du cerveau, des muscles et du larynx, s'unit celle souvent très-distincte de l'ouïe et du tact.

N'envisageons donc point le sommeil comme un état constant et invariable dans ses phénomènes. A peine dormons-nous deux fois de suite de la même manière ; une foule de causes le modifient en appliquant à une portion plus ou moins grande de la vie animale la loi générale de l'intermittence d'action. Ses degrés divers doivent se marquer par les fonctions diverses que cette intermittence frappe.

Le principe est partout le même, depuis le simple relâchement qui, dans un muscle volontaire, succède à la contraction jusqu'à l'entière suspension de la vie animale. Partout le sommeil tient à cette loi générale d'intermittence, caractère exclusif de cette vie ; mais son application aux différentes fonctions externes varie infiniment. ·

Il y a loin sans doute de ces idées sur le sommeil à tous ces systèmes rétrécis où sa cause, exclusivement placée dans le cerveau, le cœur, les gros vaisseaux, l'estomac, etc., présente un phénomène isolé, souvent illusoire, comme base d'une des grandes modifications de la vie.

Pourquoi la lumière et les ténèbres sont-elles, dans l'ordre naturel, régulièrement coordonnées à l'activité et à l'intermittence des fonctions externes ? C'est que, pendant le jour, mille moyens d'excitation entourent l'animal, mille causes épuisent les forces de ses organes sensitifs et locomoteurs, déterminent leur lassitude, et préparent un relâchement que la nuit favorise par l'absence de tous les genres de stimulants. Aussi, dans nos mœurs actuelles, où cet ordre est en partie interverti, nous rassemblons autour de nous, pendant les ténèbres, divers excitants qui prolongent la veille et font coïncider avec les premières heures de la lumière l'intermittence de la vie animale, que nous favorisons d'ailleurs en éloignant du lieu de notre repos tout moyen propre à faire naître des sensations.

Nous pouvons, pendant un certain temps, soustraire les organes de la vie animale à la loi d'intermittence, en multipliant autour d'eux les causes d'excitation ; mais enfin ils la subissent, et rien ne peut, à une certaine époque, en suspendre l'influence. Épuisés par une veille prolongée, le soldat dort à côté du canon, l'esclave sous les verges qui le frappent, le criminel au milieu des tourments de la question, etc., etc.

Distinguons bien, au reste, le sommeil naturel, suite de la lassitude des organes, de celui qui est l'effet d'une affection du cerveau, de l'apoplexie ou de la commotion, par exemple. Ici les sens veillent, ils reçoivent les impressions, ils sont affectés comme à l'ordinaire ; mais ces impressions ne pouvant être perçues par le cerveau malade, nous ne saurions en avoir la conscience. Au contraire, dans l'état ordinaire, c'est sur les sens, autant et même plus que sur le cerveau, que porte l'intermittence d'action.

Il suit de ce que nous avons dit dans cet article, que, par sa nature, la vie organique dure beaucoup plus que la vie animale. En effet, la somme des périodes d'intermittence de celle-ci est presque à celles de ses temps d'activité dans la proportion de la moitié ; en sorte que, sous ce rapport, nous vivons au dedans presque le double de ce que nous existons au dehors.

3.

ARTICLE V.

C'est encore un des grands caractères qui distinguent les deux vies de l'animal, que l'indépendance où l'une est de l'habitude, comparée à l'influence que l'autre en reçoit.

§ I. De l'habitude dans la vie animale.

Tout est modifié par l'habitude dans la vie animale ; chaque fonction, exaltée ou affaiblie par elle, semble, suivant les diverses époques où elle s'exerce, prendre des caractères tout différents. Pour bien en estimer l'influence, il faut distinguer deux choses dans l'effet des sensations, le sentiment et le jugement. Un chant frappe notre oreille ; sa première impression est, sans que nous sachions pourquoi, pénible ou agréable : voilà le sentiment. S'il continue, nous cherchons à apprécier les divers sons dont il est l'assemblage, à distinguer leurs accords : voilà le jugement. Or, l'habitude agit d'une manière inverse sur ces deux choses. Le sentiment est constamment émoussé par elle ; le jugement, au contraire, lui doit sa perfection. Plus nous voyons un objet, moins nous sommes sensibles à ce qu'il a de pénible ou d'agréable, et mieux nous en jugeons tous les attributs.

§ II. L'habitude émousse le sentiment.

Je dis d'abord que le propre de l'habitude est d'émousser le sentiment, de ramener toujours le plaisir ou la douleur à l'indifférence, qui en est le terme moyen. Mais avant que de prouver cette remarquable assertion, il est bon d'en préciser le sens. La douleur et le plaisir sont absolus ou relatifs. L'instrument qui déchire nos parties, l'inflammation qui les affecte, causent une douleur absolue; l'accouplement est un plaisir de même nature. La vue d'une belle campagne nous charme; c'est là une jouissance relative à l'état actuel où se trouve l'âme; car pour l'habitant de cette campagne, depuis longtemps sa vue est indifférente. Une sonde parcourt l'urètre pour la première fois; elle est pénible pour le malade; huit jours après il n'y est pas sensible : voilà une douleur de comparaison. Tout ce qui agit sur nos organes en détruisant leur tissu est toujours cause d'une sensation absolue ; le simple contact d'un corps sur le nôtre n'en produit jamais que de relatives.

Il est évident, d'après cela, que le domaine du plaisir ou de la douleur absolus est bien plus rétréci que celui de la douleur ou du plaisir relatifs; que ces mots, *agréable* et *pénible*, supposent presque toujours une comparaison entre l'impression que reçoivent les sens et l'état de l'âme qui perçoit cette impression : or, il est manifeste que le plaisir et la douleur relatifs sont seuls soumis à l'empire de l'habitude; eux seuls vont donc nous occuper.

Les preuves se pressent en foule pour établir que toute espèce de plaisir ou de peine relatifs est sans cesse ramenée à l'indifférence par l'influence de l'habitude. Tout corps étranger, en contact pour la première fois avec une membrane muqueuse, y détermine une sensation pénible, douloureuse même, que chaque jour diminue, et qui finit enfin par devenir insensible. Les pessaires dans le vagin, les tampons dans le rectum, l'instrument destiné à lier un polype dans la matrice ou le nez, les sondes dans l'urètre, dans l'œsophage ou la trachée-artère, les stylets, les sétons dans les voies lacrymales, présentent constamment ce phénomène. Les impressions dont l'organe cutané est le siége sont toutes assujetties à la même loi. Le passage subit du froid au chaud, ou du chaud au froid, entraîne toujours un saisissement incommode, qui s'affaiblit et cesse

enfin si la température de l'atmosphère se soutient à un
degré constant. De là les sensations variées qu'excite en
nous le changement de saisons, de climats, etc. Des phénomènes analogues sont le résultat de la perception successive des qualités humides ou sèches, molles ou dures,
des corps en contact avec le nôtre. En général, toute sensation très-différente de celle qui précède fait naître un
sentiment que l'habitude use bientôt.

Disons du plaisir ce que nous venons de dire de la douleur. Le parfumeur, placé dans une atmosphère odorante,
le cuisinier, dont le palais est sans cesse affecté par de dé-
licieuses saveurs, ne trouvent point dans leurs professions
les vives jouissances qu'elles préparent aux autres, parce
que chez eux l'habitude de sentir a émoussé la sensation.
Il en est de même des impressions agréables dont le siége
est dans les autres sens. Tout ce qui fixe délicieusement la
vue, ou frappe agréablement l'oreille, ne nous offre que
des plaisirs dont la vivacité est bientôt anéantie. Le spectacle le plus beau, les sons les plus harmonieux sont successivement la source du plaisir, de l'indifférence, de la
satiété, du dégoût et même de l'aversion, par leur seule
continuité. Tout le monde a fait cette remarque, que les
poëtes et les philosophes se sont appropriée, chacun à sa
manière.

D'où naît cette facilité qu'ont nos sensations de subir
tant de modifications diverses et souvent opposées? Pour
le concevoir, remarquons d'abord que le centre de ces révolutions de plaisir, de peine et d'indifférence, n'est point
dans les organes qui reçoivent ou transmettent la sensation, mais dans l'âme qui la perçoit. L'affection de l'œil,
de la langue, de l'ouïe, est toujours la même; mais
nous attachons à cette affection unique des sentiments
variables.

Remarquons ensuite que l'action de l'âme dans chaque
sentiment de peine ou de plaisir, né d'une sensation, consiste en une comparaison entre cette sensation et celles

qui l'ont précédée, comparaison qui n'est point le résultat de la réflexion, mais l'effet involontaire de la première impression des objets. Plus il y aura de différence entre l'impression actuelle et les impressions passées, plus le sentiment en sera vif. La sensation qui nous affecte le plus est celle qui ne nous a jamais frappés.

Il suit de là qu'à mesure que les sensations se répètent plus souvent, elles doivent faire sur nous une moindre impression, parce que la comparaison devient moins sensible entre l'état actuel et l'état passé. Chaque fois que nous voyons un objet, que nous entendons un son, que nous goûtons un mets, etc., nous trouvons moins de différence entre ce que nous éprouvons et ce que nous avons éprouvé.

Il est donc de la nature du plaisir et de la peine de se détruire d'eux-mêmes, de cesser d'être, parce qu'ils ont été. L'art de prolonger la durée de nos jouissances consiste à en varier les causes.

Je dirais presque, si je n'avais égard qu'aux lois de notre organisation matérielle, que la constance est un rêve heureux des poëtes ; que le bonheur n'est que dans l'inconstance ; que ce sexe enchanteur qui nous captive aurait de faibles droits à nos hommages si ses attraits étaient trop uniformes ; que, si la figure de toutes les femmes était jetée au même moule, ce moule serait le tombeau de l'amour, etc. Mais gardons-nous d'employer les principes de la physique à renverser ceux de la morale ; les uns et les autres sont également solides, quoique parfois en opposition. Remarquons seulement que souvent les premiers nous dirigent presque seuls ; alors l'amour que l'habitude tente d'enchaîner, fuit avec le plaisir et nous laisse le dégoût ; alors le souvenir met un terme toujours prompt à a constance, en rendant uniforme ce que nous sentons et ce que nous avons senti : car telle paraît être l'essence du bonheur physique, que celui qui est passé émousse l'attrait de celui dont nous jouissons. Voyez cet homme que

l'ennui dévore aujourd'hui à côté de celle près de qui les
heures fuyaient jadis comme l'éclair ; il serait heureux s'il
ne l'avait point été, ou s'il pouvait oublier qu'il le fut
autrefois. Le souvenir est, dit-on, le seul bien des amants
malheureux : soit; mais avouons qu'il est le seul mal des
amants heureux.

Reconnaissons donc que le plaisir physique n'est qu'un
sentiment de comparaison, qu'il cesse d'exister là où l'u-
niformité survient entre les sensations actuelles et les impressions passées, et que c'est par cette uniformité que
l'habitude tend sans cesse à le ramener à l'indifférence :
voilà tout le secret de l'immense influence qu'elle exerce
sur nos jouissances.

Tel est aussi son mode d'action sur nos peines. Le temps
s'enfuit, dit-on, en emportant la douleur ; il en est le sûr
remède. Pourquoi ? c'est que plus il accumule de sensations sur celle qui nous a été pénible, plus il affaiblit le
sentiment de comparaison établi entre ce que nous sommes actuellement et ce que nous étions alors. Il est enfin
une époque où ce sentiment s'éteint : aussi n'est-il pas
d'éternelles douleurs ; toutes cèdent à l'irrésistible ascen-
dant de l'habitude [G].

§ III. L'habitude perfectionne le jugement.

Je viens de prouver que tout ce qui tient au sentiment,
dans nos relations avec ce qui nous environne, est affaibli,
émoussé, rendu nul par l'effet de l'habitude. Il est facile
maintenant de démontrer qu'elle perfectionne et agrandit
tout ce qui a rapport au jugement porté d'après ces relations.

Lorsque, pour la première fois, la vue se promène sur
une vaste campagne, l'oreille est frappée par une harmonie, le goût ou l'odorat sont affectés d'une saveur ou d'une
odeur très-composée ; des idées confuses et inexactes naissent de ces sensations : nous nous représentons l'ensem-

ble ; les détails nous échappent. Mais que ces sensations se répètent, que l'habitude les ramène souvent, alors notre jugement devient précis, rigoureux : il embrasse tout ; la connaissance de l'objet qui nous a frappés devient parfaite, d'irrégulière qu'elle était.

Voyez cet homme qui arrive à l'Opéra, étranger à toute espèce de spectacle ; il en rapporte des notions vagues. La danse, la musique, les décorations, le jeu des acteurs, l'éclat de l'assemblée, tout s'est confondu, pour lui, dans une espèce de chaos qui l'a charmé. Qu'il assiste successivement à plusieurs représentations, ce qui, dans ce bel ensemble, appartient à chaque art commence à s'isoler dans son esprit ; bientôt il saisit les détails : alors il peut juger, et il le fait d'autant plus sûrement, que l'habitude de voir lui en fournit des occasions plus fréquentes.

Cet exemple nous offre en abrégé le tableau de l'homme commençant à jouir du spectacle de la nature. L'enfant qui vient de naître, et pour qui tout est nouveau, ne sait encore percevoir, dans ce qui frappe ses sens, que les impressions générales. En émoussant peu à peu ces impressions qui retiennent d'abord toute l'attention de l'enfant, l'habitude lui permet de saisir les attributs particuliers des corps ; elle lui apprend ainsi insensiblement à voir, à entendre, à sentir, à goûter, à toucher, en le faisant successivement descendre dans chaque sensation, des notions confuses de l'ensemble aux idées précises des détails. Tel est, en effet, un des grands caractères de la vie animale, qu'elle a besoin, comme nous le verrons, d'une véritable éducation.

L'habitude, en émoussant le sentiment, ainsi que nous l'avons vu, perfectionne donc constamment le jugement, et même ce second effet est inévitablement lié au premier. Un exemple rendra ceci évident : je parcours une prairie émaillée de fleurs ; une odeur générale, assemblage confus de toutes celles que fournissent isolément ces fleurs, vient d'abord me frapper : distraite par elle, l'âme ne peut

percevoir autre chose. Mais l'habitude affaiblit ce premier
sentiment; bientôt il s'efface : alors l'odeur particulière de
chaque plante se distingue, et je puis porter un jugement
qui était primitivement impossible.

Ces deux modes opposés d'influence, que l'habitude
exerce sur le sentiment et le jugement, tendent donc,
comme on le voit, à un but commun ; et ce but est la perfection de chaque acte de la vie animale.

§ IV. De l'habitude dans la vie organique.

Rapprochons maintenant de ces phénomènes ceux de la
vie organique; nous les verrons constamment soustraits à
l'empire de l'habitude. La circulation, la respiration,
l'exhalation, l'absorption, la nutrition, les sécrétions ne
sont jamais modifiées par elle. Mille causes menaceraient
chaque jour l'existence si ces fonctions essentielles pouvaient en recevoir l'influence.

Cependant l'excrétion des urines, des matières fécales,
peut quelquefois se suspendre, s'accélérer, revenir selon
des lois qu'elle a déterminées ; l'action de l'estomac dans
la faim, dans le contact de diverses espèces d'aliments, y
paraît aussi subordonnée. Mais remarquons que ces divers
phénomènes tiennent presque le milieu entre ceux des
deux vies, se trouvent placés sur les limites de l'une et de
l'autre, et participent presque autant à l'animale qu'à l'organique. Tous, en effet, se passent sur les membranes
muqueuses, espèces d'organes qui, toujours en rapport
avec des corps étrangers à notre propre substance, sont le
siége d'un tact interne, analogue en tout au tact extérieur
de la peau sur les corps qui nous entourent. Ce tact devait
donc être assujetti aux mêmes modifications : doit-on s'é-
tonner, d'après cela, de l'influence que l'habitude exerce
sur lui ?

Remarquons d'ailleurs que la plupart de ces phénomènes, relatifs au premier ou au dernier séjour des aliments

dans nos parties qu'ils doivent réparer, phénomènes qui commencent, pour ainsi dire, et terminent la vie organique, entraînent après eux divers mouvements essentiellement volontaires, et par conséquent du domaine de la vie animale.

Je ne parle point ici d'une foule d'autres modifications dans les forces, les goûts, les désirs, etc., modifications qui tirent leur source de l'habitude. Je renvoie aux ouvrages nombreux qui en ont considéré l'influence sous des points de vue différents de celui que je viens de présenter [H]

ARTICLE VI.

DIFFÉRENCES GÉNÉRALES DES DEUX VIES, PAR RAPPORT AU MORAL.

Il faut considérer sous deux rapports les actes qui, peu liés à l'organisation matérielle des animaux, dérivent de ce principe si peu connu dans sa nature, mais si remarquable par ses effets, centre de tous leurs mouvements volontaires, et sur lequel on eût moins disputé si, sans vouloir remonter à son essence, on se fût contenté d'analyser ses opérations. Ces actes que nous considérons surtout dans l'homme, où ils sont à leur plus haut point de perfection, sont ou purement intellectuels et relatifs seulement à l'entendement, ou bien le produit immédiat des passions. Examinés sous le premier point de vue, ils sont l'attribut exclusif de la vie animale ; envisagés sous le second, ils appartiennent essentiellement à la vie organique.

§ 1. Tout ce qui est relatif à l'entendement appartient à la vie animale.

Il est inutile, je crois, de s'arrêter longuement à prouver que la méditation, la réflexion, le jugement, tout ce qui

4

tient, en un mot, à l'association des idées, est le domaine de la vie animale. Nous jugeons d'après les impressions reçues autrefois, d'après celles que nous recevons actuellement, ou d'après celles que nous créons nous-mêmes. La mémoire, la perception et l'imagination sont les bases principales sur lesquelles appuient toutes les opérations de l'entendement; or, ces bases reposent elles-mêmes sur l'action des sens.

Supposez un homme naissant dépourvu de tout cet appareil extérieur qui établit nos relations avec les objets environnants; cet homme-là ne sera pas tout à fait la statue de Condillac; car, comme nous le verrons, d'autres causes que les sensations peuvent déterminer en nous l'exercice des mouvements de la vie animale; mais au moins, étranger à tout ce qui l'entoure, il ne pourra point juger, parce que les matériaux du jugement lui manqueront; toute espèce de fonction intellectuelle sera nulle chez lui; la volonté, qui est le résultat de ces fonctions, ne pourra avoir lieu; par conséquent, cette classe si étendue de mouvements qui a son siége immédiat dans le cerveau, et qui est une suite des impressions que celui-ci a reçues des objets extérieurs, ne sera point son partage.

C'est donc par la vie animale que l'homme est si grand, si supérieur à tous les êtres qui l'entourent; par elle il appartient aux sciences, aux arts, à tout ce qui l'éloigne des attributs grossiers sous lesquels nous nous représentons la matière, pour le rapprocher des images sublimes que nous nous formons de la spiritualité. L'industrie, le commerce, tout ce qui est beau, tout ce qui agrandit le cercle étroit où restent les animaux, est l'apanage de la vie extérieure.

La société actuelle n'est autre chose qu'un développement plus régulier, une perfection plus marquée dans l'exercice des diverses fonctions de cette vie, lesquelles établissent nos rapports avec les êtres environnants; car, comme je le prouverai en détail, c'est un de ces caractères majeurs de pouvoir s'éteindre, se perfectionner, tandis que dans la vie organique chaque partie n'abandonne jamais les limites que la nature lui a posées. Nous vivons organiquement d'une manière tout aussi parfaite, tout aussi régulière dans le premier âge que dans l'âge adulte, mais comparez la vie animale du nouveau-né à celle de l'homme de trente ans, et vous verrez la différence.

D'après ce que nous venons de dire, on peut considérer le cerveau, organe central de la vie animale, comme centre de tout ce qui a rapport à l'intelligence et à l'entendement. Je pourrais parler ici de sa proportion de grandeur dans l'homme et dans les animaux, où l'industrie semble décroître à mesure que l'angle facial devient aigu, et que la cavité cérébrale se rétrécit; des altérations diverses dont il est le siége, et qui toutes sont marquées par des troubles notables dans l'entendement; mais tous ces rapports sont assez connus, il suffit de les indiquer. Passons à cet autre ordre de phénomènes qui, étrangers, comme les précédents, aux idées que nous nous formons des phénomènes matériels, ont cependant un siége essentiellement différent [1].

§ II. Tout ce qui est relatif aux passions appartient à la vie organique.

Mon objet n'est point ici de considérer les passions sous le rapport métaphysique. Qu'elles ne soient toutes que des modifications diverses d'une passion unique, que chacune tienne à un principe isolé, peu importe : remarquons seulement que beaucoup de médecins, en traitant de leur influence sur les phénomènes organiques, ne les ont point assez distinguées des sensations. Celles-ci en sont l'occasion, mais elles en diffèrent essentiellement.

La colère, la tristesse, la joie, n'agiteraient pas, il est vrai, notre âme, si nous ne trouvions dans nos rapports avec les objets extérieurs les causes qui les font naître. Il est vrai aussi que les sens sont les agents de ces rapports, qu'ils communiquent la cause des passions, mais ils ne participent nullement à l'effet; simples conducteurs dans ce cas, ils n'ont rien de commun avec les affections qu'ils produisent. Cela est si vrai, que toute espèce de sensations a son centre dans le cerveau, car toute sensation suppose l'impression et la perception. Ce sont les sens qui reçoivent l'impression, et le cerveau qui la perçoit; en sorte que là où l'action de cet organe est suspendue, toute sensation cesse. Au contraire, il n'est jamais affecté dans les passions; les organes de la vie interne en sont le siége unique.

Il est sans doute étonnant que les passions qui entrent essentiellement dans nos relations avec les êtres placés autour de nous, qui modifient à chaque instant ces relations, sans qui la vie animale ne serait qu'une froide série de phénomènes intellectuels, qui animent, agrandissent, exaltent sans cesse tous les phénomènes de cette vie; il est, dis-je, étonnant que les passions n'aient jamais leur terme ni leur origine dans ces divers organes; qu'au contraire les parties servant aux fonctions internes soient constamment affectées par elles, et même les déterminent suivant l'état où elles se trouvent. Tel est cependant ce que la stricte observation nous prouve.

Je dis d'abord que l'effet de toute espèce de passion, constamment étranger à la vie animale, est de faire naître un changement, une altération quelconque dans la vie organique. La colère accélère les mouvements de la circulation, multiplie, dans une proportion souvent incommensurable, l'effort du cœur; c'est sur la force, la rapidité du cours du sang, qu'elle porte son influence. Sans modifier autant la circulation, la joie la change cependant; elle en développe les phénomènes avec plus de plénitude, l'accélère légèrement, la détermine vers l'organe cutané. La crainte agit en sens inverse; elle est caractérisée par une faiblesse dans tout le système vasculaire, faiblesse qui, empêchant le sang d'arriver aux capillaires, détermine cette pâleur générale qu'on remarque alors sur l'habitude du corps, et en particulier à la face. L'effet de la tristesse, du chagrin, est à peu près semblable.

Telle est même l'influence qu'exercent les passions sur les organes circulatoires, qu'elles vont, lorsque l'affection est très-vive, jusqu'à arrêter le jeu de ces organes : de là les syncopes, dont le siége primitif est toujours, comme je le prouverai bientôt, dans le cœur, et non dans le cerveau, qui ne cesse alors d'agir que parce qu'il ne reçoit plus l'excitant nécessaire à son action. De là même la mort, effet quelquefois subit des émotions extrêmes, soit que ces émotions exaltent tellement les forces circulatoires, que, subitement épuisées, elles ne puissent se rétablir, comme dans la mort produite par un accès de colère; soit que, comme dans celle occasionnée par une violente douleur, les forces, tout à coup frappées d'une excessive débilité, ne puissent revenir à leur état ordinaire.

Si la cessation totale ou instantanée de la circulation n'est pas déterminée par cette débilité, souvent les parties en conservent une impression durable, et deviennent consécutivement le siége de diverses lésions organiques. Desault avait remarqué que les maladies du cœur, les anévrismes de l'aorte, se sont multipliés dans la révolution, à proportion des maux qu'elle a enfantés.

La respiration n'est pas dans une dépendance moins immédiate des passions : ces étouffements, cette oppression, effet subit d'une douleur profonde, ne supposent-ils pas dans le poumon un changement notable, une altération soudaine? Dans cette longue suite de maladies chroniques ou d'affections aiguës, triste attribut du système pulmonaire, n'est-on pas souvent obligé de remonter aux passions du malade pour trouver le principe de son mal?

L'impression vive ressentie au pylore dans les fortes émotions, l'empreinte ineffaçable qu'il en conserve quelquefois, et d'où naissent les squirres dont il est le siége, le sentiment de resserrement qu'on éprouve dans toute la région de l'estomac, au cardia en particulier; dans

4.

d'autres circonstances, les vomissements spasmodiques qui succèdent quelquefois tout à coup à la perte d'un objet chéri, à la nouvelle d'un accident funeste, à toute espèce de trouble déterminé par les passions ; l'interruption subite des phénomènes digestifs par une nouvelle agréable ou fâcheuse, les affections d'entrailles, les lésions organiques des intestins, de la rate, observées dans la mélancolie, l'hypocondrie, maladies que préparent et qu'accompagnent presque toujours de sombres affections, tout cela n'indique-t-il pas le lien étroit qui enchaîne à l'état des passions celui des viscères de la digestion?

Les organes sécrétoires n'ont pas avec les affections de l'âme une moindre connexion. Une frayeur subite suspend le cours de la bile et déterminé la jaunisse ; un accès de colère est l'origine fréquente d'une indisposition, et même d'une fièvre bilieuse ; les larmes coulent avec abondance dans le chagrin, dans la joie, quelquefois dans l'admiration ; le pancréas est fréquemment malade dans l'hypocondrie, etc.

L'exhalation, l'absorption, la nutrition, ne paraissent pas recevoir des passions une influence aussi directe que la circulation, la digestion, la respiration et les sécrétions ; mais cela tient sans doute à ce que ces fonctions n'ont point, comme les autres, de foyers principaux, de viscères essentiels dont nous puissions comparer l'état avec celui où se trouve l'âme. Leurs phénomènes, généralement disséminés dans tous les organes, n'appartenant exclusivement à aucun, ne sauraient nous frapper aussi vivement que ceux dont l'effet est concentré dans un espace plus étroit.

Cependant les altérations qu'elles éprouvent alors ne sont pas moins réelles, et même au bout d'un certain temps elles deviennent apparentes. Comparez l'homme dont la douleur marque toutes les heures à celui dont les jours se passent dans la paix du cœur et la tranquillité de l'âme, vous verrez quelle différence distingue la nutrition de l'un d'avec celle de l'autre.

Rapprochez le temps où toutes les passions sombres, la crainte, la tristesse, le désir de la vengeance semblaient planer sur la France, de celui où la sûreté, l'abondance, y appelaient les passions gaies, si naturelles aux Français; rappelez-vous comparativement l'habitude extérieure de tous les corps dans ces deux temps, et vous direz si la nutrition ne reçoit pas l'influence des passions. Ces expressions, *sécher d'envie*, *être rongé de remords*, *être consumé par la tristesse*, etc., etc., n'annoncent-elles pas cette influence, n'indiquent-elles pas combien les passions modifient le travail nutritif?

Pourquoi l'absorption et l'exhalation ne seraient-elles pas aussi soumises à leur empire, quoiqu'elles le paraissent moins? Les collections aqueuses, les hydropisies, les infiltrations de l'organe cellulaire, vices essentiels de ces deux fonctions, ne peuvent-elles pas dépendre souvent de nos affections morales?

Au milieu de ces bouleversements, de ces révolutions partielles ou générales, produits par les passions dans les phénomènes organiques, considérez les actes de la vie animale; ils restent constamment au même degré, ou bien, s'ils éprouvent quelques dérangements, la source primitive en est constamment, comme je le montrerai, dans les fonctions internes.

Concluons donc de ces diverses considérations, que c'est toujours sur la vie organique, et non sur la vie animale, que les passions portent leur influence : aussi tout ce qui nous sert à les peindre se rapporte-t-il à la première et non à la seconde. Le geste, expression muette du sentiment et de l'entendement, en est une preuve remarquable : si nous indiquons quelques phénomènes intellectuels relatifs à la mémoire, à l'imagination, à la perception, au jugement, etc., la main se porte involontairement sur la tête : voulons-nous exprimer l'amour, la joie, la tristesse, la haine, c'est sur la région du cœur, de l'estomac, des intestins qu'elle se dirige.

L'acteur qui ferait une équivoque à cet égard, qui, en parlant de chagrins, rapporterait les gestes à la tête, ou les concentrerait sur le cœur pour annoncer un effort de génie, se couvrirait d'un ridicule que nous sentirions mieux encore que nous ne le comprendrions.

Le langage vulgaire distinguait les attributs respectifs des deux vies dans le temps où tous les savants rapportaient au cerveau, comme siége de l'âme, toutes nos affections. On a toujours dit, *une tête forte*, *une tête bien organisée*, pour énoncer la perfection de l'entendement; *un bon cœur*, *un cœur sensible*, pour indiquer celle du sentiment. Ces expressions, *la fureur circulant dans les veines, remuant la bile ; la joie faisant tressaillir les entrailles, la jalousie distillant ses poisons dans le cœur*, etc., etc., ne sont point des métaphores employées par les poëtes, mais l'énoncé de ce qui est réellement dans la nature : aussi toutes ces expressions, empruntées des fonctions internes, entrent-elles spécialement dans nos chants, qui sont le langage des passions de la vie organique par conséquent, comme la parole ordinaire est celui de l'entendement, de la vie animale. La déclamation tient le milieu; elle anime la langue froide du cerveau par la langue expressive des organes intérieurs du cœur, du foie, de l'estomac, etc.

La colère, l'amour, inoculent, pour ainsi dire, aux humeurs, et à la salive en particulier, un vice radical qui rend dangereuse la morsure des animaux agités par ces passions, lesquelles distillent vraiment dans les fluides un funeste poison, comme l'indique l'expression commune. Les passions violentes de la nourrice impriment à son lait un caractère nuisible, d'où naissent souvent diverses maladies pour l'enfant. C'est par les modifications que le sang de la mère reçoit des émotions vives qu'elle éprouve qu'il faut expliquer comment ces émotions influent sur la nutrition, la conformation, la vie même du fœtus, auquel le sang parvient par l'intermède du placenta.

Non-seulement les passions portent essentiellement sur

les fonctions organiques, en affectant leurs viscères d'une manière spéciale; mais l'état de ces viscères, leurs lésions, les variations de leurs forces, concourent d'une manière marquée à la production des passions. Les rapports qui les unissent avec les tempéraments, les âges, etc., établissent incontestablement ce fait.

Qui ne sait que l'individu dont l'appareil pulmonaire est très-prononcé, dont le système circulatoire jouit de beaucoup d'énergie, qui est, comme on le dit, très-sanguin, a dans les affections une impétuosité qui le dispose surtout à la colère, à l'emportement, au courage; que là où prédomine le système bilieux, certaines passions sont plus développées, telles que l'envie, la haine, etc.; que les constitutions où les fonctions des lymphatiques sont à un plus haut degré impriment aux affections une lenteur opposée à l'impétuosité du tempérament sanguin?

En général, ce qui caractérise tel ou tel tempérament, c'est toujours telle ou telle modification, d'une part dans les passions, de l'autre part dans l'état des viscères de la vie organique et la prédominance de telle ou telle de ses fonctions. La vie animale est presque constamment étrangère aux attributs des tempéraments.

Disons la même chose des âges. Dans l'enfant, la faiblesse d'organisation coïncide avec la timidité, la crainte; dans le jeune homme, le courage, l'audace, se déploient à proportion que le système pulmonaire et vasculaire deviennent supérieurs aux autres; l'âge viril, où le foie et l'appareil gastrique sont plus prononcés, est l'âge de l'ambition, de l'envie, de l'intrigue.

En considérant les passions dans les divers climats, dans les diverses saisons, le même rapport s'observerait entre elles et les organes des fonctions internes. Mais assez de médecins ont indiqué ces analogies; il serait superflu de les rappeler.

Si de l'homme en santé nous portons nos regards sur l'homme malade, nous verrons les lésions du foie, de l'es-

tomac, de la rate, des intestins, du cœur, etc., déterminer dans nos affections une foule de variétés, d'altérations,
qui cessent d'avoir lieu dès l'instant où la cause qui les
entretenait cesse elle-même d'exister.

Ils connaissaient, mieux que nos modernes mécaniciens, les lois de l'économie, les anciens qui croyaient que
les sombres affections s'évacuaient par les purgatifs avec
les mauvaises humeurs. En débarrassant les premières
voies, ils en faisaient disparaître la cause de ces affections.
Voyez, en effet, quelle sombre teinte répand sur nous
l'embarras des organes gastriques.

Les erreurs des premiers médecins sur l'atrabile prou-
vaient la précision de leurs observations sur les rapports
qui lient ces organes à l'état de l'âme.

Tout tend donc à prouver que la vie organique est le
terme où aboutissent et le centre d'où partent les passions.
On demandera sans doute ici comment les végétaux, qui
vivent organiquement, ne nous en présentent aucun vestige. C'est que, outre qu'ils manquent de l'excitant naturel des passions, savoir, de l'appareil sensitif extérieur, ils
sont dépourvus des organes internes qui concourent plus
spécialement à leur production, tels que l'appareil digestif, celui de la circulation générale, celui des grandes
sécrétions que nous remarquons chez les animaux : ils
respirent par trachées, et non par un foyer concentré, etc.

Voilà pourquoi les passions sont si obscures, et même
presque nulles dans le genre des zoophytes, dans les vers,
etc.; pourquoi, à mesure que, dans la série des animaux,
la vie organique se simplifie davantage, perd tous ses organes importants, les passions décroissent proportionnellement (J).

§ III. Comment les passions modifient les actes de la vie animale, quoiqu'elles
a'ent leur siége dans la vie organique.

Quoique les passions soient l'attribut spécial de la vie

organique, elles ont cependant sur les mouvements de la vie animale une influence qu'il faut examiner. Les muscles volontaires sont fréquemment mis en jeu par elles; tantôt elles en exaltent les mouvements, tantôt elles semblent agir sur eux d'une manière sédative.

Voyez cet homme que la colère, la fureur, agitent; ses forces musculaires, doublées, triplées même, s'exercent avec une énergie que lui-même ne peut modérer. Où chercher la source de cet accroissement? Elle est manifestement dans le cœur.

Cet organe est l'excitant naturel du cerveau par le sang qu'il lui envoie, comme je le prouverai fort au long dans la suite de cet ouvrage; en sorte que, selon que l'excitation est plus ou moins vive, l'énergie cérébrale est plus ou moins grande, et nous avons vu que l'effet de la colère est d'imprimer à la circulation une extrême vivacité, de pousser par conséquent vers le cerveau une grande quantité de sang dans un temps donné. Il résulte de là un effet analogue à celui qui survient toutes les fois que la même cause se développe, comme dans les accès de fièvre ardente, dans l'usage du vin à un certain degré, etc.

Alors, fortement excité, le cerveau excite avec force les muscles qui sont soumis à son influence; leurs mouvements deviennent, pour ainsi dire, involontaires : ainsi la volonté est-elle étrangère à ces spasmes musculaires déterminés par une cause qui irrite l'organe médullaire, comme une esquille, du sang, du pus dans les plaies de tête, le manche du scalpel, ou tout autre instrument dans nos expériences.

L'analogie est exacte; le sang, abondant en plus grande quantité qu'à l'ordinaire, produit sur le cerveau l'effet de ces excitants divers. Il est donc, pour ainsi dire, passif dans ces divers mouvements. C'est bien de lui que partent, comme à l'ordinaire, les irradiations nécessaires; mais ces irradiations y naissent malgré lui, et nous ne sommes pas maîtres de les suspendre.

Aussi remarquez que, dans la colère, un rapport constant existe entre les contractions du cœur et celles des organes locomoteurs : quand les unes augmentent, les autres s'accroissent ; si l'équilibre se rétablit d'un côté, bientôt nous l'observons de l'autre. Dans tout autre cas, au contraire, aucune apparence de ce rapport ne se manifeste ; l'action du cœur reste la même au milieu des nombreuses variations du système musculaire locomoteur. Dans les convulsions ou les paralysies dont ce système est le siége, la circulation ne s'accélère ni ne se ralentit jamais.

Nous voyons, dans la colère, le mode d'influence qu'exerce la vie organique sur la vie animale. Dans la crainte où, d'une part, les forces du cœur affaiblies poussent au cerveau moins de sang, et par là même y dirigent une cause moindre d'excitation ; où, d'autre part, on remarque un affaiblissement d'action dans les muscles extérieurs, nous saisissons aussi l'enchaînement de la cause à l'effet. Cette passion offre au premier degré le phénomène que présentent au dernier les vives émotions qui, suspendant tout à coup l'effort du cœur, déterminent une cessation subite de la vie animale, et par là même la syncope.

Mais comment expliquer les modifications mille fois variées qu'apportent à chaque instant les autres passions dans les mouvements qui appartiennent à cette vie? comment dire la cause de ces nuances infinies qui se succèdent si souvent avec une inconcevable rapidité dans le mobile tableau de la face? comment expliquer pourquoi, sans que la volonté y participe, le front se ride ou s'épanouit, les sourcils se froncent ou se déploient, les yeux s'enflamment ou languissent, brillent ou s'obscurcissent, la bouche se relève ou s'abaisse, etc?...

Tous les muscles, agents de ces mouvements, reçoivent leurs nerfs du cerveau et sont ordinairement volontaires. Pourquoi dans les passions cessent-ils donc de l'être? Pourquoi rentrent-ils dans la classe des mouvements de la vie organique, qui tous s'exercent sans que nous les dirigions, ou même que nous en ayons la conscience? Voici, je crois, l'explication la plus probable de ce phénomène.

Des rapports sympathiques nombreux unissent tous les viscères internes avec le cerveau ou avec ses différentes parties. Chaque pas fait dans la pratique nous offre des exemples d'affections de cet organe, nées sympathiquement de celles de l'estomac, du foie, des intestins, de la rate, etc. Cela posé, comme l'effet de toute espèce de passion est de produire une affection, un changement de force dans l'un de ces viscères, il sera aussi d'exciter sympathiquement, ou le cerveau en totalité, ou seulement quelques-unes de ses parties dont la réaction sur les muscles qui en reçoivent des nerfs y déterminera les mouvements qu'on observe alors. Dans la production de ces mouvements, l'organe cérébral est donc pour ainsi dire passif, tandis qu'il est actif lorsque la volonté préside à ses efforts.

Ce qui arrive dans les passions est semblable à ce que nous observons dans les maladies des organes internes, qui font naître sympathiquement des spasmes, une faiblesse ou même la paralysie des muscles locomoteurs.

Peut-être les organes internes n'agissent-ils pas sur les muscles volontaires par l'excitation intermédiaire du cerveau, mais par des communications nerveuses directes; qu'importe le comment? Ce n'est pas de la question tant agitée du mode des communications sympathiques qu'il s'agit ici.

Ce qui est essentiel, c'est le fait lui-même : or, dans ce fait, voici ce qui est évident : d'une part, affection d'un organe intérieur par les passions; de l'autre, mouvement déterminé, à l'occasion de cette affection, dans les muscles sur lesquels cet organe n'a aucune influence dans la série ordinaire des phénomènes des deux vies. C'est bien là sûrement une sympathie; car entre elle et celles que nous présentent les convulsions, les spasmes de la face occasionnés par la lésion du centre phrénique, par une plaie à l'es-

tomac, etc., la différence n'est que dans la cause qui affecte
l'organe interne.

L'irritation de la luette, du pharynx, agite convulsivement le diaphragme ; l'action trop répétée des liqueurs fer-
mentées sur l'estomac donne des tremblements ; pourquoi
ce qui arrive dans un mode d'affection des viscères gastriques n'arriverait-il pas dans un autre? Que l'estomac, le
foie, etc., soient irrités par une passion ou par une cause
matérielle, qu'importe? c'est de l'affection et non de la
cause qui la produit que naît la sympathie.

Voilà donc, en général, comment les passions arrachent
à l'empire de la volonté des mouvements naturellement
volontaires, comment elles s'approprient, si je puis m'exprimer ainsi, les phénomènes de la vie animale, quoiqu'elles aient essentiellement leur siége dans la vie organique.

Quand elles sont très-fortes, l'affection très-vive des organes internes produit si impétueusement les mouvements
sympathiques des muscles, que l'action ordinaire du cerveau est absolument nulle sur eux. Mais la première impression étant passée, le mode ordinaire de locomotion revient.

Un homme apprend, par lettre et devant une assemblée,
une nouvelle qu'il a intérêt de cacher ; tout à coup son front
se ride, il pâlit, ou ses traits s'animent, suivant la passion
qui est mise en jeu : voilà des phénomènes sympathiques
nés de quelques viscères abdominaux subitement affectés
par cette passion, et qui, par conséquent, appartiennent à
la vie organique. Bientôt cet homme se contraint ; son front
s'épanouit, sa rougeur renaît ou ses traits se resserrent,
quoique le sentiment intérieur subsiste : c'est le mouvement volontaire qui l'a emporté sur le sympathique ; c'est
le cerveau, dont l'action a surmonté celle de l'estomac, du
foie, etc. ; c'est la vie animale qui a repris son empire.

Il y a dans presque toutes les passions mélange ou succession des mouvements de la vie animale à ceux de la vie

organique; en sorte que dans presque toutes l'action musculaire est en partie dirigée par le cerveau, suivant l'ordre
naturel, et a en partie son siége dans les viscères organiques, comme le cœur, le foie, l'estomac, etc. Ces deux
foyers, tour à tour prédominés l'un par l'autre, ou restant
en équilibre, constituent par leur mode d'influence toutes
les variétés nombreuses que nous présentent nos affections
morales.

Ce n'est pas seulement sur le cerveau, mais encore sur
toutes les autres parties, que les viscères affectés par les
passions exercent leur influence sympathique : la peur affecte primitivement l'estomac, comme le prouve le resserrement qu'on ressent alors dans cette région. Ainsi affecté,
l'organe réagit sur la peau, avec laquelle il a tant de rapports, et celle-ci devient alors le siége d'une sueur froide et
subite, si fréquente dans cette affection de l'âme. Cette
sueur est de la nature de celle qu'on détermine par l'action
d'une substance qui, comme le thé, agit d'abord sur l'estomac, lequel réagit ensuite sympathiquement sur l'organe
cutané. Ainsi un verre d'eau froide, un air très-frais, sup-
priment-ils cette excrétion, par le rapport qu'il y a entre
cet organe et les surfaces muqueuses de l'estomac ou des
bronches. Il faut bien distinguer les sueurs sympathiques,
de celles dont la cause agit directement sur la peau, comme
la chaleur, l'air, etc.

Quoique le cerveau ne soit pas, d'après cela, le but unique
de la réaction des viscères internes affectés par les passions,
il est cependant le principal ; et, sous ce rapport, on peut
toujours le considérer comme un foyer toujours en opposition avec celui que représentent les organes internes. [K]

§ IV. Du centre épigastrique; il n'existe point dans le sens que les auteurs
ont entendu.

Les auteurs n'ont jamais varié sur le foyer cérébral; tous
les mouvements volontaires ont toujours été envisagés par

eux comme un effet de ses irradiations. Mais ils ne sont pas également d'accord sur le foyer épigastrique ; les uns le placent dans le diaphragme, d'autres au pylore, quelques-uns dans le plexus solaire du grand sympathique.

Tous me semblent errer sur ce point, en ce que, assimilant le second au premier foyer, ils croient que les passions, comme les sensations, se rapportent constamment à un centre unique et invariable.

Ce qui les a conduits à cette opinion, c'est le sentiment d'oppression qui se fait sentir au voisinage du cardia, dans les affections pénibles.

Mais nous remarquons que, dans les organes internes, le sentiment né de l'affection d'une partie est toujours un indice infidèle du siége et de l'étendue de cette affection ; par exemple, la faim porte son influence sur la totalité de l'estomac, et cependant le cardia semble seul nous en transmettre la sensation. Une large surface enflammée dans la plèvre ou le poumon ne donne lieu, le plus souvent, qu'à une douleur concentrée sur un point. Combien de fois, à la tête, à l'abdomen, etc., une douleur fixe et occupant un petit espace ne coïncide-t-elle pas avec une affection largement disséminée, et ayant même un siége tout différent de celui que nous présumons ! Il ne faut donc jamais considérer le lieu où nous rapportons le sentiment comme le sûr indice du lieu précis qu'occupe l'affection, mais seulement comme un signe qu'elle se trouve là ou dans le voisinage.

Il suit d'après cela que pour juger l'organe avec lequel telle ou telle passion est en rapport, on doit recourir non pas au sentiment, mais à l'effet produit dans les fonctions de l'organe par l'influence de la passion. Or, en partant de ce principe, il est aisé de voir que ce sont tantôt les organes digestifs, tantôt le système circulatoire, quelquefois les viscères appartenant aux sécrétions, qui éprouvent un changement, un trouble dans nos affections morales.

Je ne reviendrai pas sur les preuves qui établissent cette

vérité ; mais, en m'appuyant sur elle comme étant démontrée, je dirai qu'il n'y a point pour les passions de centre
fixe et constant, comme il en existe un pour les sensations ;
que le foie, le poumon, la rate, l'estomac, le cœur, etc.,
tour à tour affectés, forment tour à tour ce foyer épigastrique si célèbre dans nos ouvrages modernes ; que si nous
rapportons, en général, dans cette région l'impression sensible de toutes nos affections, c'est que tous les viscères
importants de la vie organique s'y trouvent concentrés ;
que si la nature eût séparé ces viscères par deux grands
intervalles, en plaçant, par exemple, le foie dans le bassin,
l'estomac au cou, le cœur et la rate restant à leur place
ordinaire, alors le foyer épigastrique disparaîtrait et le
sentiment local de nos passions varierait suivant l'organe
sur lequel elles porteraient leur influence.

Camper, en déterminant l'angle facial, a donné lieu à de
lumineuses considérations sur l'intelligence respective des
animaux. Il paraît que non-seulement les fonctions du
cerveau, mais toutes celles, en général, de la vie animale
qui y trouvent leur centre commun, ont à peu près cet
angle pour mesure de perfection.

Il serait bien curieux d'indiquer aussi une mesure qui,
prise dans les parties servant à la vie organique, pût fixer
le rang de chaque espèce sous le rapport des passions. Pourquoi le sentiment est-il porté à un si haut point chez le
chien ? Pourquoi la reconnaissance, la tristesse, la joie, la
haine, l'amitié, etc., l'agitent-elles avec tant de facilité ?
C'est de ce côté qu'il est supérieur aux autres animaux ; y
a-t-il dans la vie organique quelque chose de plus parfait ?
Le singe nous étonne par son industrie, sa disposition à
l'imitation, son intelligence ; c'est par la supériorité de sa
vie animale qu'il laisse loin de lui les espèces les mieux
organisées. D'autres animaux, comme l'éléphant, nous
intéressent par leur attachement, leurs affections, leurs
passions, et nous charment par leur adresse, l'étendue de
leur perception, de leur intelligence. Chez eux, le centre

cérébral et les fonctions intérieures ou organiques sont
perfectionnés au même degré; la nature semble avoir également reculé les bornes de leurs deux vies.

Un rapide coup d'œil jeté sur la série des animaux nous
montrera ainsi, tantôt les phénomènes relatifs aux sensations prédominant sur ceux qui naissent des passions, tantôt
ceux-ci l'emportant sur les premiers, quelquefois l'équilibre étant établi entre eux, et suivant ces diverses circonstances, la vie organique et animale supérieures, inférieures
ou égales l'une à l'autre.

Ce que nous observons dans la longue chaîne des êtres
animés, nous le remarquons dans l'espèce humaine prise
isolément. Chez l'un, les passions qui dominent sont le
principe du plus grand nombre des mouvements; l'influence de la vie animale, à chaque instant surpassée par
celle de l'organique, laisse naître sans cesse des actes auxquels la volonté est presque étrangère, et qui, trop souvent, entraînent après eux les regrets amers qui se font
sentir lorsque la vie animale reprend son empire. Dans
l'autre, c'est cette vie qui est supérieure à la première;
alors, tous les phénomènes relatifs aux sensations, à la
perception, à l'intelligence, semblent s'agrandir aux dépens des passions, qui restent dans un silence auquel
l'organisation de l'individu les condamne. Alors la volonté
préside à tout; les muscles locomoteurs sont dans une
continuelle dépendance du cerveau, tandis que, dans le
cas précédent, ce sont principalement les organes gastriques et pectoraux qui les mettent en jeu.

L'homme dont la constitution est la plus heureuse, et en
même temps la plus rare, est celui qui a ses deux vies dans
une espèce d'équilibre; dont les deux centres, cérébral
et épigastrique, exercent l'un sur l'autre une égale action;
chez qui les passions animent, échauffent, exaltent les
phénomènes intellectuels, sans en envahir le domaine, et
qui trouve dans son jugement un obstacle qu'il est toujours maître d'opposer à leur impétueuse influence.

C'est cette influence des passions sur les actes de la vie animale qui compose ce qu'on nomme le caractère, lequel, comme le tempérament, appartient manifestement à la vie organique : aussi en a-t-il les divers attributs; tout ce qui en émane est, pour ainsi dire, involontaire. Nos actes extérieurs forment un tableau dont le fond et le dessin sont à la vie animale, mais sur lequel la vie organique répand la nuance et le coloris des passions. Or, cette nuance, ce coloris, c'est le caractère.

Tous les philosophes ont presque remarqué cette prédominance alternative des deux vies. Platon, Marc-Aurèle, saint Augustin, Bacon, saint Paul, Leibnitz, Vanhelmont, Buffon, etc., ont reconnu en nous deux espèces de principes : par l'un nous maîtrisons tous nos actes moraux, l'autre semble les produire involontairement. Qu'est-il besoin de vouloir, comme la plupart d'entre eux, rechercher la nature de ces principes? Observons les phénomènes, analysons les rapports qui les unissent les uns aux autres, sans remonter à leurs causes premières. [L]

ARTICLE VII.

DIFFÉRENCES GÉNÉRALES DES DEUX VIES, PAR RAPPORT AUX FORCES VITALES.

La plupart des médecins qui ont écrit sur les propriétés vitales ont commencé par en rechercher le principe : ils ont voulu descendre de l'étude de sa nature à celle de ses phénomènes, au lieu de remonter de ce que l'observation indique, à ce que la théorie suggère. L'âme de Stahl, l'archée de Vanhelmont, le principe vital de Barthez, la force vitale de quelques-uns, etc., tour à tour considérés comme centre unique de tous les actes qui portent le caractère de la vitalité, ont été tour à tour la base commune où se sont appuyées, en dernier résultat, toutes les explications physiologiques. Chacune de ces bases s'est successivement écroulée, et au milieu de leurs débris sont restés seuls les faits que fournit la rigoureuse expérience sur la sensibilité et la motilité.

Telles sont, en effet, les étroites limites de l'entendement humain, que la connaissance des causes premières lui est presque toujours interdite. Le voile épais qui les couvre enveloppe de ses innombrables replis quiconque tente de le déchirer.

Dans l'étude de la nature, les principes sont, comme l'a observé un philosophe, certains résultats généraux des causes premières, d'où naissent d'innombrables résultats secondaires : l'art de trouver l'enchaînement des premiers avec les seconds est celui de tout esprit judicieux. Chercher la connexion des causes premières avec leurs effets généraux, c'est marcher en aveugle dans un chemin où mille sentiers mènent à l'erreur.

Que nous importe d'ailleurs la connaissance de ces causes ? Est-il besoin de savoir ce que sont la lumière, l'oxygène, le calorique, etc., pour en étudier les phénomènes ? De même, ne peut-on, sans connaître le principe de la vie, analyser les propriétés des organes qu'elle anime ? Faisons dans la science des animaux, comme les métaphysiciens modernes dans celle de l'entendement : supposons les causes, et ne nous attachons qu'à leurs grands résultats.

§ I. Différence des forces vitales d'avec les lois physiques.

En considérant sous ce rapport les lois vitales, le premier aperçu qu'elles nous offrent, c'est la remarquable différence qui les distingue des lois physiques. Les unes, sans cesse variables dans leur intensité, leur énergie, leur développement, passent souvent avec rapidité du dernier degré de prostration au plus haut point d'exaltation, s'accumulent et s'affaiblissent tour à tour dans les organes, et prennent, sous l'influence des moindres causes, mille modifications diverses. Le sommeil, la veille, l'exercice, le repos, la digestion, la faim, les passions, l'action des corps environnant l'animal, etc., tout les expose à chaque instant à de nombreuses révolutions. Les autres, au contraire, fixes, invariables, constamment les mêmes dans tous les temps, sont la source d'une série de phénomènes toujours uniformes. Comparez la faculté vitale de sentir à la faculté physique d'attirer, vous verrez l'attraction être toujours en raison de la masse du corps brut où on l'observe, tandis que la sensibilité change sans cesse de proportion dans la même partie organique et dans la même masse de matière.

L'invariabilité des lois qui président aux phénomènes physiques permet de soumettre au calcul toutes les sciences qui en sont l'objet, tandis qu'appliquées aux actes de la vie, les mathématiques ne peuvent jamais offrir de formules générales. On calcule le retour d'une comète, les résistances d'un fluide parcourant un canal inerte, la vitesse d'un projectile, etc. ; mais calculer avec Borelli la force d'un muscle, avec Keil la vitesse du sang, avec Jurine, Lavoisier, etc., la quantité d'air entrant dans le poumon, c'est bâtir sur un sable mouvant un édifice solide par lui-même, mais qui tombe bientôt faute de base assurée.

Cette instabilité des forces vitales, cette facilité qu'elles ont de varier à chaque instant en plus ou en moins, impriment à tous les phénomènes vitaux un caractère d'irrégularité qui les distingue des phénomènes physiques, remarquables par leur uniformité : prenons pour exemple les fluides vivants et les fluides inertes. Ceux-ci, toujours les mêmes, sont connus quand ils ont été analysés une fois avec exactitude ; mais qui pourra dire connaître les autres d'après une seule analyse, ou même d'après plusieurs faites dans les mêmes circonstances ? On analyse l'urine, la salive, la bile, etc., prises indifféremment sur tel ou tel sujet, et de leur examen résulte la chimie animale : soit,

58 DES FORCES VITALES

mais ce n'est pas là la chimie physiologique; c'est, si je
puis parler ainsi, l'anatomie cadavérique des fluides. Leur
physiologie se compose de la connaissance des variations
sans nombre qu'éprouvent les fluides suivant l'état de leurs
organes respectifs.

L'urine n'est point après le repas ce qu'elle est après le
sommeil ; elle contient, dans l'hiver, des principes qui lui
sont étrangers dans l'été, où les excrétions principales se
font par la peau. Le simple passage du chaud au froid
peut, en supprimant la sueur, en affaiblissant l'exhalation
pulmonaire, faire varier sa composition. Il en est de même
des autres fluides : l'état des forces vitales dans les organes
qui en sont la source change à chaque instant. Ces organes
doivent donc eux-mêmes éprouver des changements con-
tinuels dans leur mode d'action, et par conséquent faire
varier les substances qu'ils séparent du sang.

Qui osera croire connaître la nature d'un fluide de l'é-
conomie vivante, s'il ne l'a analysé dans l'enfant, l'adulte
et le vieillard, dans la femme et dans l'homme, dans les
saisons diverses, pendant le calme de l'âme et l'orage des
passions, qui, comme nous l'avons vu, en influencent si manifestement la nature à l'époque des évacuations mens-
truelles, etc. ? Que serait-ce, s'il fallait connaître aussi les
altérations diverses dont ces fluides sont susceptibles dans
les maladies ?

L'instabilité des forces vitales a été l'écueil où sont ve-
nus échouer tous les calculs des physiciens médecins du
siècle passé. Les variations habituelles des fluides vivants
qui dérivent de cette instabilité pourraient bien être un obstacle non moins réel aux analyses des chimistes médecins
de celui-ci.

Il est facile de voir, d'après cela, que la science des corps
organisés doit être traitée d'une manière toute différente
de celles qui ont les corps inorganiques pour objet. Il faudrait, pour ainsi dire, y employer un langage différent;
car la plupart des mots que nous transportons des sciences

physiques dans celle de l'économie animale ou végétale, nous y rappellent sans cesse des idées qui ne s'allient nullement avec les phénomènes de cette science.

Si la physiologie eût été cultivée par les hommes avant la physique, comme celle-ci l'a été avant elle, je suis persuadé qu'ils auraient fait de nombreuses applications de la première à la seconde; qu'ils auraient vu les fleuves coulant par l'action tonique de leurs rivages, les cristaux se réunissant par l'excitation qu'ils exercent sur leur sensibilité réciproque, les planètes se mouvant parce qu'elles s'irritent réciproquement à de grandes distances, etc. Tout cela paraîtrait bien éloigné de la raison, [à nous qui ne voyons que la pesanteur dans ces phénomènes; pourquoi ne serions-nous pas aussi voisin du ridicule, lorsque nous arrivons avec cette même pesanteur, avec les affinités, les compositions chimiques et un langage tout basé sur ces données fondamentales, dans une science où elles n'ont que la plus obscure influence? La physiologie eût fait plus de progrès, si chacun n'y eût pas porté des idées empruntées des sciences que l'on appelle *accessoires*, mais qui en sont essentiellement différentes.

La physique, la chimie, etc., se touchent, parce que les mêmes lois président à leurs phénomènes; mais un immense intervalle les sépare de la science des corps organisés, parce qu'une énorme différence existe entre ces lois et celles de la vie. Dire que la physiologie est la physique des animaux, c'est en donner une idée extrêmement inexacte; j'aimerais autant dire que l'astronomie est la physiologie des astres.

Mais c'est trop s'arrêter à une simple digression; revenons aux forces vitales, considérées sous le rapport des deux vies de l'animal. [M]

§ II. Différence des propriétés vitales d'avec celles de tissu.

En examinant les propriétés de tout organe vivant, on

peut les distinguer en deux espèces : les unes tiennent immédiatement à la vie, commencent et finissent avec elle,
ou plutôt en forment le principe et l'essence ; les autres n'y
sont liées qu'indirectement, et paraissent plutôt dépendre
de l'organisation, de la texture des parties.

La faculté de sentir, celle de se contracter spontanément, sont des propriétés vitales. L'extensibilité, la faculté
de se resserrer lorsque l'extension cesse, voilà des propriétés de tissu ; celles-ci, il est vrai, empruntent de la vie un
surcroît d'énergie ; mais elles restent encore aux organes
après qu'elle les a abandonnés, et la décomposition de ces
organes est le terme unique de leur existence. Je vais
d'abord examiner les propriétés vitales.

§ III. Des deux espèces de sensibilité, animale et organique.

Il est facile de voir que les propriétés vitales se réduisent à celles de sentir et de se mouvoir : or, chacune d'elles porte dans les deux vies un caractère différent. Dans
la vie organique, la sensibilité est la faculté de recevoir
une impression ; dans la vie animale, c'est la faculté de recevoir une impression, plus, de la rapporter à un centre
commun. L'estomac est sensible à la présence des aliments, le cœur à l'abord du sang, le conduit excréteur au
contact du fluide qui lui est propre : mais le terme de cette
sensibilité est dans l'organe même ; elle n'en dépasse pas
les limites. La peau, les yeux, les oreilles, les membranes
du nez, de la bouche, toutes les surfaces muqueuses à leur
origine, les nerfs, etc., sentent l'impression des corps qui
les touchent, et la transmettent ensuite au cerveau, qui est
le centre général de la sensibilité de ces divers organes.

Il est donc une sensibilité organique et une sensibilité
animale : sur l'une roulent tous les phénomènes de la
digestion, de la circulation, de la sécrétion, de l'exhalation, de l'absorption, de la nutrition, etc.; elle est commune
à la plante et à l'animal ; le zoophyte en jouit comme le

quadrupède le plus parfaitement organisé. De l'autre découlent les sensations, la perception, ainsi que la douleur et le plaisir qui les modifient. La perfection des animaux est, si je puis parler ainsi, en raison de la dose de cette sensibilité qu'ils ont reçue en partage. Cette espèce n'est point l'attribut du végétal.

La différence de ces deux espèces de forces sensitives est surtout bien marquée par la manière dont elles finissent dans les morts violentes qui frappent l'animal d'un coup subit. Alors la sensibilité animale s'anéantit sur-le-champ. Plus de trace de cette faculté dans l'instant qui succède à une forte commotion, à une grande hémorragie, à l'asphyxie; mais la sensibilité organique lui survit plus ou moins longtemps. Les lymphatiques absorbent encore; le muscle sent également l'aiguillon qui l'excite; les ongles et les poils peuvent aussi se nourrir encore, être sensibles par conséquent aux fluides qu'ils puisent dans la peau, etc. Ce n'est qu'au bout d'un temps souvent assez long que toutes les traces de cette sensibilité se sont effacées, tandis que l'anéantissement de l'autre a été subit, instantané.

Quoiqu'au premier coup d'œil ces deux sensibilités, animale et organique, présentent une différence notable, cependant leur nature paraît être essentiellement la même; l'une n'est probablement que le maximum de l'autre. C'est toujours la même force qui, plus ou moins intense, se présente sous divers caractères : les observations suivantes en sont une preuve.

Il y a diverses parties dans l'économie où ces deux facultés s'enchaînent et se succèdent d'une manière insensible : l'origine de toutes les membranes muqueuses en est un exemple. Nous avons la sensation du trajet des aliments dans la bouche et l'arrière-bouche; cette sensation s'affaiblit dans le commencement de l'œsophage, devient presque nulle dans son milieu, disparaît à sa fin et sur l'estomac, où reste seule la sensibilité organique : même phénomène dans l'urètre, dans les parties génitales, etc. Au voisinage de la peau, il y a sensibilité animale, qui diminue peu à peu, et devient organique dans l'intérieur des parties.

Divers excitants appliqués au même organe peuvent alternativement y déterminer l'un et l'autre mode de sensibilité. Irrités par les acides, par les alcalis très-concentrés, ou par l'instrument tranchant, les ligaments ne transmettent point au cerveau la forte impression qu'ils reçoivent. Mais sont-ils tordus, distendus, déchirés, une vive sensation de douleur en est le résultat. J'ai constaté par diverses expériences ce fait publié dans mon *Traité des membranes;* en voici un autre de même genre, que j'ai observé depuis. Les parois artérielles, sensibles, comme on sait, au sang qui les parcourt, sont le terme de leur sentiment qui ne se propage point au sensorium : injectez dans ce système un fluide étranger, l'animal par ses cris témoigne qu'il en ressent l'impression.

Nous avons vu que le propre de l'habitude était d'agir en émoussant la vivacité du sentiment, de transformer en sensations indifférentes toutes celles de plaisir ou de peine : par exemple, les corps étrangers font sur les membranes muqueuses une impression pénible dans les premiers jours de leur contact; ils y développent la sensibilité animale ; mais peu à peu elle s'use, et l'organique seule subsiste. Ainsi l'urètre ressent la sonde tandis qu'elle y séjourne, puisque ce séjour est constamment accompagné d'une plus vive action des glandes muqueuses, d'où naît une espèce de catarrhe; mais l'individu n'a que dans les premiers moments la conscience douloureuse de son contact.

Chaque jour l'inflammation, en exaltant dans une partie la sensibilité organique, la transforme en sensibilité animale. Ainsi les cartilages, les membranes séreuses, etc., qui, dans l'état ordinaire, n'ont que l'obscur sentiment nécessaire à leur nutrition, se pénètrent alors d'une sensibilité animale, souvent plus vive que celle des organes auxquels elle est naturelle. Pourquoi? parce que le propre de l'inflammation est d'accumuler les forces dans une partie, et que cette accumulation suffit pour changer le mode de la sensibilité organique, qui ne diffère de l'animale que par sa moindre proportion.

D'après toutes ces considérations, il est évident que la distinction établie ci-dessus dans la faculté de sentir porte non sur sa nature, qui est partout la même, mais sur ses modifications diverses dont elle est susceptible. Cette faculté est commune à tous les organes ; tous en sont pénétrés ; aucun n'est insensible : elle forme leur véritable caractère vital ; mais, plus ou moins abondamment répartie dans chacun, elle donne un mode d'existence différent : aucun n'en jouit dans la même proportion.

Dans ces variétés, il est une mesure au-dessus de laquelle le cerveau en est le terme, et au-dessous de laquelle l'organe seul excité reçoit et perçoit la sensation, sans la transmettre.

Si, pour rendre mon idée, je pouvais me servir d'une expression vulgaire, je dirais que, distribuée à telle dose dans un organe, la sensibilité est animale, et qu'à telle autre dose inférieure elle est organique (1) : or, ce qui varie la dose de sensibilité, c'est tantôt l'ordre naturel : ainsi la peau, les nerfs sont supérieurs, sous ce rapport, aux tendons, aux cartilages, etc. ; tantôt ce sont les maladies : ainsi, en doublant la dose de sensibilité des seconds, l'inflammation les égale, les rend même supérieurs aux premiers. Comme mille causes peuvent à chaque instant exalter ou diminuer cette force dans une partie, elle peut à

_____

(1) Ces expressions *dose, somme, quantité* de sensibilité, sont inexactes en ce qu'elles présentent cette faculté vitale sous le même point de vue que les forces physiques, que l'attraction, par exemple; en ce qu'elles nous la montrent comme susceptible d'être calculée, etc. Mais, faute de mots créés pour une science, il faut bien, afin de se faire entendre, en emprunter dans les autres sciences. Il en est de ces expressions comme des mots *souder, coller, décoller*, etc., qu'on emploie à défaut d'autres pour le système osseux, et qui présenteraient réellement des idées très-inexactes, si l'esprit n'en corrigeait le sens.

chaque instant être animale ou organique. Voilà pourquoi
les auteurs qui en ont fait l'objet de leurs expériences ont
eu des résultats si divers ; pourquoi les uns trouvent insensibles la dure-mère, le périoste, etc., où d'autres observent
une extrême sensibilité. [N]

§ IV. Du rapport qui existe entre la sensibilité de chaque organe et les corps qui lui sont étrangers.

Quoique la sensibilité soit sujette, dans chaque organe,
à des variétés continuelles, cependant chacun paraît en
avoir une somme primitivement déterminée, à laquelle il
revient toujours à la suite de ces alternatives d'augmentation et de diminution ; à peu près comme, dans ses oscillations diverses, le pendule reprend constamment la place
où le ramène sa pesanteur.

C'est cette somme de sensibilité déterminée pour chaque organe qui compose spécialement sa vie propre ; c'est
elle qui fixe la nature de ses rapports avec les corps qui
lui sont étrangers, mais qui se trouvent en contact avec
lui : ainsi la somme ordinaire de sensibilité de l'urètre le
met en rapport avec l'urine. Mais si cette somme augmente,
comme dans l'érection portée à un haut degré, le rapport
cesse, le canal se soulève contre ce fluide, et ne se laisse
traverser que par la semence, qui n'est point à son tour
en rapport avec la sensibilité de l'urètre dans l'état de
non-érection.

Voilà comment la somme déterminée de sensibilité des
conduits de Stenon, de Wharton, cholédoque, pancréatique, de tous les excréteurs en un mot, exactement analogue à la nature des fluides qui les parcourent, mais dispro-
portionnée à celle des autres, ne permet point à ceux-ci
d'y pénétrer, fait qu'en passant au-devant d'eux ils en
occasionnent le spasme, le froncement, lorsque quelques-
unes de leurs molécules s'y engagent. Ainsi le larynx se
soulève-t-il contre tout corps, autre que l'air, qui s'y introduit accidentellement.

Par là les excréteurs, quoiqu'en contact avec les surfaces muqueuses, avec une foule de fluides divers qui passent ou séjournent sur ces surfaces, ne s'en trouvent jamais pénétrés. Voilà encore comment les bouches des lactés ouvertes dans les intestins n'y puisent que le chyle, et n'absorbent point les fluides qui se.trouvent mêlés à lui, fluides avec lesquels leur sensibilité n'est point en rapport.

Ce n'est pas seulement entre les sommes diverses de la sensibilité des organes et les divers fluides du corps qu'existent ces rapports, ils peuvent encore s'exercer entre les corps extérieurs et nos différentes parties. La somme déterminée de sensibilité de la vessie, des reins, des glandes salivaires, etc., a une analogie spéciale avec les cantharides, le mercure, etc.

On pourrait croire que dans chaque organe la sensibilité prend une modification, une nature particulière, et que c'est cette diversité de nature qui constitue la différence des rapports des organes avec les corps étrangers qui les touchent. Mais une foule de considérations prouvent que la différence porte non sur la nature, mais sur la somme, la dose, la quantité de sensibilité, si on peut appliquer ces mots à une propriété vitale : voici ces considérations.

Les orifices absorbants des surfaces séreuses baignent quelquefois des mois entiers dans le fluide des hydropisies sans y rien puiser. Que l'action des toniques, que l'effort de la nature, y exaltent la sensibilité, elle se met, si je puis m'exprimer ainsi, en équilibre avec le fluide, et alors l'absorption se fait. La résolution des tumeurs présente le même phénomène : tant que les forces de la partie sont affaiblies, les lymphatiques refusent d'admettre les substances extravasées dans ces tumeurs. Que la somme de ces forces soit doublée, triplée, au moyen des résolutifs, bientôt la tumeur a disparu par l'action des lymphatiques.

Sur ce principe repose l'explication de tous les phéno-

6.

mènes des résorptions de pus, de sang et autres fluides
que les lymphatiques prennent tantôt avec une sorte d'avidité, et qu'ils refusent tantôt de recevoir, suivant que la
somme de leur sensibilité est ou n'est pas en rapport avec
eux.

L'art du médecin dans l'application des résolutifs est de
trouver le terme moyen et d'y ramener les vaisseaux, soit
en leur ajoutant des forces nouvelles, soit en retranchant
en partie celles dont ils sont pourvus, suivant que leur
somme de sensibilité est inférieure ou supérieure au degré
qui les met en rapport avec les fluides à absorber. C'est
ainsi que les résolutifs peuvent être également pris, suivant
les circonstances, et dans la classe des remèdes qui forti-
fient et dans celle des médicaments qui affaiblissent.

Toute la théorie des inflammations se lie aussi aux idées
que nous présentons ici. On sait que le système des canaux où circule le sang donne naissance à une foule d'autres petits vaisseaux qui n'admettent que la portion séreuse
de ce fluide, comme l'exhalation le prouve sans réplique.
Pourquoi les globules rouges n'y passent-ils pas, quoiqu'il
y ait continuité? Ce n'est point par la disproportion du
diamètre, comme Boerhaave l'avait cru; la largeur des
vaisseaux blancs serait double, triple de celle des vaisseaux
rouges que les globules de cette couleur n'y passeraient
pas, s'il n'y a un rapport entre la somme de sensibilité de
ces vaisseaux et ces globules rouges, comme nous avons
vu le chyme ne point passer dans le cholédoque, quoique
le diamètre de ce conduit surpasse celui des molécules at-
ténuées des aliments. Or, dans l'état naturel, la sensibilité
des vaisseaux blancs étant inférieure à celle des rouges, il
est évident que le rapport nécessaire à l'admission de la
partie colorée ne peut exister. Mais qu'une cause quelconque exalte les forces des premiers vaisseaux, alors leur
sensibilité se monte au même niveau que celle des seconds;
le rapport s'établit, et le passage des fluides jusque-là repoussés se fait avec facilité.

Voilà comment les surfaces les plus exposées aux agents qui exaltent la sensibilité sont aussi les plus sujettes aux inflammations locales, comme on le voit dans la conjonctive, dans le poumon, etc. Tel est alors le plus souvent, comme je l'ai dit, l'accroissement de sensibilité, que d'organique qu'elle était, elle devient animale, et transmet alors au cerveau l'impression des corps extérieurs.

L'inflammation dure tant que l'excès de sensibilité subsiste; peu à peu elle s'affaiblit, et revient à son degré naturel : alors aussi les globules rouges cessent de passer dans les vaisseaux blancs, et la résolution se fait.

On voit, d'après cela, que la théorie de l'inflammation n'est qu'une suite naturelle des lois qui président au passage des fluides dans leurs divers canaux ; on conçoit aussi combien sont vides toutes les hypothèses empruntées de l'hydraulique, laquelle n'offre presque jamais d'application réelle à l'économie animale, parce qu'il n'y a nulle analogie entre une suite de tuyaux inertes et une série de conduits vivants, dont chacun a une somme de sensibilité propre, qui le met en rapport avec tel ou tel fluide, et repousse les autres ; qui peut, en augmentant ou diminuant par la moindre cause, changer de rapport, admettre le fluide qu'ils rejetaient et rejeter celui qu'ils admettaient.

Je ne finirais pas, si je voulais multiplier les conséquences de ces principes dans les phénomènes de l'homme vivant, en santé ou en maladie. Mes lecteurs y suppléeront facilement, et pourront agrandir le champ de ces conséquences, dont l'ensemble forme presque toutes les grandes données de la physiologie, et les points essentiels de la théorie des maladies.

On demandera sans doute pourquoi, dans la distribution des diverses sommes de sensibilité, la nature n'a doué de cette propriété qu'à des degrés inférieurs les organes du dedans, ceux de la vie intérieure, tandis que ceux du dehors en sont si abondamment pourvus ; pourquoi, par conséquent, chaque organe digestif, circulatoire, respiratoire, nutritif, absorbant, ne transmet point au cerveau les impressions qu'il reçoit, lorsque tous les actes de la vie animale supposent cette transmission. La raison en est simple : c'est que tous les phénomènes qui nous mettent en rapport avec les êtres voisins devaient être et sont en effet sous l'influence de la volonté, tandis que tous ceux qui ne servent qu'à l'assimilation échappent et devaient en effet échapper à cette influence. Or, pour qu'un phénomène dépende de la volonté, il faut évidemment que nous en ayons la conscience ; pour qu'il soit soustrait à son empire, il est nécessaire que cette conscience soit nulle.

§ V. Des deux espèces de contractilité, animale et organique.

Le mode le plus ordinaire du mouvement dans les organes animaux est la contraction. Quelques parties cependant se meuvent en se dilatant : tels sont l'iris, le corps caverneux, le mamelon, etc. ; en sorte que les deux facultés générales d'où dérive la motilité spontanée sont : la contractilité et l'extensibilité active, qu'il faut bien distinguer de l'extensibilité passive, dont nous parlerons bientôt : l'une tient à la vie, l'autre au seul tissu des organes. Mais trop peu de données existent encore sur la nature et le mode de mouvement qui résulte de la première, un trop petit nombre d'organes nous la présente, pour que nous y ayons égard dans ces considérations générales. La contractilité seule va donc nous occuper : je renvoie, pour l'extensibilité, à ce qu'ont écrit les médecins de Montpellier.

La motilité spontanée, faculté inhérente aux corps vivants, nous présente, comme la sensibilité, deux grandes modifications très-différentes entre elles, suivant que nous l'examinons dans les phénomènes de l'une ou de l'autre vie. Il est une contractilité animale et une contractilité organique.

L'une, essentiellement soumise à l'influence de la volonté, a son principe dans le cerveau, reçoit de lui les irradiations qui la mettent en jeu, cesse d'exister dès que les organes où on l'observe ne communiquent plus avec lui par les nerfs, participe constamment à tous les états où il se trouve, a exclusivement son siége dans les muscles qu'on nomme *volontaires*, et préside à la locomotion, à la voix, aux mouvements généraux de la tête, du thorax, de l'abdomen, etc. L'autre, indépendante d'un centre commun, trouve son principe dans l'organe même qui se meut, échappe à tous les actes volontaires, et donne lieu aux phénomènes digestifs, circulatoires, sécrétoires, absorbants, nutritifs, etc.

Toutes deux sont, comme les deux espèces de sensibilité, essentiellement distinctes dans les morts violentes qui anéantissent subitement la contractilité animale, et permettent encore à l'organique de s'exercer plus ou moins longtemps : elles le sont aussi dans les asphyxies, images si ressemblantes de la mort, et où la première est entièrement suspendue, la seconde demeurant en activité ; elles le sont enfin dans les paralysies que l'on produit artificiellement, ou que la maladie amène dans un membre, et dans lesquelles tout mouvement volontaire cesse, les mouvements organiques restant intacts.

L'une et l'autre espèce de contractilité se lient à l'espèce correspondante de sensibilité ; elles en sont, pour ainsi dire, une suite. Les sensations des objets extérieurs mettent en action la contractilité animale. Avant que la contractilité organique du cœur ne s'exerce, sa sensibilité a été préliminairement excitée par l'abord du sang.

Cependant l'enchaînement n'est pas le même dans les deux espèces de facultés. La sensibilité animale peut isolément s'exercer, sans que la contractilité analogue entre nécessairement pour cela en exercice : il y a un rapport général entre la sensation et la locomotion ; mais ce rapport n'est pas direct et actuel. Au contraire, la contractilité organique ne se sépare jamais de la sensibilité de même espèce. La réaction des conduits excréteurs est immédiatement liée à l'action qu'exercent sur eux les fluides sécrétés ; la contraction du cœur succède d'une manière nécessaire à l'abord du sang : aussi tous les auteurs n'ont-ils point isolé ces deux choses dans leurs considérations, et même dans leur langage. L'irritabilité désigne en même temps et la sensation excitée sur l'organe par le contact d'un corps, et la contraction de l'organe réagissant sur ce corps.

La raison de cette différence dans le rapport des deux espèces de sensibilité et de contractilité est très-simple : il n'y a dans la vie organique aucun intermédiaire dans l'exercice des deux facultés. Le même organe est le terme où aboutit la sensation, et le principe d'où part la contraction. Dans la vie animale, au contraire, il y a entre ces deux actes des fonctions moyennes, celles des nerfs et du cerveau, fonctions qui peuvent, en s'interrompant, interrompre le rapport.

C'est à la même cause qu'il faut rapporter l'observation suivante, savoir : qu'il existe toujours dans la vie organique une proportion rigoureuse entre la sensation et la contraction, tandis que dans la vie animale l'une peut être exaltée ou diminuée, sans que l'autre s'en ressente. [O]

§ VI. Subdivision de la contractilité organique en deux variétés.

La contractilité animale est toujours à peu près la même, quelle que soit la partie où elle se manifeste ; mais il existe dans la contractilité organique deux modifications essentielles, qui sembleraient y indiquer une différence de nature, quoiqu'il n'y ait que diversité dans l'apparence extérieure : tantôt, en effet, elle se manifeste d'une manière apparente ; d'autres fois, quoique très-réelle, elle est absolument impossible à apprécier par l'inspection.

La contractilité organique sensible s'observe dans le cœur, l'estomac, les intestins, la vessie, etc. ; elle s'exerce sur les masses considérables de fluides animaux.

La contractilité organique insensible est celle en vertu

de laquelle les conduits excréteurs réagissent sur leurs fluides respectifs, les organes sécrétoires sur le sang qui y aborde, les parties où s'opère la nutrition sur leurs sucs nourriciers, les lymphatiques sur les substances qui excitent leurs extrémités ouvertes, etc. Partout où les fluides sont disséminés en petites masses, où ils sont très-divisés, là se développe cette seconde espèce de contractilité.

On peut donner de toutes deux une idée assez précise, en comparant l'une à l'attraction qui s'exerce sur les grands agrégats de matière, l'autre à l'affinité chimique, dont les phénomènes se passent dans les molécules des diverses substances. Barthez, pour faire sentir la différence qui les sépare, prend la comparaison d'une montre, dont l'aiguille à secondes parcourt d'une manière très-apparente la circonférence, et dont l'aiguille à heures se meut aussi, quoiqu'on ne distingue pas sa marche.

La contractilité organique sensible répond à peu près à ce qu'on nomme *irritabilité;* la contractilité organique insensible, à ce qu'on appelle *tonicité.* Mais ces deux mots semblent supposer, dans les propriétés qu'ils indiquent, une diversité de nature, tandis que cette diversité n'existe que dans l'apparence extérieure : aussi je préfère d'employer pour toutes deux un terme commun, *contractilité organique,* qui désigne leur caractère général, celui d'appartenir à la vie intérieure, d'être indépendantes de la volonté, et d'ajouter à ce terme commun un adjectif qui exprime l'attribut particulier à chacune.

On aurait, en effet, des idées bien inexactes de ces deux modes de mouvements, si on les considérait comme tenant à des principes différents. L'un n'est que l'extrême de l'autre; tous deux s'enchaînent par des gradations insensibles. Entre la contractilité obscure, mais réelle, nécessaire à la nutrition des ongles, des poils, etc., et celle que nous présentent les mouvements des intestins, de l'estomac, etc., il est des nuances infinies qui servent de transition : tels sont les mouvements du dartos, des artères, de certaines parties de l'organe cutané, etc.

La circulation est très-propre à nous donner une idée de cet enchaînement graduel des deux espèces de contractilité organique : c'est en effet celle qui est sensible, qui préside, dans le cœur et les gros vaisseaux, à cette fonction; peu à peu elle devient moins apparente, à mesure que le diamètre du système vasculaire diminue; enfin elle est insensible dans les capillaires, où la tonicité seule s'observe.

Considérer, avec la plupart des auteurs, l'irritabilité comme une propriété exclusivement inhérente aux muscles, comme étant un de leurs caractères distinctifs de ceux des autres organes; exprimer cette propriété par un mot qui indique ce siége exclusif, c'est, je crois, ne pas la concevoir telle que la nature l'a distribuée à nos parties.

Les muscles occupent sans doute, sous ce rapport, le premier rang dans l'échelle des solides animés; ils ont le maximum de contractilité organique : mais tout organe qui vit réagit comme eux, quoique d'une manière moins apparente, sur l'excitant qu'on y applique artificiellement, ou sur le fluide qui y aborde dans l'état naturel, pour y porter la matière des sécrétions, de la nutrition, de l'exhalation, ou de l'absorption.

Rien de plus incertain, par conséquent, que la règle communément adoptée pour prononcer sur la nature musculaire ou non musculaire d'une partie; règle qui consiste à examiner si elle se contracte sous l'action des irritants naturels ou artificiels.

Voilà comment on admet une tunique charnue dans les artères, quoique tout, dans leur organisation, soit étranger à celle des muscles; comment on prononce que la matrice est charnue, quoiqu'une foule de différences la distinguent de ces sortes de substances; comment on a admis une texture musculeuse dans le dartos, l'iris, etc., quoique rien de semblable ne s'y observe.

La faculté de se contracter sous l'action des irritants est,

comme celle de sentir, inégalement répartie dans les organes ; ils en jouissent à des degrés différents : ce n'est pas
la concevoir que de la considérer comme exclusivement
propre à certains. Elle n'a point son siège unique dans la fibrine des muscles, comme quelques-uns l'ont pensé. Vivre
est la seule condition qui soit nécessaire aux fibres pour
en jouir. Leur tissu particulier n'influe que sur la somme
qu'ils en reçoivent ; il paraît qu'à telle texture organique
est attribuée, si je puis parler ainsi, telle dose de contractilité ; à telle autre texture, telle autre dose, etc. : en sorte
que, pour employer les expressions qui m'ont servi en
traitant de la sensibilité, expressions impropres, il est vrai,
mais seul es capables de rendre mon idée, les différences
dans la contracti lité organique de nos diverses parties ne
portent que sur la quantité et non sur la nature de cette
propriété : voilà en quoi consistent uniquement les nombreuses variétés de cette propriété, suivant qu'on la considère dans les muscles, les ligaments, les nerfs, les os, etc.

Si un mode spécial de contraction devait être exprimé
dans les muscles par un mot particulier, ce ne serait pas
sans doute la contractilité organique, mais bien celle des
muscles volontaires, puisqu'eux seuls, entre toutes nos
parties, se meuvent sous l'influence du cerveau. Mais cette
propriété est étrangère à leur tissu, et ne leur vient que
de cet organe ; car là où ils cessent de communiquer directement avec lui par les nerfs, ils cessent aussi d'être à
mouvement volontaire.

Ceci nous mène à examiner les limites placées entre l'une
et l'autre espèce de contractilité. Nous avons vu que celles
qui distinguent les deux modes de sensibilité ne paraissent
tenir qu'à la proportion plus ou moins grande de cette force ;
qu'à telle dose cette propriété est, si je puis m'exprimer
ainsi, animale ; à telle autre, plus faible, organique ; et que
souvent, par la simple augmentation ou diminution d'intensité, elles empruntent, tour à tour et réciproquement,
leurs caractères respectifs. Nous avons vu un phénomène

presque analogue dans les deux subdivisions de la contractilité organique.

Il n'en est pas ainsi des deux grandes divisions de la contractilité considérée en général. L'organique ne peut jamais se transformer en animale; quelle que soit son exaltation, son accroissement d'énergie, elle reste constamment de même nature. L'estomac, les intestins, prennent
souvent une susceptibilité pour la contraction telle, que le
moindre contact les fait soulever, et y détermine de violents
mouvements. Or, ces mouvements conservent toujours
alors leur type, leur caractère primitifs; jamais le cerveau
n'en règle les secousses irrégulières : comme dans l'accroissement de sensibilité organique, il perçoit les impressions qui auparavant n'arrivaient point à lui.

D'où naît cette différence dans les phénomènes de la
sensibilité et de la contractilité ? Je ne puis résoudre cette
question d'une manière précise et rigoureuse. [P]

§ VII. Extensibilité et contractilité de tissu.

Après avoir présenté quelques réflexions générales sur
les forces qui tiennent à la vie d'une manière immédiate,
je vais examiner les propriétés qui ne dépendent que du
tissu, de l'arrangement organique des fibres de nos parties; ce sont l'extensibilité et la contractilité de tissu.

Ces deux propriétés se succèdent, s'enchaînent réciproquement, et sont dans une dépendance mutuelle, comme
dans les phénomènes vitaux les sensibilités et contractilités organiques ou animales.

L'extensibilité de tissu, ou la faculté de s'allonger, de
se distendre au delà de son état ordinaire, par une impulsion étrangère (ce qui la distingue de l'extensibilité de
l'iris, des corps caverneux, etc.), appartient d'une manière
sensible à un grand nombre d'organes. Les muscles extenseurs prennent une longueur remarquable dans les fortes
tensions des membres; la peau se prête pour envelopper

les tumeurs qui la soulèvent ; les aponévroses se dis-
tendent quand un fluide s'accumule au-dessous d'elles,
comme on le voit dans l'hydropisie ascite, dans la grossesse, etc. Les membranes muqueuses des intestins, de la
vessie, de la vésicule, etc. ; les membranes séreuses de la
plupart des cavités, présentent un phénomène analogue
dans la plénitude de leurs cavités respectives : les membranes fibreuses, les os eux-mêmes, en sont aussi susceptibles : ainsi, dans l'hydrocéphale, la dure-mère, le péri-
crâne et les os du crâne ; dans le spina-ventosa et la
pédarthrocace, le périoste, les extrémités ou le milieu
des os longs, éprouvent-ils une semblable distension. Le
rein, le cerveau, le foie, dans les abcès qui se développent à leur intérieur ; la rate et le poumon, lorsqu'une
grande quantité de sang en pénètre le tissu ; les ligaments,
dans les hydropisies articulaires ; tous les organes en un
mot, dans mille circonstances diverses, nous offrent des
preuves sans nombre de cette propriété qui est inhérente
à leur tissu, et non précisément à leur vie ; car, tant que
ce tissu reste intact, l'extensibilité subsiste, lors même que
depuis longtemps la vie les a abandonnés. La décomposition, la putréfaction, et tout ce qui altère le tissu organique, est le seul terme de l'exercice de cette propriété, dans
laquelle les organes sont toujours passifs, et soumis à une
influence mécanique de la part des différents corps qui
agissent sur eux.

Il est, pour les divers organes, une échelle d'extensibilité :
au haut se placent ceux qui jouissent de plus de mollesse
dans l'arrangement de leurs fibres, comme les muscles, la
peau, le tissu cellulaire, etc. ; au bas se trouvent ceux
que caractérise une grande densité, comme les os, les cartilages, les tendons, les ongles, etc.

Prenons garde cependant de nous en laisser imposer par
certaines apparences sur l'extensibilité de nos parties. Ainsi
les membranes séreuses, sujettes, au premier coup d'œil,
à d'énormes distensions, s'agrandissent cependant beau-

coup moins par elles-mêmes que par le développement de leurs plis, comme je l'ai prouvé ailleurs très-longuement. Ainsi le déplacement de la peau, qui abandonne les parties voisines pour venir recouvrir certaines tumeurs, pourrait-il faire croire à une extensibilité plus grande que celle dont elle est susceptible, etc.

A l'extensibilité de tissu répond un mode particulier de contractilité, dont on peut désigner le caractère par le même mot, ou par cette expression, *contractilité par défaut d'extension*. En effet, pour qu'elle entre en exercice dans un organe, il suffit que l'extensibilité cesse d'y être en action.

Dans l'état ordinaire, la plupart de nos organes sont entretenus à un certain degré de tension par différentes causes : les muscles locomoteurs, par leurs antagonistes ; les muscles creux, par les substances diverses qu'ils renferment ; les vaisseaux, par les fluides qui y circulent ; la peau d'une partie, par celle des parties voisines ; les parois alvéolaires, par les dents qu'elles contiennent, etc. Or, si ces causes cessent, la contraction survient ; coupez un muscle long, l'antagoniste se raccourcit ; videz un muscle creux, il se resserre ; empêchez l'artère de recevoir le sang, elle devient ligament ; incisez la peau, les bords de l'incision se séparent, entraînés par la rétraction des parties cutanées voisines ; arrachez une dent, l'alvéole s'oblitère, etc.

Dans ces cas, c'est la cessation de l'extension naturelle qui détermine la contraction ; dans d'autres, c'est la cessation d'une extension contre nature : ainsi voit-on se resserrer le bas-ventre après l'accouchement ou la ponction ; le sinus maxillaire, après l'extirpation d'un fongus ; le tissu cellulaire, après l'ouverture d'un dépôt ; la tunique vaginale, après l'opération de l'hydrocèle ; la peau du scrotum, après l'amputation d'un testicule volumineux qui la distendait ; les poches anévrismales, après l'évacuation du fluide, etc.

Ce mode de contractilité est parfaitement indépendant
de la vie; il ne tient, comme l'extensibilité, qu'au tissu, à
l'arrangement organique des parties; il reçoit bien des forces vitales un accroissement d'énergie : ainsi la rétraction
d'un muscle coupé après la mort est-elle bien moindre que
celle d'un muscle divisé pendant la vie; ainsi l'écartement
de la peau varie-t-elle aussi dans ces deux circonstances ;
mais, quoique moins prononcée, la contractilité subsiste
toujours; elle n'a de terme, comme l'extensibilité, que
dans la désorganisation des parties par la décomposition,
la putréfaction, etc., et non dans l'anéantissement de
leurs forces vitales.

La plupart des auteurs ont confondu les phénomènes de
cette contractilité avec ceux de la contractilité organique
insensible, ou de la tonicité; tels sont Haller, Blumenbach,
Barthez, etc., qui ont rapporté au même principe le retour
sur elles-mêmes des parties abdominales distendues, l'é-
cartement de la peau ou d'un muscle divisé, et la contraction du dartos par le froid, la crispation des parties
par certains poisons, par les styptiques, etc. Les premiers
de ces phénomènes sont dus à la contractilité par défaut
d'extension, qui ne suppose jamais d'irritants appliqués
sur les parties; les seconds à la tonicité, qui ne s'exerce
jamais que par leur influence.

Je n'ai pas non plus assez distingué ces deux modes de
contractions dans mon ouvrage sur les Membranes ; mais
on doit évidemment établir entre eux des limites tran-
chantes.

Une application rendra ceci beaucoup plus sensible.
Prenons pour cela un organe où se rencontrent toutes les
espèces de contractilités dont j'ai parlé jusqu'ici, un muscle volontaire, par exemple; en y distinguant ces espèces
avec précision, nous pourrons en donner une idée claire et
distincte.

Ce muscle entre en action, 1° par l'influence des nerfs
qu'il reçoit du cerveau : c'est la contractilité animale;

7.

2° par l'excitation d'un agent chimique ou physique appliqué sur lui, excitation qui y détermine artificiellement un mouvement de tonicité analogue à celui qui est naturel au cœur et aux autres muscles involontaires : c'est la contractilité organique sensible, l'irritabilité ; 3° par l'abord des fluides qui en pénètrent toutes les parties pour y porter la matière de la nutrition, et qui y développent un mouvement d'oscillation partiel dans chaque fibre, dans chaque molécule ; mouvement nécessaire à cette fonction, comme dans les glandes il est indispensable à la sécrétion, dans les lymphatiques à l'absorption, etc. : c'est la contractilité organique insensible ou la tonicité ; 4° par la section transversale de son corps, qui détermine la rétraction des bouts divisés vers leur point d'insertion : c'est la contractilité de tissu, ou la contractilité par défaut d'extension.

Chacune de ces espèces peut isolément cesser dans un muscle. Coupez les nerfs qui vont s'y rendre, plus de contractilité animale ; mais les deux modes de contractilité organique subsisteront. Imprégnez ensuite le muscle d'opium, en y laissant pénétrer les vaisseaux, il cessera de se mouvoir en totalité sous l'impression des irritants ; il perdra son irritabilité ; mais les mouvements toniques y resteront encore, déterminés par l'abord du sang. Tuez enfin l'animal, ou plutôt, en le laissant vivre, liez tous les vaisseaux qui vont se rendre au membre : le muscle perdra aussi ses forces toniques, et alors restera seule la contractilité de tissu, qui ne cessera que lorsque la gangrène, suite de l'interruption de l'action vitale, surviendra dans le membre.

Cet exemple servira facilement à faire apprécier les différentes espèces de contractilité dans les organes où ces espèces sont assemblées en moins grand nombre que dans les muscles volontaires, comme dans le cœur, les intestins, où il y a contractilité organique sensible, organique insensible et de tissu, l'animale étant de moins ; dans les organes blancs, les tendons, les aponévroses, les os, etc., où les contractilités animale et organique sensible manquent, l'organique insensible et celle de tissu restant seules.

En général, ces deux dernières sont inhérentes à toute espèce d'organes, les deux premières n'appartenant qu'à quelques-uns en particulier. Donc on doit choisir la tonicité ou contractilité organique insensible pour le caractère général de toutes les parties qui vivent, et la contractilité de tissu pour attribut commun à toutes les parties vivantes ou mortes qui sont organiquement tissues.

Au reste, cette dernière contractilité a, comme l'extensibilité, etc., à laquelle elle est toujours proportionnée, ses degrés divers, son échelle d'intensité : les muscles, la peau, le tissu cellulaire, etc., d'une part ; les tendons, les aponévroses, les os, de l'autre, forment, sous ce rapport, les extrêmes.

D'après tout ce qui a été dit dans cet article, il est aisé de voir que, dans la contractilité de tout organe, il y a deux choses à considérer, savoir, la contractilité ou la faculté, et la cause qui met en jeu cette faculté. La contractilité est toujours la même ; elle tient à l'organe, elle lui est inhérente ; mais la cause qui en détermine l'exercice varie singulièrement, et de là les diverses espèces de contractions animales, organiques et par défaut d'extension : en sorte que ces mots devraient en effet être joints plutôt à celui de contraction, qui exprime l'action, qu'à celui de contractilité, qui en indique le principe.

§ VIII. Résumé des propriétés des corps vivants.

Nous pouvons, je crois, offrir le résumé de cet article sur les propriétés des corps vivants dans le tableau suivant, qui présentera, sous le même coup d'œil, toutes ces propriétés.

CLASSES.	GENRES.	ESPÈCES.	VARIÉTÉS.
Ire Vitales.	Ier. Sensibilité.	Ire. Animale. IIe. Organique.	
	IIe. Contractilité.	Ire. Animale. IIe. Organique.	Ire. Sensible. IIe. Insensible.
IIe de tissu.	Ier. Extensibilité. IIe. Contractilité.		

(PROPRIÉTÉS.)

Je n'ai pas fait entrer dans ce tableau le mode de mouvement de l'iris, des corps caverneux, etc., mouvement qui précède l'abord du sang, et qui n'est point déterminé par lui, la dilatation du cœur, et en un mot cette espèce d'extensibilité active et vitale dont certaines parties paraissent susceptibles. C'est que j'avoue qu'en reconnaissant la réalité de cette modification du mouvement vital, je n'ai point encore d'idées claires et précises sur les rapports qui l'unissent aux autres espèces de motilité, ni sur les différences qui l'en distinguent.

Des propriétés que je viens d'exposer découlent toutes les fonctions, tous les phénomènes que nous offre l'économie animale; il n'en est aucun que l'on ne puisse, en dernière analyse, y rapporter, comme dans tous les phénomènes physiques nous rencontrons toujours les mêmes principes, les mêmes causes, savoir l'attraction, l'élasticité, etc.

Partout où les propriétés vitales sont en activité, il y a un dégagement et une perte de calorique propres à l'animal, qui lui composent une température indépendante de celle du milieu où il vit. Le mot caloricité est impropre à exprimer ce phénomène, qui est un effet général des deux grandes facultés vitales en exercice, qui ne dérive nullement d'une faculté spéciale, distincte de celles-là. On ne ilit pas *digestibilité*, *respirabilité*, *sécrétionabilité*, *exha-* *o'abilité*, etc., parce que la digestion, la respiration, la sé- crétion, l'exhalation, sont des résultats de fonctions qui dérivent des lois communes : disons-en autant de la pro- duction de la chaleur.

C'est aussi sous ce rapport que la force digestive de Gri- maud présente une idée inexacte. L'assimilation des sub- stances hétérogènes à nos organes est un des grands pro- duits de la sensibilité et de la mobilité, et non d'une force propre. Telles sont encore les forces de formation de Blu- menbach, de situation fixe de Barthez, et les principes divers admis par une foule d'auteurs qui ont attribué à des fonctions, à des résultats, des dénominations qui indiquent des lois, des propriétés vitales, etc.

La vie propre de chaque organe se compose des modi- fications diverses que subissent dans chacune et la sensi- bilité et la mobilité vitales, modifications qui en entraînent inévitablement dans la circulation et la température de l'organe. Chacun, au milieu de la sensibilité, de la mobi- lité, de la température, de la circulation générales, a un mode particulier de sentir, de se mouvoir, une chaleur in- dépendante de celle du corps, une circulation capillaire qui, soustraite à l'empire du cœur, ne reçoit que l'influence de l'action tonique de la partie. Mais passons sur un point de physiologie si souvent discuté, et assez approfondi par d'autres auteurs.

Je ne présente, au reste, ce que je viens de dire des for- ces vitales que comme un aperçu sur les modifications diverses qu'elles éprouvent dans les deux vies, que comme quelques idées détachées qui formeront bientôt la base d'un travail plus étendu.

Je n'ai point indiqué non plus les diverses divisions des forces de la vie adoptées par les auteurs ; le lecteur les trouvera dans leurs ouvrages, et saisira aisément la diffé- rence qui les distingue de celle qui se présente. J'observe seulement que si ces divisions eussent été claires et préci-

ses, si les mots *sensibilité, irritabilité, tonicité,* etc. , eussent offert à tous le même sens, nous trouverions de moins
dans les écrits de Haller, de Lecat, de With , de Haen, de
tous les médecins de Montpellier, etc., une foule de disputes stériles pour la science et fatigantes pour ceux qui
l'étudient.

ARTICLE VIII.

DE L'ORIGINE ET DU DÉVELOPPEMENT DE LA VIE ANIMALE.

S'il est une circonstance qui établisse une ligne réelle
de démarcation entre les deux vies , c'est sans doute le
mode et l'époque de leur origine. L'une, l'organique, est
en activité dès les premiers instants de l'existence ; l'autre,
l'animale, n'entre en exercice qu'après la naissance, lorsque les objets extérieurs offrent à l'individu qu'ils entourent des moyens de rapport , de relation : car , sans excitants externes, cette vie est condamnée à une inaction nécessaire, comme sans les fluides de l'économie, qui sont
les excitants internes de la vie organique , celle-ci s'étein-
drait. Mais ceci mérite une discussion plus approfondie.

Voyons d'abord comment la vie animale, primitivement
nulle, naît ensuite et se développe.

§ I. Le premier ordre de fonctions de la vie animale est nul chez le fœtus.

L'instant où le fœtus commence à exister est presque le
même que celui où il est conçu mais cette existence, dont
chaque jour agrandit la sphère, n'est point la même que
celle dont il jouira quand il aura vu la lumière.

On a comparé à un sommeil profond l'état où il se trouve :
cette comparaison est infidèle. Dans le sommeil, la vie animale n'est qu'en partie suspendue; chez lui, elle est en-

tièrement anéantie, ou plutôt elle n'a pas commencé. Nous avons vu, en effet, qu'elle consiste dans l'exercice simultané ou distinct des fonctions du pouls, des nerfs, du cerveau, des organes locomoteurs et vocaux. Or, tout est alors inactif dans ces fonctions diverses.

Toute sensation suppose et l'action des corps extérieurs sur le nôtre, et la perception de cette action, perception qui se fait en vertu de la sensibilité, laquelle est ici de deux sortes, ou plutôt transmet deux espèces d'actions, les unes générales, les autres particulières.

La faculté de percevoir des impressions générales, considérée en exercice, forme le tact, qui, très-distinct du toucher, a pour objet de nous avertir de la présence des corps, de leurs qualités chaudes ou froides, sèches ou humides, dures ou molles, etc., et autres attributs communs. Percevoir les modifications particulières des corps est l'apanage des sens, dont chacun se trouve en rapport avec une espèce de ces modifications.

Le fœtus a-t-il des sensations générales? Pour le décider, voyons quelles impressions peuvent, chez lui, exercer le tact. Il est soumis à une température habituelle, il nage dans un fluide; il heurte, en nageant, contre les parois de la matrice : voilà trois sources de sensations générales.

Remarquons d'abord que les deux premières sont presque nulles, qu'il ne peut avoir la conscience ni du milieu où il se nourrit, ni de la chaleur qui le pénètre. Toute sensation suppose, en effet, une comparaison entre l'état actuel et l'état passé. Le froid ne nous est sensible que parce que nous avons éprouvé une chaleur antécédente ; si l'atmosphère était à un degré invariable de température, nous ne distinguerions point ce degré : le Lapon trouve le bienêtre sous un ciel où le nègre trouverait la douleur et la mort s'il s'y était subitement transporté. Ce n'est pas dans le temps des solstices, mais dans celui des équinoxes, que les sensations de chaleur et de froid sont plus vives, parce qu'alors leurs variétés, plus nombreuses, font naître des comparaisons plus fréquentes entre ce que nous sentons et ce que nous avons senti précédemment.

Il en est des eaux de l'amnios comme de la chaleur : le fœtus n'en éprouve pas l'influence, parce que le contact d'un autre milieu ne lui est pas connu. Avant le bain, l'air ne nous est pas sensible ; en sortant de l'eau, l'impression en est pénible; pourquoi ? c'est qu'alors il nous affecte par la seule raison qu'il y a eu une interruption dans son action sur l'organe cutané.

Le choc des parois de la matrice est-il une cause d'excitation plus réelle que les eaux de l'amnios ou la chaleur ? Il semble que oui au premier coup d'œil, parce que le fœtus n'étant soumis que par intervalles à cet excitant, la sensation qui en naît doit être plus vive. Mais remarquons que la densité de la matrice, surtout dans la grossesse, n'étant pas très-supérieure à celle des eaux, l'impression doit être moindre. En effet, plus les corps se rapprochent par leur consistance du milieu où nous vivons, moins leur action est puissante sur nous. L'eau, réduite en vapeur dans le brouillard ordinaire, n'affecte que légèrement le tact ; mais à mesure qu'elle se condense dans l'atmosphère, et que le brouillard, en s'épaississant, s'éloigne de la densité de l'air, il est la cause d'une affection plus vive.

L'air, pour l'animal qui respire, est donc vraiment le terme de comparaison général auquel il rapporte, sans s'en douter, toutes les sensations du tact. Plongez la main dans le gaz acide carbonique, le tact ne vous apprendra pas à le distinguer de l'air, parce que leur densité est à peu près la même.

La vivacité des sensations est en raison directe de la différence de la densité de l'air avec celle des corps, objets de sensation. De même, la mesure des sensations du fœtus est l'excès de densité de la matrice sur celui des eaux : cet excès n'étant pas très-considérable, les sensations doivent être obtuses. C'est ainsi que ce qui nous paraît d'une grande densité doit moins vivement affecter les poissons, à raison du milieu où ils vivent.

Cette assertion relative au fœtus deviendra plus générale si nous y ajoutons celle-ci, savoir, que les membranes muqueuses, siége du tact interne, comme la peau l'est du tact extérieur, n'ont point encore chez lui commencé leurs fonctions. Après la naissance, continuellement en contact avec des corps étrangers au nôtre, elles trouvent dans ces corps des causes d'irritation qui, renouvelées sans cesse, en deviennent plus puissantes pour les organes. Mais chez le fœtus, point de succession dans ces causes ; c'est toujours la même urine, le même méconium, le même mucus qui exercent leur action sur la vessie, les intestins, la membrane pituitaire, etc.

Concluons de tout cela que les sensations générales du fœtus sont faibles, presque nulles, quoiqu'il soit environné de la plupart des causes qui, dans la suite, doivent les lui procurer. Les sensations particulières ne sont pas chez lui plus actives ; mais cela tient vraiment à l'absence des excitants.

L'œil, que ferme la membrane pupillaire ; la narine, dont le développement est à peine ébauché, ne seraient point susceptibles de recevoir d'impressions, en supposant que la lumière ou les odeurs puissent agir sur eux. Appliquée contre le palais, la langue n'est en contact avec aucun corps qui puisse y produire un sentiment de saveur : le fût-elle avec les eaux de l'amnios, l'effet en serait nul, parce que, comme nous l'avons dit, il y a nullité de sensation là où il n'y a pas variété d'impression. Notre salive est savoureuse pour un autre, elle est insipide pour nous.

L'ouïe n'est réveillée par aucun son ; tout est calme, tout repose en paix pour le petit individu.

Voilà donc déjà, si je puis m'exprimer ainsi, quatre portes fermées chez lui aux sensations particulières, et qui ne s'ouvriront, pour les lui transmettre, que quand il aura vu le jour. Mais observons que la nullité d'action de ces sens entraîne presque inévitablement celle du toucher.

Ce sens est en effet spécialement destiné à confirmer .es notions acquises par les autres, à les rectifier même; car souvent ils sont des agents de l'illusion, tandis que lui ne l'est jamais que de la vérité : aussi, en lui attribuant cet usage, la nature le soumit-elle directement à la volonté; tandis que la lumière, les odeurs, les sons, viennent souvent, malgré nous, frapper leurs organes respectifs.

L'exercice des autres sens précède celui-ci, et même le détermine. Si un homme naissait privé de la vue, de l'odorat et du goût, conçoit-on comment le toucher pourrait avoir lieu chez lui?

Le fœtus ressemble à cet homme-là : il a de quoi exercer le toucher dans ses mains déjà très-développées; et sur quoi l'exercer dans les parois de la matrice? Et cependant il est dans une nullité constante d'action, parce que ne voyant, ne sentant, ne goûtant, n'entendant rien, il n'est porté par rien à toucher : ses membres sont pour lui ce que sont pour l'arbre ses branches et ses rameaux, qui ne lui rapportent point l'impression des corps qu'ils touchent et auxquels ils s'entrelacent.

J'observe, en passant, qu'une grande différence du tact et du toucher, autrefois confondus par les physiologistes, c'est que la volonté dirige toujours les impressions du second, tandis que celles du premier, qui nous donne les sensations générales du chaud, du froid, du sec, de l'humide, etc., sont constamment hors de son influence.

Nous pouvons donc, en général, établir que la portion de vie animale qui constitue les sensations est encore presque nulle chez le fœtus.

Cette nullité dans l'action des sens en suppose une dans celle des nerfs qui s'y rendent, et du cerveau dont ils partent : car transmettre est la fonction des uns ; percevoir, celle de l'autre. Or, sans objets de transmission et de perception, ces deux actes ne sauraient avoir lieu.

De la perception dérivent immédiatement la mémoire et

l'imagination : de l'une de ces trois facultés, le jugement ; de celui-ci, la volonté.

Toute cette série de facultés qui se succèdent et s'enchaînent n'a donc point encore commencé chez le fœtus, par là même qu'il n'a point encore eu de sensations. Le cerveau est dans l'attente de l'acte ; il a tout ce qu'il faut pour agir : ce n'est pas l'excitabilité, c'est l'excitation qui lui manque.

Il résulte de là que toute la première division de la vie animale, celle qui a rapport à l'action des corps extérieurs sur le nôtre, est à peine ébauchée dans le fœtus : voyons s'il en est de même de la seconde division, ou de celle qui est relative à la réaction de notre corps sur les autres.

§ II. La locomotion existe chez le fœtus ; mais elle appartient chez lui à la vie organique.

A voir dans les animaux l'étroite connexion qu'il y a entre ces deux divisions, entre les sensations et toutes les fonctions qui en dépendent d'une part, la locomotion et la voix d'une autre part, on est porté à croire que les unes sont constamment en rapport direct des autres, que le mouvement volontaire croît ou diminue toujours à mesure que le sentiment de ce qui entoure l'animal croît ou diminue en lui. Car le sentiment fournissant les matériaux de la volonté, là où il n'existe pas, elle, et par conséquent les mouvements qui en dépendent, ne sauraient se rencontrer. D'inductions en inductions, on arriverait ainsi à prouver que les muscles volontaires doivent être inactifs chez le fœtus, et que par conséquent toute espèce de mouvement dans le tronc ou les membres ne saurait exister chez lui.

Cependant il se meut ; souvent même de fortes secousses sont le résultat de ses mouvements. S'il ne produit point de sons, ce n'est pas que les muscles du larynx restent passifs ; c'est que le milieu nécessaire à cette fonction lui manque. Comment allier l'inertie de la première partie de la vie animale avec l'activité de la seconde? Le voici.

Nous avons vu, en parlant des passions, que les muscles locomoteurs, c'est-à-dire ceux des membres du tronc, ceux, en un mot, différents du cœur, de l'estomac, etc., étaient mis en action de deux manières, 1° par la volonté, 2° par les sympathies. Ce dernier mode d'action a lieu quand à l'occasion de l'affection d'un organe intérieur, le cerveau s'affecte aussi et détermine des mouvements, alors involontaires, dans les muscles locomoteurs : ainsi une passion porte son influence sur le foie ; le cerveau, excité sympathiquement, excite les muscles volontaires; alors c'est dans le foie qu'existe vraiment le principe de leurs mouvements, lesquels, dans ce cas, sont de la classe de ceux de la vie organique ; en sorte que ces muscles, quoique toujours mis en jeu par le cerveau, peuvent cependant appartenir tour à tour dans leurs fonctions et à l'une et à l'autre vie.

Il est facile, d'après cela, de concevoir la locomotion du fœtus ; elle n'est point chez lui, comme elle sera chez l'adulte, une portion de la vie animale ; son exercice ne suppose point de volonté préexistante qui la dirige et en règle les actes ; elle est un effet purement sympathique, et qui a son principe dans la vie organique.

Tous les phénomènes de cette vie se succèdent alors, comme nous allons le voir, avec une extrême rapidité; mille mouvements divers s'enchaînent sans cesse dans les organes circulatoires et nutritifs ; tout y est dans une action très-énergique : or, cette activité de la vie organique suppose de fréquentes influences exercées par les organes internes sur le cerveau, et par conséquent de nombreuses réactions exercées par celui-ci sur les muscles qui se meuvent alors sympathiquement.

Le cerveau est d'autant plus susceptible de s'affecter par ces sortes d'influences, qu'il est alors plus développé à proportion des autres organes, et qu'il est passif du côté des sensations.

On conçoit donc à présent ce que sont les mouvements du fœtus. Ils appartiennent à la même classe que plusieurs de ceux de l'adulte, qu'on n'a point encore assez distingués ; ils sont les mêmes que ceux produits par les passions sur les muscles volontaires ; ils ressemblent à ceux d'un homme qui dort, et qui, sans qu'aucun rêve agite le cerveau, se meut avec plus ou moins de force. Par exemple, rien de plus commun que de violents mouvements, dans le sommeil qui succède à une digestion pénible : c'est l'estomac qui, étant dans une vive action, agit sur le cerveau, lequel met en activité les muscles locomoteurs.

A cet égard, distinguons bien deux espèces de locomotion dans le sommeil : l'une, pour ainsi dire volontaire, produite par les rêves, est une dépendance de la vie animale ; l'autre, effet de l'influence des organes internes, a son principe dans la vie organique, à laquelle elle appartient : c'est précisément celle du fœtus.

Je pourrais trouver divers autres exemples de mouvements involontaires, et par conséquent organiques, exécutés dans l'adulte par les muscles volontaires, et propres par conséquent à donner une idée de ceux du fœtus; mais ceux-là suffisent. Remarquons seulement que les mouvements organiques, ainsi que l'affection sympathique du cerveau, qui en est la source, disposent peu à peu cet organe et les muscles, l'un à la perception des sensations, l'autre aux mouvements de la vie animale, qui commenceront après la naissance. Voyez, du reste, sur ce point, les mémoires judicieux de M. Cabanis.

D'après ce qui a été dit dans cet article, nous pouvons, ie crois, conclure avec assurance que dans le fœtus la vie animale est nulle, que tous les actes attachés à cet âge sont dans la dépendance de l'organique. Le fœtus n'a, pour ainsi dire, rien dans ses phénomènes de ce qui caractérise spécialement l'animal; son existence est la même que celle du végétal ; sa destruction ne porte que sur un être vivant, et non sur un être animé. Aussi, dans la cruelle alterna-

8.

tive de le sacrifier ou d'exposer la mère à une mort presque certaine, le choix ne doit pas être douteux.

Le crime de détruire son semblable est plus relatif à la
vie animale qu'à l'organique. C'est l'être qui sent, qui réfléchit, qui veut, qui exécute des actes volontaires, et non
l'être qui respire, se nourrit, digère, qui est le siége de la
circulation, des sécrétions, etc., que nous regrettons, et
dont la mort violente est entourée des images horribles
sous lesquelles l'homicide se peint à notre esprit. A mesure que, dans la série des animaux, les fonctions intellectuelles décroissent, le sentiment pénible que nous cause
la vue de leur destruction s'éteint et s'affaiblit peu à peu ;
il devient nul lorsque nous arrivons aux végétaux, à qui
la vie organique reste seule.

Si le coup qui termine par un assassinat l'existence de
l'homme ne détruisait en lui que cette vie, et que, laissant
subsister l'autre, il n'altérât en rien toutes les facultés qui
établissent nos rapports avec les êtres voisins, ce coup serait vu d'un œil indifférent ; il n'exciterait ni la pitié pour
celui qui en est la victime, ni l'horreur pour celui qui en
est l'instrument.

Pourquoi une large blessure, d'où s'écoule beaucoup de
sang, inspire-t-elle l'effroi ? ce n'est pas parce qu'elle arrête la circulation, mais parce que la défaillance, qui en
est bientôt la suite, rompt subitement tous les liens qui attachent notre existence à tout ce qui nous entoure, à tout
ce qui est hors de nous.

§ III. Développement de la vie animale, éducation de ses organes.

Un nouveau mode d'existence commence pour l'enfant,
lorsqu'il sort du sein de sa mère. Diverses fonctions s'ajoutent à la vie organique, dont l'ensemble devient plus compliqué, et dont les résultats se multiplient. La vie animale
entre en exercice, établit entre le petit individu et les corps
voisins des rapports jusque-là inconnus. Alors tout prend

chez lui une manière d'être différente ; mais dans cette époque remarquable des deux vies, où l'une s'accroît presque du double, et où l'autre commence, toutes deux prennent un caractère distinct, et l'agrandissement de la première ne suit point les mêmes lois que le développement de la seconde.

Nous remarquerons bientôt que les organes de la vie interne atteignent tout à coup la perfection ; que dès l'instant où ils agissent, ils le font avec autant de précision que pendant tout le reste de leur activité. Au contraire, les organes de la vie externe ont besoin d'une espèce d'éducation ; ils ne parviennent que peu à peu à ce degré de perfection que leur jeu doit dans la suite nous offrir. Cette importante différence mérite un examen approfondi : commençons par l'apprécier dans la vie animale.

Parcourez les diverses fonctions de cette vie qui, à la naissance, sort tout entière du néant où elle était plongée : vous observerez dans leur développement une marche lente, graduée ; vous verrez que c'est insensiblement, et par une véritable éducation, que les organes parviennent à s'exercer avec justesse.

Les sensations, d'abord confuses, ne tracent à l'enfant que des images générales : l'œil n'a que le sentiment de lumière, l'oreille que celui de son, le goût que celui de saveur, le nez que celui d'odeur ; rien encore n'est distinct dans ces affections générales des sens. Mais l'habitude émousse insensiblement ces premières impressions ; alors naissent les sensations particulières : les grandes différences des couleurs, des sons, des odeurs, des saveurs, sont perçues ; peu à peu les différences secondaires le sont aussi ; enfin, au bout d'un certain temps, l'enfant a appris par l'exercice à voir, à entendre, à goûter, à sentir et à toucher.

Tel homme qui sort d'une obscurité profonde où il a été longtemps retenu, est-il frappé d'abord par la lumière, et n'arrive-t-il que par gradation à distinguer les objets qui la réfléchissent. Tel, comme je l'ai dit, celui devant lequel se déploie pour la première fois le magique spectacle de nos ballets, n'aperçoit-il au premier coup d'œil qu'un tout qui le charme, et ne parvient-il que peu à peu à isoler les jouissances que lui procurent en même temps la danse, la musique, les décorations, etc.

Il en est de l'éducation du cerveau comme de celle des sens ; tous les actes dépendants de son action n'acquièrent que graduellement le degré de précision auquel ils sont destinés : la perception, la mémoire, l'imagination, facultés que les sensations précèdent et déterminent toujours, croissent et s'étendent à mesure que des excitants nouveaux viennent à en déterminer l'exercice. Le jugement, dont elles sont la triple base, n'associe d'abord qu'irrégulièrement des notions elles-mêmes irrégulières ; bientôt plus de clarté distingue ses actes ; enfin ils deviennent rigoureux et précis.

La voix, la locomotion, présentent le même phénomène ; les cris des jeunes animaux ne présentent d'abord qu'un son informe, et qui ne porte aucun caractère ; l'âge les modifie peu à peu, et ce n'est qu'après des exercices fréquemment répétés qu'ils affectent les consonnances particulières à chaque espèce, et auxquelles les individus de même espèce ne se trompent jamais, surtout dans la saison des amours. Je ne parle pas de la parole, elle est trop évidemment le fruit de l'éducation.

Voyez l'animal nouveau-né dans ses mouvements multipliés ; ses muscles sont dans une continuelle action. Comme tout est nouveau pour lui, tout l'excite, tout le fait mouvoir : il veut toucher tout ; mais la progression, la station même, n'ont point encore lieu dans ces contractions sans nombre des organes musculaires locomoteurs : il faut que l'habitude lui ait appris l'art de coordonner telle ou telle contraction avec telle ou telle autre, pour produire tel ou tel mouvement, ou pour prendre telle ou telle attitude. Jusque-là il vacille, chancelle, et tombe à chaque instant.

Sans doute que l'inclinaison du bassin dans le fœtus humain, la disposition de ses fémurs, le défaut de courbure de sa colonne vertébrale, etc., le rendent peu propre à la station aussitôt après la naissance; mais à cette cause se joint certainement le défaut d'exercice. Qui ne sait que si on laisse longtemps un membre immobile, il perd l'habitude de se mouvoir; et que, lorsque l'on veut ensuite s'en servir, il faut qu'une espèce d'éducation nouvelle apprenne aux muscles la justesse des mouvements, qu'ils n'exécutent d'abord qu'avec irrégularité ? L'homme qui se serait condamné au silence pendant un long espace de temps éprouverait certainement le même embarras lorsqu'il voudrait le rompre, etc .

Concluons donc de ces diverses considérations, que nous devons apprendre à vivre hors de nous, que la vie extérieure se perfectionne chaque jour, et qu'elle a besoin d'une espèce d'apprentissage, dont la nature s'est chargée pour la vie intérieure.

§ IV. Influence de la société sur l'éducation des organes de la vie animale,

La société exerce, sur cette espèce d'éducation des organes de la vie animale, une influence remarquable ; elle agrandit la sphère d'action des uns, rétrécit celle des autres, modifie celle de tous.

Je dis d'abord, que la société donne presque constamment à certains organes externes une perfection qui ne leur est pas naturelle, et qui les distingue spécialement des autres. Telle est, en effet, dans nos usages actuels la nature de nos occupations, que celle à laquelle nous nous livrons habituellement exerce presque toujours un de ces organes plus particulièrement que tous les autres. L'oreille chez le musicien, le palais chez le cuisinier, le cerveau chez le philosophe, les muscles chez le danseur, le larynx chez le chanteur, etc., ont, outre l'éducation générale de

la vie extérieure, une éducation particulière, que le fréquent exercice perfectionne singulièrement.

On pourrait même, sous ce rapport, diviser en trois
classes les occupations humaines. La première comprendrait celles qui mettent les sens spécialement en jeu : tels
sont la peinture, la musique, la sculpture ; les arts du parfumeur, du cuisinier, et tous ceux, en un mot, dont les
résultats charment la vue, l'ouïe, etc., etc. Dans la seconde,
se rangeraient les occupations où le cerveau est plus
exercé : telles sont la poésie qui appartient à l'imagination, les sciences de nomenclature qui sont du ressort de
la mémoire, les hautes sciences que le jugement a en partage d'une manière plus spéciale. Les occupations qui,
comme la danse, l'équitation, tous les arts mécaniques,
mettent en jeu les muscles locomoteurs, formeraient la
troisième classe.

Chaque occupation de l'homme met donc presque toujours en activité permanente un organe particulier. Or,
l'habitude d'agir perfectionne l'action : l'oreille du musicien entend dans une harmonie, la vue du peintre distingue
dans un tableau ce que le vulgaire laisse échapper ; souvent même cette perfection d'action s'accompagne dans
l'organe plus exercé d'un excès de nutrition. On le voit
dans les muscles des bras chez les boulangers, dans ceux
des membres inférieurs chez les danseurs, dans ceux de
la face chez les histrions, etc., etc.

J'ai dit, en second lieu, que la société rétrécit la sphère
d'action de plusieurs organes externes.

En effet, par là même que, dans nos habitudes sociales,
un organe est toujours plus occupé, les autres sont plus
inactifs. Or, l'habitude de ne pas agir les rouille, comme
on le dit ; ils semblent perdre en aptitude ce que gagne
celui qui s'exerce fréquemment. L'observation de la société prouve à chaque instant cette vérité.

Voyez ce savant qui, dans ses abstraites méditations,
exerce sans cesse ses sens internes, et qui, passant sa vie

dans le silence du cabinet, condamne à l'inaction les externes et les organes locomoteurs ; voyez-le s'adonnant par hasard à un exercice du corps, vous rirez de sa maladresse et de son air emprunté. Ses sublimes conceptions vous étonnaient ; la pesanteur de ses mouvements vous amusera.

Examinez, au contraire, ce danseur qui, par ses pas légers, semble retracer à nos yeux tout ce que dans la Fable les Ris et les Grâces offrent de séduisant à notre imagination ; vous croiriez que de profondes méditations d'esprit ont amené cette heureuse harmonie de mouvements. Causez avec lui, vous trouverez l'homme le moins surprenant sous ces dehors qui vous ont tant surpris.

L'esprit observateur, qui analyse les hommes en société, fait à tout instant de semblables remarques. Vous ne verrez presque jamais coïncider la perfection des organes locomoteurs avec celle du cerveau ni des sens ; et réciproquement il est très rare que ceux-ci étant très-habiles à leurs fonctions respectives, les autres soient très-aptes aux leurs.

§ V. Lois de l'éducation des organes de la vie animale.

Il est donc manifeste que la société intervertit en partie l'ordre naturel de l'éducation de la vie.animale, qu'elle distribue irrégulièrement à ses divers organes une perfection dont ils jouiraient sans elle dans une proportion plus uniforme, quoique cependant toujours inégale.

Une somme déterminée de force a été répartie en général à cette vie : or, cette somme doit rester toujours la même, soit que sa distribution ait lieu également, soit qu'elle se fasse avec inégalité ; par conséquent, l'activité d'un organe suppose nécessairement l'inaction des autres.

Cette vérité nous mène naturellement à ce principe fondamental de l'éducation sociale, savoir, qu'on ne doit jamais appliquer l'homme à plusieurs études à la fois, si l'on veut qu'il réussisse dans chacune. Les philosophes ont déjà souvent répété cette maxime; mais je doute que les raisons morales sur lesquelles ils l'ont fondée vaillent cette belle observation physiologique qui la démontre jusqu'à l'évidence, savoir, que pour augmenter les forces d'un organe, il faut les diminuer dans les autres. C'est pourquoi je ne crois pas inutile de m'arrêter encore à cette observation, et de l'appuyer par un grand nombre de faits.

L'ouïe et surtout le toucher acquièrent chez l'aveugle une perfection que nous croirions fabuleuse, si l'observation journalière n'en constatait la réalité. Le sourd et muet a dans la vue une justesse étrangère à ceux dont tous les sens sont très-développés. L'habitude de n'établir que peu de rapports entre les corps extérieurs et les sens affaiblit ceux-ci chez les extasiés, et donne au cerveau une force de contemplation telle, qu'il semble que chez eux tout dorme, hors ce viscère, dans la vie animale.

Mais qu'est-il besoin de chercher dans des faits extraordinaires une loi dont l'animal en santé nous présente à chaque instant l'application ?

Considérez, dans la série des animaux, la perfection relative de chaque organe : vous verrez que, quand l'un excelle, les autres sont moins parfaits. L'aigle à l'œil perçant n'a qu'un odorat obscur ; le chien, que distingue la finesse de ce dernier sens, a le premier à un moindre degré ; c'est l'ouïe qui domine chez la chouette, le lièvre, etc. ; la chauve-souris est remarquable par la précision de son toucher ; l'action du cerveau prédomine chez les singes, la vigueur de la locomotion chez les carnassiers, etc., etc.

Chaque espèce a donc une division de sa vie animale qui excelle sur les autres, celles-ci étant à proportion moins développées ; vous n'en trouverez aucune où la perfection d'un organe ne semble s'être acquise aux dépens de celle des autres.

L'homme a, en général, abstraction faite de toute autre considération, l'ouïe plus marquée que les autres sens, et qu'il ne doit, en effet, l'avoir dans l'ordre naturel, parce que la parole, qui exerce sans cesse l'oreille, est pour elle une cause permanente d'activité , et par là de perfection.

Ce n'est pas seulement dans la vie animale que cette loi est remarquable ; la vie organique y est presque constamment soumise dans tous ses phénomènes. L'affection d'un rein double la sécrétion de l'autre. A l'affaissement d'une des parotides, dans le traitement des fistules salivaires, succède dans l'autre une énergie d'action qui fait qu'elle remplit seule les fonctions de toutes deux.

Voyez ce qui arrive à la suite de la digestion ; chaque système est alors successivement le siége d'une exaltation des forces vitales qui abandonnent les autres en même proportion. Aussitôt après l'entrée des aliments dans l'estomac, l'action de tous les viscères gastriques augmente ; les forces concentrées sur l'épigastre abandonnent les organes de la vie externe. De là, comme l'ont observé divers auteurs, les lassitudes, la faiblesse des sens à recevoir les impressions externes, la tendance au sommeil, la facilité des téguments à se refroidir, etc.

La digestion gastrique étant achevée, la vasculaire lui succède ; le chyle est introduit dans le système circulatoire, pour y subir l'influence de ce système et de celui de la respiration : tous deux alors deviennent un foyer d'action plus prononcée ; les forces s'y transportent, le pouls s'élève, les mouvements du thorax se précipitent, etc.

C'est ensuite le système glanduleux, puis le système nutritif, qui jouissent d'une supériorité marquée dans l'état des forces vitales. Enfin, lorsqu'elles se sont ainsi successivement déployées sur tous, elles reviennent aux organes de la vie animale, les sens reprennent leur activité, les fonctions du cerveau leur énergie, les muscles leur vigueur. Quiconque a réfléchi sur ce qu'il éprouve à la suite d'un repas un peu copieux se convaincra facilement de la vérité de cette remarque.

L'ensemble des fonctions représente alors une espèce de cercle dont une moitié appartient à la vie organique, et

9

l'autre moitié à la vie animale. Les forces vitales semblent successivement parcourir ces deux moitiés. Quand elles se trouvent dans l'une, l'autre reste peu active, à peu près comme tout paraît alternativement languir et se ranimer dans les deux portions du globe, suivant que le soleil leur accorde ou leur refuse ses rayons bienfaisants.

Voulez-vous d'autres preuves de cette inégalité de répartition des forces ? examinez la nutrition : toujours dans un organe elle est plus active, parce qu'il vit plus que les autres. Dans le fœtus, le cerveau et les nerfs, les membres inférieurs après la naissance, les parties génitales et les mamelles à la puberté, etc., semblent croître aux dépens des autres parties où la nutrition est moins prononcée.

Voyez toutes les maladies, les inflammations, les spasmes, les hémorragies spontanées : si une partie devient le siége d'une action plus énergique, la vie et les forces diminuent dans les autres. Qui ne sait que la pratique de la médecine est en partie fondée sur ce principe, qui dirige l'usage des ventouses, du moxa, des vésicatoires, des rubéfiants, etc., etc. ?

D'après cette foule de considérations, nous pouvons donc établir, comme une loi fondamentale de la distribution des forces, que, quand elles s'accroissent dans une partie, elles diminuent dans le reste de l'économie vivante ; que la somme n'en augmente jamais ; que seulement elles se transportent successivement d'un organe à l'autre. Avec cette donnée générale, il est facile de dire pourquoi l'homme ne peut en même temps perfectionner toutes les parties de la vie animale, et exceller par conséquent dans toutes les sciences à la fois.

L'universalité des connaissances dans le même individu est une chimère : elle répugne aux lois de l'organisation ; et si l'histoire nous offre quelques génies extraordinaires, jetant un éclat égal dans plusieurs sciences, ce sont autant d'exceptions à ces lois. Qui sommes-nous, pour oser poursuivre sur plusieurs points la perfection, qui le plus souvent nous échappe sur un seul ?

S'il était permis d'unir ensemble plusieurs occupations, ce seraient sans doute celles qui ont le plus d'analogie par les organes qu'elles mettent en jeu, comme celles qui se rapportent aux sens, celles qui exercent le cerveau, celles qui font agir les muscles, etc.

En nous restreignant ainsi dans un cercle plus étroit, nous pourrions plus facilement exceller dans plusieurs parties ; mais ici encore le secret d'être supérieur dans une, c'est d'être médiocre dans les autres.

Prenons pour exemple les sciences qui mettent en exercice les fonctions du cerveau. Nous avons vu que ces fonctions se rapportent spécialement à la mémoire qui préside aux nomenclatures, à l'imagination qui a la poésie sous son empire, à l'attention qui est spécialement en jeu dans les calculs, au jugement dont le domaine embrasse la science du raisonnement : or, chacune de ces diverses facultés, ou de ces diverses opérations, ne se développe, ne s'étend qu'aux dépens des autres.

Pourquoi l'habitude de réciter les beautés de Corneille n'agrandit-elle pas l'âme de l'acteur, ne lui donne-t-elle pas une énergie de conception au-dessus de celle du vulgaire ? Cela tient, sans doute, aux dispositions naturelles ; mais cela dépend aussi de ce que chez lui la mémoire et la faculté d'imiter s'exercent spécialement, et que les autres facultés du cerveau se dépouillent, pour ainsi dire, afin d'enrichir celles-ci.

Quand je vois un homme vouloir en même temps briller par l'adresse de sa main dans les opérations de chirurgie, par la profondeur de son jugement dans la pratique de la médecine, par l'étendue de sa mémoire dans la botanique, par la force de son attention dans les contemplations métaphysiques, etc., il me semble voir un médecin qui, pour guérir une maladie, pour expulser, suivant l'antique expression, l'humeur morbifique, voudrait en même

temps augmenter toutes les sécrétions par l'usage simultané des sialagogues, des diurétiques, des sudorifiques,
des emménagogues, des excitants de la bile, du suc pancréatique, des sucs muqueux, etc.

La moindre connaissance des lois de l'économie ne suffirait-elle pas pour dire à ce médecin qu'une glande ne verse
plus de fluide que parce que les autres en versent moins,
qu'un de ces médicaments nuit à l'autre, qu'exiger trop
de la nature, c'est être sûr souvent de n'en rien obtenir?
Dites-en autant à cet homme qui veut que ses muscles,
son cerveau, ses sens, acquièrent une perfection simultanée;
qui prétend doubler, tripler même sa vie de relation, quand
la nature a voulu que nous puissions seulement détacher
de quelques-uns de ses organes quelques degrés de force
pour les ajouter aux autres, mais jamais accroître la
somme totale de ces forces.

Voulez-vous qu'un organe devienne supérieur aux
autres, condamnez ceux-ci à l'inaction. On châtre les
hommes pour changer leur voix : comment la barbare idée
de les aveugler, pour les rendre musiciens, n'est-elle pas
aussi venue, puisqu'on sait que les aveugles, n'étant point
distraits par l'exercice de la vue, donnent plus d'attention à
celui de l'ouïe? Un enfant qu'on destinerait à la musique,
et dont on éloignerait tout ce qui peut affecter la vue, l'o-
dorat, le toucher, pour ne le frapper que par des sons harmonieux, ferait sans doute, toutes choses égales d'ailleurs,
de bien plus rapides progrès.

Il est donc vrai de dire que notre supériorité dans tel art
ou telle science se mesure presque toujours par notre infériorité dans les autres; et que cette maxime générale,
consacrée par un vieux proverbe, que la plupart des philosophes anciens ont établie, mais que beaucoup de philosophes modernes voudraient renverser, a pour fondement
une des grandes lois de l'économie animale, et sera toujours
aussi immuable que la base sur laquelle elle appuie.

§ VI. Durée de l'éducation des organes de la vie animale.

L'éducation des organes de la vie animale se prolonge pendant un temps sur lequel trop de circonstances influent pour pouvoir le déterminer ; mais ce qu'il y a de remarquable dans cette éducation, c'est que chaque âge semble être consacré à perfectionner certains organes en particulier.

Dans l'enfance, les sens sont spécialement éduqués ; tout semble se rapporter au développement de leurs fonctions. Environné de corps nouveaux pour lui, le petit individu cherche à les connaître tous : il tient, si je puis m'exprimer ainsi, dans une érection continuelle les organes qui établissent des rapports entre lui et ce qui l'avoisine : aussi tout ce qui est relatif à la sensibilité se trouve chez lui très-prononcé. Le système nerveux, comparé au musculaire, est proportionnellement plus considérable que dans tous les âges suivants ; tandis que, par la suite, la plupart des autres systèmes prédominent sur celui-ci. On sait que, pour bien voir les nerfs, on choisit toujours des enfants.

A l'éducation des sens se lie nécessairement le perfectionnement des fonctions du cerveau qui ont rapport à la perception.

A mesure que la somme des sensations s'agrandit, la mémoire et l'imagination commencent à entrer en activité. L'âge qui suit l'enfance est celui de l'éducation des parties du cerveau qui y ont rapport : alors il y a, d'un côté, assez de sensations antécédentes pour que l'une puisse s'exercer à nous les retracer, et que l'autre y trouve le type de sensations illusoires qu'elle nous présente. D'un autre côté, le peu d'activité du jugement, à cette époque, favorise l'énergie d'action de ces deux facultés : alors aussi la révolution qu'amène la puberté, les goûts nouveaux qu'elle enfante, les désirs qu'elle crée, étendent la sphère de la seconde.

9.

Lorsque la perception, la mémoire et l'imagination ont été perfectionnées, que leur éducation est finie, celle du jugement commence, ou plutôt devient plus active ; car, dès qu'il a des matériaux, le jugement s'exerce. A cette époque les fonctions des sens, une partie de celles du cerveau, n'ont plus rien à acquérir : toutes les forces se concentrent pour le perfectionnement de celui-ci.

D'après ces considérations, il est manifeste que la première portion de la vie animale, ou celle par laquelle les corps extérieurs agissent sur nous, et par laquelle nous réfléchissons cette action, a dans chaque âge une division qui se forme et s'agrandit ; que le premier âge est celui de l'éducation des sens ; que le second préside au perfectionnement de l'imagination, de la mémoire ; que le troisième a rapport au développement du jugement.

Ne faisons donc jamais coïncider avec l'âge où les sens sont en activité, l'étude des sciences qui exigent l'exercice du jugement ; suivons, dans notre éducation artificielle, les mêmes lois qui président à l'éducation naturelle des organes extérieurs. Appliquons l'enfant au dessin, à la musique, etc.; l'adolescent aux sciences de nomenclature, aux beaux-arts que l'imagination a sous son empire ; l'adulte aux sciences exactes, à celles dont le raisonnement enchaîne les faits. L'étude de la logique et des mathématiques terminait l'ancienne éducation : c'était un avantage parmi ses imperfections.

Quant à la seconde portion de la vie animale, ou celle par laquelle l'animal réagit sur les corps extérieurs, l'enfance est caractérisée par le nombre, la fréquence et la faiblesse des mouvements, l'âge adulte par leur vigueur, l'adolescence par une disposition mixte. La voix ne suit point ces proportions ; elle est soumise à des influences qui naissent surtout des organes génitaux.

Je ne m'arrête point aux modifications diverses qui naissent, pour la vie animale, des climats, des saisons, du sexe, etc. Tant d'auteurs ont traité ces questions, que je pourrais difficilement ajouter à ce qu'ils ont dit.

En parlant des lois de l'éducation dans les organes de la vie externe, j'ai supposé ces organes en état d'intégrité complète, ayant ce qu'il faut pour se perfectionner, jouissant de toute la force de tissu qui est nécessaire : mais si leur texture originaire est faible, délicate, irrégulière ; si quelques vices de conformation s'y observent, alors ces lois ne sauraient y trouver qu'une application imparfaite.

C'est ainsi que l'habitude de juger ne rectifie point le jugement, si le cerveau mal constitué présente dans ses deux hémisphères une inégalité de force et de conformation : c'est ainsi que l'exercice fréquent du larynx, des muscles locomoteurs, etc., ne peut jamais suppléer à l'irrégularité d'action que produit en eux une irrégularité d'organisation, etc., etc. [Q]

ARTICLE IX.

DE L'ORIGINE ET DU DÉVELOPPEMENT DE LA VIE ORGANIQUE.

Nous venons de voir la vie animale, inactive dans le fœtus, ne se développér qu'à la naissance, et suivre dans son développement des lois toutes particulières : la vie organique, au contraire, est en action presque à l'instant où le fœtus est conçu ; c'est elle qui commence l'existence. Dès que l'organisation est apparente, le cœur pousse dans toutes les parties le sang qui y porte les matériaux de la nutrition et de l'accroissement ; il est le premier formé, le premier en action ; et comme tous les phénomènes organiques sont sous sa dépendance, de même que le cerveau a sous la sienne tous ceux de la vie animale, on conçoit comment les fonctions internes sont tout de suite mises en jeu.

§ I. Du mode de la vie organique chez le fœtus.

Cependant la vie organique du fœtus n'est point la même

que celle dont jouira l'adulte. Recherchons en quoi consiste la différence, considérée d'une manière générale. Nous avons dit que cette vie résulte de deux grands ordres de fonctions, dont les unes, la digestion, la circulation, la respiration, la nutrition, assimilent sans cesse à l'animal les substances qui le nourrissent ; les autres, l'exhalation, les sécrétions, l'absorption, lui enlèvent les substances devenues hétérogènes : en sorte que cette vie est un cercle habituel de création et de destruction ; dans le fœtus, ce cercle se rétrécit singulièrement.

D'abord les fonctions qui assimilent sont beaucoup moins nombreuses. Les molécules ne se trouvent point soumises, avant d'arriver à l'organe qu'elles doivent réparer, à un aussi grand nombre d'actions : elles pénètrent dans le fœtus, déjà élaborées par la digestion, la circulation et la respiration de la mère. Au lieu de traverser l'appareil des organes digestifs, qui paraissent presque entièrement inactifs à cet âge, elles entrent tout de suite dans le système circulatoire ; le chemin qu'elles y parcourent est moindre. Il ne faut point qu'elles aillent successivement se présenter à l'influence de la respiration ; et sous ce rapport, le fœtus des mammifères a, dans son organisation préliminaire, une assez grande analogie avec les reptiles adultes, chez lesquels une assez petite portion de sang passe en sortant du cœur dans les vaisseaux du poumon (1).

(1) Je suis persuadé que la théorie encore très-obscure du fœtus pourrait être éclairée par celle des animaux qui ont une organisation approchant un peu de la sienne. Par exemple, dans la grenouille, où peu de sang traverse le poumon, le cœur est un organe simple, à oreillette et ventricule uniques : il y a communication ou plutôt continuité entre les deux systèmes veineux et artériel ; tandis que dans les mammifères, les vaisseaux où circule le sang rouge ne communiquent point avec ceux qui charrient le sang noir, si ce n'est peut-être par les capillaires.

Dans le fœtus, le trou de Botal et le canal artériel rendent aussi très-manifestement continues les artères et les veines : chez lui le cœur

Les molécules nourricières passent donc presque directement du système circulatoire dans celui de la nutrition.
Le travail général de l'assimilation est par conséquent bien
plus simple, bien moins compliqué à cet âge que dans le
suivant.

D'un autre côté, les fonctions qui décomposent habituellement nos organes, celles qui transmettent au dehors
les substances devenues étrangères, nuisibles même à leur
tissu, après en avoir formé partie, sont à cet âge dans une
inactivité presque complète. L'exhalation pulmonaire, la
sueur, la transpiration, n'ont point encore commencé
dans leurs organes respectifs. Toutes les sécrétions, celles
de la bile, de l'urine, de la salive, ne fournissent qu'une
quantité de fluides très-petite en proportion de celle qu'elles doivent donner par la suite ; en sorte que la portion de
sang qu'elles, ainsi que les exhalations, dépenseront dans
l'adulte, refluent presque entièrement dans le système de
la nutrition.

La vie organique du fœtus est donc remarquable, d'un
côté par une extrême promptitude dans l'assimilation,
promptitude qui dépend de ce que les fonctions concou-
rant à ce travail général sont en très-petit nombre ; de
l'autre, par une extrême lenteur dans la désassimilation,
lenteur qui dérive du peu d'action des diverses fonctions
qui sont les agents de ce grand phénomène.

est également un organe simple, ne formant, malgré ses cloisons,
qu'une même cavité ; tandis qu'il est double après la naissance. Les
deux espèces de sang se mêlent à cet âge, comme chez les reptiles, etc.
Or, je prouverai plus bas que, dans l'enfant qui a respiré, ce mélange
serait bientôt mortel, que le sang noir circulant dans les artères asphyxie très-promptement l'animal. D'où naît donc cette différence ?
On ne peut l'étudier dans le fœtus ; il faudra peut-être la chercher
dans les grenouilles, les salamandres et autres reptiles qui peuvent,
par leur organisation, être longtemps privés d'air sans périr, phénomène qui les rapproche encore des mammifères vivant dans le
sein de leur mère. Ces recherches très-importantes laisseront incomplète, tant qu'elles nous manqueront, l'histoire de la respiration.

Il est facile, d'après les considérations précédentes, de concevoir la rapidité remarquable qui caractérise l'accroissement du fœtus, rapidité qui est en disproportion manifeste avec celle des autres âges. En effet, tandis que tout active la progression de la matière nutritive vers les parties qu'elle doit réparer, tout semble en même temps forcer cette matière, qui n'a presque pas d'émonctoires, à séjourner dans les parties.

Ajoutons à la grande simplicité de l'assimilation dans le fœtus, la grande activité des organes qui y concourent, activité qui dépend de la somme plus considérable de forces vitales qu'ils ont alors en partage. Toutes celles de l'économie semblent en effet se concentrer sur les deux systèmes, circulatoire et nutritif; ceux de la digestion, de la respiration, des sécrétions, de l'exhalation, n'étant que dans un exercice obscur, n'en jouissent qu'à un faible degré : ce qui est de moins dans ceux-ci est de plus dans les premiers.

Si nous observons maintenant que les organes de la vie animale, condamnés à une inaction nécessaire, ne sont le siége que d'une très-petite portion de forces vitales, dont le surplus reflue alors sur la vie organique, il sera facile de concevoir que la presque totalité des forces qui, dans la suite, doivent se déployer généralement sur tous les systèmes, se trouve alors concentrée sur ceux qui servent à nourrir, à composer les parties diverses du fœtus, et que par conséquent tout se rapportant chez lui à la nutrition et à l'accroissement, ces fonctions doivent être marquées, à cet âge, par une énergie étrangère à tous les autres.

§ II. Développement de la vie organique après la naissance.

Sorti du sein de sa mère, le fœtus éprouve dans sa vie organique un accroissement remarquable; cette vie se complique davantage; son étendue devient presque double; plusieurs fonctions qui n'existaient pas auparavant y sont alors ajoutées ; celles qui existaient s'agrandissent. Or, dans cette révolution remarquable, on observe une loi tout opposée à celle qui préside au développement de la vie animale.

Les organes internes qui entrent alors en exercice, ou qui accroissent beaucoup leur action, n'ont besoin d'aucune éducation ; ils atteignent tout à coup une perfection à laquelle ceux de la vie animale ne parviennent que par l'habitude d'agir souvent. Un coup d'œil rapide sur le développement de cette vie suffira pour nous en convaincre.

A la naissance, la digestion, la respiration, etc., une grande partie des exhalations et des absorptions commencent tout à coup à s'exercer : or, après les premières inspirations et expirations, après l'élaboration dans l'estomac, du premier lait sucé par l'enfant, après que les exhalants du poumon et de la peau ont rejeté quelques portions de leurs fluides respectifs, les organes respiratoires, digestifs, exhalants, jouent avec une facilité égale à celle qu'ils auront toujours.

Alors toutes les glandes qui dormaient, pour ainsi dire, qui ne versaient qu'une quantité très-petite de fluide, sont réveillées de leur assoupissement au moyen de l'excitation portée par différents corps à l'extrémité de leurs conduits excréteurs. Le passage du lait à l'extrémité des canaux de Sténon et de Warton, du chyme au bout du cholédoque et du pancréatique, le contact de l'air sur l'orifice de l'urètre, etc., éveillent les glandes salivaires, le foie, le pancréas, le rein, etc. L'air sur la surface interne de la trachée-artère et des narines, les aliments sur celle des voies digestives, etc., agacent dans ces différentes parties les glandes muqueuses, qui entrent en action.

Alors aussi commencent les excrétions qui jusque-là avaient été suspendues par le peu de fluide séparé par les glandes. Or, observez ces divers phénomènes, et vous les verrez s'exécuter tout de suite avec précision ; vous verrez les divers organes qui y concourent n'avoir besoin d'aucune espèce d'éducation.

Pourquoi cette différence dans le développement des deux vies ? Je ne le rechercherai pas : j'observerai seulement que, par la même raison qu'à l'époque de leur développement, les organes de la vie interne ne se perfectionnent point par l'exercice et l'habitude ; qu'ils atteignent, en entrant en activité, le degré de précision qu'ils auront toujours ; chacun n'est point, par la suite, susceptible d'acquérir sur les autres un degré de supériorité, comme nous l'avons observé dans la vie animale.

Cependant, rien de plus commun que la prédominance d'un système de la vie organique sur les autres systèmes : tantôt c'est l'appareil vasculaire, tantôt le pulmonaire, souvent l'ensemble des organes gastriques, le foie surtout, qui sont supérieurs aux autres pour leur action, et qui impriment même par là un caractère particulier au tempérament de l'individu. Mais ceci tient à une autre cause : c'est de l'organisation primitive, de la structure des parties, de leur conformation, que naît cette supériorité : elle n'est point le produit de l'exercice, comme dans la vie animale. Le fœtus dans le sein de sa mère, l'enfant en voyant le jour, présentent ce phénomène à un degré aussi réel, quoique moins apparent, que dans les âges suivants.

De même l'affaiblissement d'un système des fonctions internes tient toujours ou à la constitution originaire, ou à quelques vices causés accidentellement par une affection morbifique qui use les ressorts organiques de ce système, ceux des autres restant intacts.

Telle est donc la grande différence des deux vies de l'animal, par rapport à l'inégalité de perfection de divers systèmes de fonctions dont chacune résulte; savoir, que dans l'une la prédominance ou l'infériorité d'un système relativement aux autres tient presque toujours à l'activité ou à l'inertie plus grande de ce système, à l'habitude d'agir ou de ne pas agir ; que dans l'autre, au contraire,

cette prédominance ou cette infériorité sont immédiatement liées à la texture des organes, et jamais à leur éducation.

Voilà pourquoi le tempérament physique et le caractère
moral ne sont point susceptibles de changer par l'éducation qui modifie si prodigieusement les actes de la vie
animale; car, comme nous l'avons vu, tous deux appartiennent à la vie organique.

Le caractère est, si je puis m'exprimer ainsi, la physionomie des passions; le tempérament est celle des fonctions internes : or, les unes et les autres étant toujours
les mêmes, ayant une direction que l'habitude et l'exercice ne dérangent jamais, il est manifeste que le tempérament et le caractère doivent être aussi soustraits à l'empire de l'éducation. Elle peut modérer l'influence du second, perfectionner assez le jugement et la réflexion, pour
rendre leur empire supérieur au sien, fortifier la vie animale, afin qu'elle résiste aux impulsions de l'organique.
Mais vouloir par elle dénaturer le caractère, adoucir ou
exalter les passions dont il est l'expression habituelle,
agrandir ou resserrer leur sphère, c'est une entreprise
analogue à celle d'un médecin qui essayerait d'élever ou
d'abaisser de quelques degrés, et pour toute la vie, la
force de contraction ordinaire au cœur dans l'état de santé,
de précipiter ou de ralentir habituellement le mouvement
naturel aux artères, et qui est nécessaire à leur action, etc.

Nous observerions à ce médecin que la circulation, la
respiration, etc., ne sont point sous le domaine de la volonté, qu'elles ne peuvent être modifiées par l'homme,
sans passer à l'état maladif, etc. Faisons la même observation à ceux qui croient qu'on change le caractère et par
là même les passions, puisque celles-ci sont un produit
de l'action de tous les organes internes, ou qu'elles y ont
au moins spécialement leur siége. [R]

ARTICLE X.

DE LA FIN NATURELLE DES DEUX VIES.

Nous venons de voir les deux vies de l'animal commençant à des époques assez éloignées l'une de l'autre, se développant suivant des lois qui sont absolument inverses. Je vais les montrer maintenant se terminant aussi d'une manière différente, cessant leurs fonctions dans des temps très-distincts, et présentant, lorsqu'elles finissent, des caractères aussi séparés que pendant toute la durée de leur activité. Je n'aurai égard ici qu'à la mort naturelle ; toutes celles qui tiennent à des causes accidentelles seront l'objet de la seconde partie de cet ouvrage.

§ I. La vie animale cesse la première dans la mort naturelle.

La mort naturelle est remarquable, parce qu'elle termine presque entièrement la vie animale, longtemps avant que l'organique ne finisse.

Voyez l'homme qui s'éteint à la fin d'une longue vieillesse : il meurt en détail ; ses fonctions extérieures finissent les unes après les autres ; tous ses sens se ferment successivement ; les causes ordinaires des sensations passent sur eux sans les affecter.

La vue s'obscurcit, se trouble, et cesse enfin de transmettre l'image des objets : c'est la cécité sénile. Les sons frappent d'abord confusément l'oreille, bientôt elle y devient entièrement insensible ; l'enveloppe cutanée, racornie, endurcie, privée en partie des vaisseaux qui se sont oblitérés, n'est plus le siége que d'un tact obscur et peu distinct. D'ailleurs l'habitude de sentir y a émoussé le sentiment. Tous les organes dépendants de la peau s'affaiblissent et meurent ; les cheveux, la barbe, blanchissent. Privés des sucs qui les nourrissaient, un grand nombre de poils tombent. Les odeurs ne font sur le nez qu'une faible impression.

Le goût se soutient un peu, parce que, lié à la vie organique autant qu'à l'animale, ce sens est nécessaire aux fonctions intérieures. Aussi, lorsque toutes les sensations agréables fuient le vieillard, quand leur absence a déjà brisé en partie les liens qui l'attachent aux corps environnants, celle-ci lui reste encore; elle est le dernier fil auquel est suspendu le bonheur d'exister.

Ainsi isolé au milieu de la nature, privé déjà en partie des fonctions des organes sensitifs, le vieillard voit bientôt s'éteindre aussi celles du cerveau. Chez lui presque plus de perception, par là même que presque rien du côté des sens n'en détermine l'exercice; l'imagination s'émousse, et bientôt devient nulle.

La mémoire des choses présentes se détruit; le vieillard oublie en un instant ce qu'on vient de lui dire, parce que ses sens externes affaiblis, et déjà pour ainsi dire morts, ne lui confirment point ce que son esprit lui apprend. Les idées fuient, quand des images tracées par les sens n'en retiennent pas l'empreinte. Au contraire, le souvenir du passé reste encore dans ce dernier âge. Ce que le vieillard sait d'autrefois, ce sont ses sens qui le lui ont appris, ou du moins qui le lui ont confirmé.

Il diffère de l'enfant en ce que celui-ci ne juge que d'après les sensations qu'il éprouve, et que lui ne le fait que d'après celles qu'il a éprouvées.

Le résultat de ces deux états est le même; car le jugement est également incertain, soit que les sensations actuelles, soit que les sensations passées lui servent exclusivement d'appui; sa justesse tient essentiellement à leur comparaison. Qui ne sait, par exemple, que, dans les jugements fondés sur la vision, l'impression actuelle nous tromperait souvent, si l'impression passée ne rectifiait l'erreur? D'un autre côté, n'observe-t-on pas que bientôt les sensations antécédentes deviennent confuses, si des sensations nouvelles et analogues ne regravent les traits du tableau qu'elles ont laissé en nous ?

Le présent et le passé sont donc également nécessaires dans nos sensations pour la perfection du jugement qui en résulte. Que l'un ou l'autre manque, plus de comparaison entre eux, plus de précision par conséquent dans le jugement.

Voilà comment le premier et le dernier âge sont également remarquables par leur incertitude, comment on s'exprime avec beaucoup de vérité, quand on dit que les vieillards tombent en enfance : ces deux périodes de la vie se touchent par l'irrégularité du jugement ; ils ne diffèrent que par le principe de cette irrégularité.

De même que l'interruption des fonctions du cerveau est dans le vieillard une suite de l'anéantissement presque entier de celles du système sensitif externe, de même l'affaiblissement de la locomotion et de la voix succède inévitablement à l'inaction du cerveau. Cet organe réagit, en effet, sur les muscles, dans la même proportion que les sens agissent sur lui.

Les mouvements du vieillard sont lents et rares ; il ne sort qu'avec peine de l'attitude où il se trouve. Assis près du feu qui le réchauffe, il y passe les jours concentré en lui-même ; étranger à ce qui l'entoure, privé de désirs, de passions, de sensations, parlant peu, parce qu'il n'est déterminé par rien à rompre le silence ; heureux de sentir qu'il existe encore, quand tous les autres sentiments se sont déjà presque évanouis pour lui.

Ajouterai-je à cette cause de l'inaction des vieillards la rigidité de leurs muscles, la diminution de contractilité dans ces organes ? Sans doute, cela y influe spécialement ; mais ce n'est pas là la raison principale, puisque le cœur, les fibres musculaires des intestins contractent aussi cette rigidité, et sont privés cependant bien moins vite que les muscles volontaires de la faculté de se mouvoir. Ce n'est pas la faculté que ceux-ci perdent, c'est la cause qui en détermine l'exercice, je veux dire l'action cérébrale

S'il était possible de composer un homme, d'une part avec les organes des sens et le cerveau du vieillard, de l'autre avec les muscles d'un adolescent, les mouvements volontaires, chez cet homme-là, ne seraient guère plus développés, parce qu'il ne suffit pas qu'un muscle puisse se contracter, il faut que sa puissance soit mise en action; or, quelle cause déterminera ici cette action ?

Il est facile de voir d'après ce que nous venons de dire que les fonctions externes s'éteignent peu à peu chez le vieillard; que la vie animale a déjà presque entièrement cessé lorsque l'organique est encore en activité. Sous ce rapport, l'état de l'animal que la mort naturelle va anéantir se rapproche de celui où il se trouvait dans le sein de sa mère, et même de celui du végétal, qui ne vit qu'au dedans, et pour qui toute la nature est en silence.

Si on se rappelle maintenant que le sommeil retranche plus d'un tiers de sa durée à la vie animale; si l'on ajoute cet intervalle d'action à son absence complète dans les neuf premiers mois et à l'inactivité presque entière à laquelle elle se trouve réduite dans les derniers temps de l'existence, il sera facile de voir combien est grande la disproportion de sa durée avec celle de la vie organique qui s'exerce d'une manière continue.

Mais pourquoi, lorsque nous avons cessé d'être au dehors, existons-nous encore au dedans, puisque les sens ou la locomotion, etc., sont destinés surtout à nous mettre en rapport avec les corps qui doivent nous nourrir? pourquoi ces fonctions s'affaiblissent-elles dans une disproportion plus grande que les internes? pourquoi n'y a-t-il pas un rapport exact entre leur cessation ?

Je ne puis entièrement résoudre cette question. J'observe seulement que la société influe spécialement sur cette différence.

L'homme au milieu de ses semblables se sert beaucoup

10.

de la vie animale, dont les ressorts sont habituellement plus fatigués que ceux de la vie organique. Tout est usé dans cette vie sous l'influence sociale : la vue, par les lumières artificielles ; l'ouïe, par des sons trop répétés, surtout par la parole qui manque aux animaux, dont les communications entre eux au moyen de l'oreille sont bien moins nombreuses; l'odorat, par les odeurs dépravées; le goût, par des saveurs qui ne sont point dans la nature; le toucher et le tact, par les vêtements ; le cerveau, par la réflexion, etc. ; tout le système nerveux, par mille affections que la société donne seule, ou du moins qu'elle multiplie.

Nous vivons donc au dehors avec excès, si je puis me servir de ce terme ; nous abusons de la vie animale ; elle est circonscrite par la nature dans des limites que nous avons trop agrandies pour sa durée. Aussi n'est-il pas étonnant qu'elle finisse promptement. En effet, nous avons vu les forces vitales divisées en deux ordres, l'un appartenant à cette vie, l'autre à l'organique. On peut comparer ces deux ordres à deux lumières qui brûlent en même temps, et qui n'ont pour aliment qu'une quantité déterminée de matériaux. Si l'une est plus excitée que l'autre, si plus de vent l'agite, il faut bien qu'elle s'éteigne plus vite.

Cette influence sociale sur les deux vies est, jusqu'à un certain point, avantageuse à l'homme, qu'elle dégage peu à peu des liens qui l'attachent à ce qui l'entoure, et pour qui elle rend ainsi moins cruel l'instant qui vient rompre ces liens.

L'idée de notre heure suprême n'est pénible que parce qu'elle termine notre vie animale, que parce qu'elle fait cesser toutes les fonctions qui nous mettent en rapport avec ce qui nous entoure. C'est la privation de ces fonctions qui sème l'épouvante et l'effroi sur les bords de notre tombe.

Ce n'est pas la douleur que nous redoutons : combien

n'est-il pas de mourants pour qui le don de l'existence serait précieux, quoiqu'il s'achèterait par une suite non interrompue de souffrances ! Voyez l'animal qui vit peu au dehors, qui n'a de relations que pour ses besoins matériels ; il ne frissonne point en voyant l'instant où il va cesser d'être.

S'il était possible de supposer un homme dont la mort, ne portant que sur toutes les fonctions internes, comme la circulation, la digestion, les sécrétions, etc., laissât subsister l'ensemble de la vie animale, cet homme verrait d'un œil indifférent s'approcher le terme de sa vie organique, parce qu'il sentirait que le bien de l'existence ne lui est point attaché, et qu'il sera en état, après ce genre de mort, de sentir et d'éprouver presque tout ce qui auparavant faisait son bonheur.

Si la vie animale donc vient à cesser par gradation, si chacun des nœuds qui nous enchaînent au plaisir de vivre se rompt peu à peu, ce plaisir nous échappera sans que nous nous en apercevions, et déjà l'homme en aura oublié le prix lorsque la mort viendra le frapper.

C'est ce que nous remarquons dans le vieillard qui arrive, par la perte successive et partielle de ses fonctions externes, à la perte totale de son existence. Sa destruction se rapproche de celle du végétal, qui, faute de relations, n'ayant pas la conscience de sa vie, ne saurait avoir celle de sa mort. [S]

§ II. La vie organique ne finit pas dans la mort naturelle comme dans la mort accidentelle.

La vie organique restée au vieillard, après la perte presque totale de la vie animale, se termine chez lui d'une manière toute différente de celle que nous offre sa fin dans les morts violentes et subites. Celles-ci ont véritablement deux périodes : la première est marquée par la cessation soudaine de la respiration et de la circulation, double fonc-

tion qui finit presque toujours alors en même temps que la
vie animale ; la seconde, plus lente dans ses phénomènes,
nous montre le terme des autres fonctions organiques,
amené d'une manière lente et graduée.

Les sucs digestifs dissolvent encore dans l'estomac les
aliments qui s'y trouvent, et sur lesquels ses parois, assez
longtemps irritables, peuvent aussi agir. Les expériences
des médecins anglais et italiens sur l'absorption, expériences que j'ai toutes répétées, ont prouvé que cette
fonction restait souvent en activité après la mort générale,
sinon aussi longtemps que quelques-uns l'ont assuré, au
moins pendant un intervalle très-marqué. Qui ne sait que
les excrétions de l'urine, des matières fécales, effet de l'irritabilité conservée dans la vessie et dans le rectum, se
font plusieurs heures après les morts subites?

La nutrition est encore manifeste dans les cheveux et les
ongles ; elle le serait sans doute dans toutes les autres parties, ainsi que les sécrétions, si nous pouvions observer les
mouvements insensibles dont ces deux fonctions résultent.
Le cœur étant enlevé dans les grenouilles, on peut observer
encore la circulation capillaire sous la seule influence des
forces toniques. La chaleur animale se conserve dans la
plupart des morts subites, dans les asphyxies en particulier, bien au delà du terme nécessaire à un corps non vivant pour perdre celle qui est développée à l'instant où
cesse la vie générale.

Je pourrais ajouter à ces observations une foule d'autres
faits qui établiraient, comme elles, que la vie organique
finit dans les morts subites d'une manière lente et graduée; que ces morts frappent d'abord l'harmonie des fonctions internes, qu'elles atteignent aussi tout à coup la circulation générale et la respiration, mais qu'elles ne portent
sur les autres qu'une influence successive : c'est d'abord
l'ensemble ; ce sont ensuite les détails de la vie organique
qui se terminent dans ces genres de mort.

Au contraire, dans celle qu'amène la vieillesse, l'ensemble des fonctions ne cesse que parce que chacune s'est successivement éteinte. Les forces abandonnent peu à peu chaque organe; la digestion languit; les sécrétions et l'absorption finissent; la circulation capillaire s'embarrasse : dépourvue des forces toniques qui y président habituellement, elle s'arrête. Enfin la mort vient aussi suspendre, dans les gros vaisseaux, la circulation générale. C'est le cœur qui finit le dernier ses contractions : il est, comme l'on dit, l'*ultimum moriens*.

Voici donc la grande différence qui distingue la mort de vieillesse d'avec celle qui est l'effet d'un coup subit; c'est que dans l'une, la vie commence à s'éteindre dans toutes les parties, et cesse ensuite dans le cœur : la mort exerce son empire de la circonférence au centre. Dans l'autre, la vie s'éteint dans le cœur, et ensuite dans toutes les parties : c'est du centre à la circonférence que la mort enchaîne ses phénomènes. [T]

DEUXIÈME PARTIE.

RECHERCHES PHYSIOLOGIQUES SUR LA MORT.

ARTICLE 1.

CONSIDÉRATIONS GÉNÉRALES SUR LA MORT.

J'ai exposé dans la première partie de cet ouvrage les deux grandes divisions de la vie générale; les différences notables qui distinguent l'animal vivant au dehors pour ce qui l'entoure, de l'animal existant au dedans pour lui-même; les caractères exclusivement propres à chacune des deux vies secondaires, animale et organique; les lois particulières suivant lesquelles toutes deux commencent, se développent et s'éteignent dans l'ordre naturel.

Je vais m'occuper, dans cette seconde partie, à rechercher comment elles finissent accidentellement, comment la mort vient arrêter le cours avant le terme que la nature a fixé pour leur durée.

Telle est, en effet, l'influence exercée sur elles par la société, que nous arrivons rarement à ce terme. Presque tous les animaux l'atteignent, tandis que la cessation de notre être, qu'amène la seule vieillesse, est devenue une espèce de phénomène. La mort qui survient accidentellement mérite donc de fixer particulièrement notre attention. Or, elle arrive ainsi de deux manières différentes : tantôt elle est le résultat subit d'un grand trouble excité dans l'économie; tantôt les maladies la font succéder à la vie d'une manière lente et graduée.

Il est, en général, assez facile de rechercher suivant quelles lois se terminent les fonctions à la suite d'un coup violent et subit, comme, par exemple, dans l'apoplexie, les grandes hémorragies, la commotion, l'asphyxie, etc., parce que tous les organes, étant alors parfaitement intacts, cessent d'agir par des causes directement opposées à celles qui les entretiennent ordinairement en exercice. Or, comme celles-ci sont en partie découvertes, leur connaissance conduit à celle des autres d'une manière presque nécessaire ; d'ailleurs, nous pouvons imiter sur les animaux ce genre de mort, et analyser par conséquent, dans nos expériences, ses phénomènes divers.

Il est, au contraire, rarement en notre pouvoir de produire artificiellement, dans les espèces différentes de la nôtre, des maladies semblables à celles qui nous affligent. Nous aurions cette faculté, que la science y gagnerait peu : les lois vitales sont en effet tellement modifiées, changées, je dirais presque dénaturées par les affections morbifiques, que nous ne pouvons plus alors partir des phénomènes connus de l'animal vivant, pour rechercher ceux de l'animal qui meurt. Il serait nécessaire pour cela de savoir ce qu'est cet état intermédiaire à la santé et à la mort, où toutes les fonctions éprouvent un changement si remarquable, changement qui, varié à l'infini, produit les innombrables variétés des maladies. Or, quel médecin peut, d'après les données actuelles de son art, percer le voile épais qui cache ici les opérations de la nature ? Quel esprit judicieux osera dépasser sur ce point les limites de la stricte observation ?

Nous aurons donc plus égard, dans ces recherches, au premier qu'au second genre de mort. Celui-ci ne nous occupera qu'accessoirement ; il faudrait d'ailleurs, pour bien en analyser les causes, une expérience médicale encore étrangère à mon âge, et que donne seule l'habitude d'avoir vu beaucoup de malades.

La première remarque que fait naître l'observation des espèces diverses de morts subites, c'est que dans toutes la vie organique peut, jusqu'à un certain point, subsister, l'animale étant éteinte ; que celle-ci, au contraire, est

dans une telle dépendance de l'autre, que jamais elle ne
dure après son interruption. L'individu que frappent
l'apoplexie, la commotion, etc., vit encore quelquefois
plusieurs jours au dedans, tandis qu'il cesse tout à coup
d'exister au dehors : la mort commence ici par la vie animale. Si elle porte, au contraire, sa première influence
sur quelques fonctions organiques essentielles, comme
sur la circulation dans les plaies, les ruptures anévrismales du cœur, etc., sur la respiration dans les asphyxiés,
etc., alors ces fonctions finissent presque subitement, il
est vrai, mais aussi la vie animale est également anéantie
tout à coup ; et même, dans ce cas, une partie de la vie
organique subsiste, comme nous l'avons vu, plus ou moins
longtemps, pour ne s'éteindre que par gradation.

Vous ne verrez jamais un animal à sang rouge et chaud
vivre encore au dehors, lorsque déjà il n'est plus au dedans ; en sorte que la cessation des phénomènes organiques est toujours un sûr indice de la mort générale. On
ne peut même prononcer sur la réalité de celle-ci que d'a-
près cette donnée, l'interruption des phénomènes externes étant un signe presque constamment infidèle.

A quoi tient cette différence dans la manière dont se
terminent accidentellement les deux vies ? elle dépend du
mode d'influence qu'elles exercent l'une sur l'autre, de
l'espèce de lien qui les unit ; car, quoiqu'une foule de caractères les distinguent, leurs fonctions principales s'enchaînent cependant d'une manière réciproque.

Ce mode d'influence, ce lien des deux vies, paraissent
spécialement exister entre le cerveau, d'une part, pour
l'animale, le poumon ou le cœur, d'une autre part, pour
l'organique. L'action de l'un de ces trois organes est essentiellement nécessaire à celle des deux autres. Quand l'un
cesse entièrement d'agir, les autres ne sauraient continuer
à être en activité ; et comme ils sont les trois centres où
viennent aboutir tous les phénomènes secondaires de

deux vies, ces phénomènes s'interrompent inévitablement aussi, et la mort générale arrive.

Les physiologistes ont connu de tout temps l'importance de ce triple foyer : presque tous nomment fonctions vitales celles qui y ont leur siége, parce que la vie leur est immédiatement enchaînée, tandis qu'elle n'a que des rapports peu éloignés avec ce qu'ils appellent fonctions naturelles et animales.

Je crois que d'après ce qui a été dit jusqu'ici, on trouvera la division que j'ai adoptée préférable à celle-ci ; mais elle n'en mérite pas moins de fixer notre attention sous le point de vue qui nous occupe.

Toute espèce de mort subite commence, en effet, par l'interruption de la circulation, de la respiration ou de l'action du cerveau.

L'une de ces trois fonctions cesse d'abord. Toutes les autres finissent ensuite successivement ; en sorte que pour exposer avec précision les phénomènes de ces genres de mort, il faut les considérer sous ces trois rapports essentiels : tel est aussi l'ordre que nous suivrons.

Les morts subites qui ont leur principe dans le cœur vont premièrement nous occuper ; puis celles qui commencent par le poumon et le cerveau fixeront notre attention. Dans chacune, je dirai d'abord comment un de ces trois organes étant affecté, les deux autres meurent ; je démontrerai ensuite par quel mécanisme la mort de toutes les parties dérive de celle de l'organe affecté. Enfin je déterminerai, d'après les principes que j'aurai exposés, la nature des différentes espèces de maladies qui frappent le cœur, le poumon ou le cerveau.

ARTICLE II.

DE L'INFLUENCE QUE LA MORT DU CŒUR EXERCE SUR CELLE DU CERVEAU.

J'aurai manifestement fixé quel est ce mode d'influence, si j'établis comment l'action du cœur entretient celle du

11

cerveau ; car ici la cause de la mort n'est que l'absence de
celle de la vie : celle-ci étant connue, l'autre le deviendra
donc par là même. Or, le cœur ne peut agir sur le cerveau que de deux manières, savoir : par les nerfs, ou par
les vaisseaux qui servent à les unir. Ces deux organes
n'ont pas, en effet, d'autre moyen de communication.

Il est évident que les nerfs ne sont point les agents du
rapport qui nous occupe ; car le cerveau agit par leur
moyen sur les diverses parties, tandis que les diverses parties n'influencent jamais le cerveau par leur intermède, si
ce n'est dans les sympathies. Liez un faisceau nerveux
allant à des muscles volontaires : ces muscles cessent leurs
fonctions, et rien n'est altéré dans celles de la masse cérébrale.

Je me suis assuré, par diverses expériences, que les
phénomènes galvaniques qui se propagent si énergiquement du cerveau vers les organes où les nerfs se distribuent, qui descendent le long du nerf, si je puis m'exprimer ainsi, ne remontent presque pas en sens opposé.
Armez un nerf lombaire et les muscles des membres
supérieurs ; faites ensuite communiquer les deux armatures : il n'y aura pas de contractions, ou au moins elles
seront à peine sensibles ; tandis que, si l'armature du nerf
restant la même, on transporte l'autre sous les muscles
des membres inférieurs, et que la communication soit
établie, de violents mouvements convulsifs se manifestent
à l'instant. J'ai même observé qu'en plaçant deux plaques
métalliques, l'une sous les nerfs lombaires, l'autre sous
les membres supérieurs, la communication de ces deux
plaques, par un troisième métal, détermine l'action des
membres inférieurs alors dépourvus d'armatures, pendant
que les supérieurs ou restent inactifs, ou se meuvent faiblement.

Ces expériences sont surtout applicables au cœur par
rapport au cerveau. Non-seulement la section, la ligature,
la compression des nerfs cardiaques sont nulles pour les

fonctions du second ; mais elles ne modifient même qu'indirectement les mouvements du premier, comme nous le verrons.

Nous pouvons donc établir que les vaisseaux sont les agents exclusifs de l'influence du cœur sur la vie du cerveau.

Les vaisseaux sont, comme on le sait, de deux sortes : artériels ou veineux, à sang rouge ou à sang noir. Les premiers répondent au côté gauche, les seconds au côté droit du cœur. Or, leurs fonctions étant très-différentes, l'action de l'une des portions de cet organe sur le cerveau ne saurait être la même que celle de l'autre portion. Nous allons rechercher comment toutes deux agissent.

En nommant ces deux portions, je ne me servirai point de l'expression de *droite* et de *gauche* pour les distinguer, mais de celle de *cœur à sang rouge*, et de *cœur à sang noir*. Chacune, en effet, forme un organe isolé, distinct de celui auquel il est adossé, pouvant même ne point y être joint dans l'adulte. Il y a vraiment deux cœurs, l'un artériel, l'autre veineux. Cependant ces adjectifs conviennent peu pour les indiquer, car tous deux font système et avec les veines et avec les artères : le premier avec les veines de tout le corps et avec l'artère du poumon ; le second avec les veines de cet organe et avec le gros tronc artériel dont les branches se distribuent à toutes les parties. D'un autre côté, ni l'un ni l'autre ne sont exactement à gauche ou à droite, en devant ou en arrière. D'ailleurs cette dénomination n'est point applicable aux animaux. Celle *à sang rouge* et *à sang noir*, étant empruntée des deux systèmes de sang dont chacun est le centre et l'agent d'impulsion, me paraît infiniment préférable.

§ I. Déterminer comment la cessation des fonctions du cœur à sang rouge interrompt celles du cerveau.

Le ventricule et l'oreillette à sang rouge influencent manifestement le cerveau par le fluide qu'y conduisent les

carotides et les vertébrales. Or, ce fluide peut, en y abordant, l'exciter de deux manières : 1° par le mouvement
dont il est agité ; 2° par la nature des principes qui le constituent et qui le distinguent du sang noir.

Il est facile de prouver que le mouvement du sang, en
se communiquant au cerveau, entretient son action et sa
vie. Mettez en partie cet organe à découvert sur un animal, de manière à voir ses mouvements ; liez ensuite les
carotides. Quelquefois le mouvement cérébral s'affaiblit,
et alors l'animal est étourdi ; d'autres fois il continue
comme à l'ordinaire, les vertébrales suppléant exactement
aux artères liées, et alors rien n'est dérangé dans les fonctions principales. Toujours il y a un rapport entre l'énergie vitale et l'abaissement et l'élévation alternatifs du cerveau.

En général, l'oblitération des carotides n'est jamais subitement mortelle. Les animaux vivent sans elles, au moins
pendant un certain temps. J'ai conservé en cet état, et durant plusieurs jours, des chiens qui m'ont servi ensuite à
d'autres expériences : deux cependant n'ont pu survivre
que six heures.

Si, à la suite des essais dont je viens de parler, une portion du crâne est enlevée dans un autre animal, et qu'on
intercepte le cours du sang dans tous les vaisseaux qui
vont à la tête, on voit aussitôt le mouvement encéphalique
cesser, et la vie s'anéantir.

La secousse générale, née de l'abord du sang au cerveau, est donc une condition essentielle à ses fonctions.
Mais appuyons cette assertion sur de nouvelles preuves.

1° Il est une foule de compressions qui ne peuvent évidemment agir qu'en empêchant l'organe d'obéir à ces secousses. On voit souvent une collection purulente ou sanguine, une esquille osseuse, etc., interrompre toutes les
fonctions relatives à la perception, à l'imagination, à la
mémoire, au mouvement volontaire même. Qu'on enlève
ces diverses causes de compression, à l'instant toutes les

sensations renaissent. Il est donc manifeste qu'alors le cerveau n'était point désorganisé, qu'il n'était qu'affaissé, qu'il se trouvait seulement hors d'état d'être excité par le cœur.

Je ne cite point d'observations sur ces sortes de cas. Tous les auteurs qui ont traité des plaies de tête nous en offrent en foule. Je me contente de remarquer que l'on peut produire artificiellement le même effet dans les expériences sur les animaux. Tour à tour comprimé et libre, le cerveau y est tour à tour en excitement et en collapsus, suivant que le sang le soulève et l'agite avec plus ou moins de facilité.

2° Il est des espèces, parmi les reptiles, où le cœur ne détermine aucun mouvement dans la masse cérébrale. J'ai fait souvent cette observation sur la grenouille. En enlevant la portion supérieure du crâne, le cerveau, exactement à découvert, ne laisse pas apercevoir le moindre soulèvement. Or on peut, dans cette espèce ainsi que dans celle des salamandres, priver cet organe de tout abord du sang, sans que pour cela les fonctions cessent tout de suite, comme il arrive dans toutes les espèces à sang rouge et chaud.

Les muscles volontaires agissent ; les yeux sont vifs ; le tact est manifeste pendant quelque temps, après que le cœur a été enlevé, ou qu'on a lié la double branche naissant du gros vaisseau que fournit le ventricule unique du cœur de ces animaux. J'ai répété un très-grand nombre de fois ces deux moyens d'interrompre la circulation générale, et le même effet en est toujours résulté par rapport au cerveau.

3° On observe en général, comme l'a remarqué un médecin, que les animaux à cou allongé, chez lesquels, par là même, le cœur plus éloigné du cerveau peut moins vivement agiter cet organe, ont l'intelligence plus bornée, les fonctions cérébrales plus rétrécies par conséquent ; qu'au contraire un cou très-court et le rapprochement du cœur et du cerveau coïncident communément avec l'énergie de celui-ci. Les hommes dont la tête est très-loin

11.

des épaules, comparés à ceux où elle en est près, offrent quelquefois le même phénomène.

D'après tous ces faits, on peut, sans crainte d'erreur, établir la proposition suivante, savoir que : l'un des moyens par lesquels le cœur à sang rouge tient sous sa dépendance les phénomènes du cerveau consiste dans le mouvement habituel qu'il imprime à cet organe.

Ce mouvement diffère essentiellement de celui qui, dans les autres viscères, comme le foie, la rate, etc., naît de la même cause : ceux-ci le présentent, en effet, d'une manière peu manifeste ; il est au contraire ici très-apparent. Cela tient à ce que tous les gros troncs artériels placés à la base du cerveau, se trouvant là entre lui et les parois osseuses du crâne, éprouvent, à l'instant où ils se redressent, une résistance qui répercute tout le mouvement sur la masse encéphalique : celle-ci est soulevée par ce redressement, comme il arrive dans les diverses espèces de tumeurs lorsqu'une artère considérable passe entre elles et un plan très-solide.

Les tumeurs situées au cou, sur la carotide, à l'endroit où elle-même appuie sur la colonne vertébrale, à l'aine, sur la crurale, quand elle traverse l'arcade osseuse du même tronc, etc., etc., nous offrent fréquemment de semblables exemples, et par là même des motifs de bien examiner si ce n'est point un anévrisme.

Les organes, autres que le cerveau, ne reposent point par leur base sur des surfaces résistantes, analogues à celle de la partie inférieure du crâne. Aussi le mouvement des artères qui y abordent, se perdant dans le tissu cellulaire et les parties molles environnantes, est presque nul pour ces organes, comme on le voit au foie, au rein, etc., comme on l'observe encore dans les tumeurs du mésentère et dans toutes celles placées sur les artères qui n'ont au-dessous d'elles que des muscles ou des organes à tissu mou et spongieux.

L'intégrité des fonctions du cerveau est non-seulement

liée au mouvement que lui communique le sang, mais encore à la somme de ce mouvement, qui doit être toujours dans un juste milieu : trop faible et trop impétueux, il est également nuisible ; les expériences suivantes le prouvent.

1° Injectez de l'eau par la carotide d'un chien : le contact de ce fluide n'est point funeste, et l'animal vit très-bien, quand cette injection a été faite avec ménagement. Mais poussez-la impétueusement : l'action cérébrale se trouble aussitôt, et souvent ne se rétablit qu'avec peine. Toujours il existe un rapport entre la force de l'impulsion et l'état du cerveau : si l'on augmente seulement un peu cette impulsion, il y a dans tous les muscles de la face, dans les yeux, etc., une agitation subite. Le calme renaît si l'impulsion est ralentie ; la mort survient si elle est portée au plus haut point.

2° D'un autre côté, si on met le cerveau à découvert, et qu'on ouvre ensuite une artère de manière à produire une hémorrhagie, on voit le mouvement du cerveau diminuer à mesure que le sang qui se perd s'y porte avec moins de force, et discontinuer enfin lorsque ce fluide n'est plus en quantité suffisante. Or, toujours alors l'énergie cérébrale, qui se marque par l'état des yeux, du tact, des mouvements volontaires, etc., s'affaiblit et cesse à proportion.

Il est facile de voir, d'après cela, pourquoi la diminution du mouvement encéphalique accompagne toujours l'état de prostration et de langueur, etc. ; effet constant des grandes évacuations sanguines.

On concevra aussi, je crois, très-facilement, par ce qui a été dit ci-dessus, pourquoi tout le système artériel du cerveau est d'abord concentré à sa base, avant de se distribuer entre ses lobes ; tandis que c'est à la convexité de sa superficie que s'observent presque exclusivement les gros troncs veineux. Cet organe, présentant en bas moins de surface, y est plus susceptible de recevoir l'influence du mouvement vasculaire, que sur sa convexité où ce mouvement, trop disséminé, aurait eu sur lui un effet peu marqué. D'ailleurs, c'est inférieurement qu'existent toutes les parties essentielles du cerveau. Ses lésions sont mortelles, et par conséquent ses fonctions doivent être très-impor-tantes en cet endroit. En haut, au contraire, on ne trouble souvent que très-peu son action, en le coupant, le déchi-rant, etc., comme le prouvent les expériences et l'obser-vation habituelle des plaies de tête.

Voilà pourquoi cet organe présente, d'un côté, une en-veloppe presque impénétrable aux agents extérieurs, et que, de l'autre côté, la voûte qui le protége n'oppose point à ces agents un obstacle aussi solide. Or, il était indispen-sable que là où la vie est plus active, où son énergie est plus nécessaire, il reçût du cœur et la première et la plus forte secousse.

Nous sommes, je crois, en droit de conclure, d'après tout ce qui a été dit dans ce paragraphe, que l'interruption de l'action du cœur à sang rouge fait cesser celle du cer-veau, en anéantissant son mouvement.

Ce mouvement n'est point le seul mode d'influence du premier sur le second de ces organes ; car s'il en était ainsi, on pourrait, en injectant par les carotides un fluide aqueux au moyen d'un tuyau bifurqué, et avec une impulsion analogue à celle qui est naturelle au sang, agiter l'organe, et ranimer ainsi ses fonctions affaiblies. Poussés avec une égale force, le sang noir et le sang rouge n'auraient point alors sur lui une action différente ; ce qui, comme nous le verrons, est manifestement contraire à l'expérience.

Le ventricule et l'oreillette à sang rouge agissent donc aussi sur le cerveau, par la nature du fluide qu'ils y en-voient. Mais comme le poumon est le foyer où se prépare le sang qui ne fait que traverser le cœur sans y éprouver d'altérations, nous renverrons l'examen de son influence sur le système céphalique à l'article où nous traiterons des rapports de ce système avec le pulmonaire. [U]

§ II. Déterminer comment la cessation des fonctions du cœur à sang noir
interrompt celles du cerveau.

Il est infiniment rare que la mort générale commence par le ventricule et l'oreillette à sang noir ; ils sont au contraire presque toujours les derniers en action. Quand ils cessent d'agir, déjà le cerveau, le cœur à sang rouge et le poumon ont interrompu leurs phénomènes.

Cependant une plaie, une rupture anévrismale, peuvent tout à coup anéantir leurs contractions, ou du moins les rendre inutiles pour la circulation, à cause de l'écoulement du sang hors les voies de cette fonction.

Alors le cerveau devient inactif, et meurt de la même manière que dans le cas précédent ; car les cavités à sang rouge cessant de recevoir ce sang, ne peuvent le pousser à la tête : plus de mouvement par conséquent, et par là même bientôt plus de vie dans la masse encéphalique.

Il est un autre genre de mort du cerveau qui dépend de ce que le ventricule et l'oreillette à sang noir ne peuvent recevoir ce fluide : tel est le cas où toutes les jugulaires étant liées, il stagne nécessairement, et même remonte dans le système veineux cérébral. Alors ce système s'engorge ; le cerveau s'embarrasse ; il cesse d'agir, comprimé et par le sang noir qui reflue, et par le sang rouge qui afflue dans sa substance. Mais assez d'auteurs ont fait ces expériences et présenté leurs résultats ; il est inutile de m'y arrêter.

Je vais examiner dans cet article un genre de mort dont plusieurs placent le principe dans le cœur, dans son côté à sang noir surtout, mais qui me paraît porter sur le cerveau son influence principale, et même unique : je veux parler de celui qu'on détermine par l'injection de l'air dans les veines.

On sait en général, et depuis très-longtemps, que dès qu'une quantité quelconque de ce fluide est introduite dans le système vasculaire, le mouvement du cœur se précipite, l'animal s'agite, pousse un cri douloureux, est pris de mouvements convulsifs, tombe privé de la vie animale, vit encore organiquement pendant un certain temps, et bientôt cesse entièrement d'exister. Or, quel organe est atteint si promptement par le contact de l'air ? Je dis que c'est le cerveau et non le cœur ; que la circulation ne s'interrompt que parce que l'action cérébrale est préliminairement anéantie. Voici les preuves de cette assertion :

1° Le cœur bat encore quelque temps, dans ce genre de mort, après que la vie animale, et par conséquent le cerveau qui en est le centre, ont cessé d'être en activité.

2° En injectant de l'air au cerveau par l'une des carotides, j'ai déterminé la mort avec les phénomènes analogues, excepté cependant l'agitation du cœur, agitation produite par le contact, sur les parois de cet organe, d'un corps qui leur est étranger, et qui les excite par là même avec force.

3° Morgagni cite diverses observations de morts subites, dont la cause parut être évidemment la réplétion des vaisseaux sanguins du cerveau, par l'air qui s'y était spontanément développé, et qui avait, dit-il, comprimé, par sa raréfaction, l'origine des nerfs. Je ne crois pas que cette compression puisse être le résultat de la petite quantité d'air qui, étant poussée par la carotide, suffit pour faire périr l'animal. Aussi je doute que cette compression fût réelle dans l'observation de Morgagni ; mais ces observations n'en sont pas moins importantes. Quelle que soit la manière dont il tue, l'air est mortel en arrivant au cerveau, et c'est là le point essentiel. Qu'importe le comment ? le fait seul nous intéresse.

4° Toutes les fois qu'un animal périt par l'insufflation de l'air dans une de ses veines, je me suis assuré que le côté à sang rouge du cœur est plein, comme celui à sang noir, d'un sang écumeux, mêlé de bulles d'air ; que les carotides et les vaisseaux du cerveau en contiennent aussi du semblable, et que par conséquent il a dû agir sur cet organe de la même manière que dans les deux espèces d'apoplexies, artificielle et spontanée, que nous venons de rapporter.

5° Si l'on pousse de l'air dans une des divisions de la veine porte, du côté du foie, il ne peut que difficilement passer dans le système capillaire de cet organe; il oscille dans les gros troncs, ne parvient au cœur que tard ; et j'ai remarqué que l'animal n'éprouve alors qu'au bout d'un temps assez long les accidents, qui sont subits lorsqu'on fait pénétrer ce fluide dans une des veines du grand système, parce qu'alors le cœur le transmet tout de suite au cerveau.

6° Cette rapidité avec laquelle, dans certaines expériences, l'anéantissement de l'action cérébrale succède à l'insufflation de l'air dans les veines pourrait faire croire, avec une foule d'auteurs, que ce phénomène arrive de la même manière qu'il se manifeste dans une plaie du cœur, dans la syncope, etc., c'est-à-dire parce que l'action de cet organe, tout à coup suspendue par la présence de l'air qui distend ses parois, ne peut plus communiquer le mouvement au cerveau. Mais, 1° la plus simple inspection suffit pour remarquer la permanence des mouvements du cœur ; 2° comme ces mouvements sont prodigieusement accélérés par le contact du fluide étranger, ils poussent à travers le poumon et le système artériel le sang écumeux avec une extrême promptitude, et on conçoit par là cette rapidité dans les lésions cérébrales.

7° Si le cerveau cessait d'agir par l'absence des mouvements du cœur, la mort surviendrait, comme dans la syncope, dans les grandes hémorrhagies de l'aorte, des ventricules, etc., c'est-à-dire sans mouvements convulsifs bien marqués. Ici, au contraire, ces mouvements sont souvent extrêmement violents un instant après l'injection, et annoncent, par là même, la présence d'un irritant sur le cerveau : or, cet irritant, c'est l'air qui y aborde.

Concluons de tout ce que nous venons de dire, que

dans le mélange accidentel de l'air avec le sang du système veineux, c'est le cerveau qui meurt le premier, et que la mort du cœur est le résultat, l'effet, et non le principe de la sienne. Du reste, j'expliquerai ailleurs comment, le premier de ces organes cessant d'agir, le second interrompt son action.

ARTICLE III.

DE L'INFLUENCE QUE LA MORT DU CŒUR EXERCE SUR CELLE DES POUMONS.

Le poumon est le siége de deux espèces très-différentes de phénomènes. Les premiers, entièrement mécaniques, sont relatifs aux mouvements d'élévation ou d'abaissement des côtes et du diaphragme, à la dilatation ou au resserrement des vésicules aériennes, à l'entrée ou à la sortie de l'air, effet de ces mouvements. Les seconds, purement chimiques, se rapportent aux altérations diverses qu'éprouve l'air, aux changements de composition du sang, etc.

Ces deux espèces de phénomènes sont dans une dépendance mutuelle. L'instant où les uns s'interrompent est toujours voisin de celui où les autres cessent de se développer. Sans les chimiques, les mécaniques, manquant de matériaux, ne sauraient s'exercer. Au défaut de ces derniers, le sang cessant, comme nous le verrons, d'être un excitant pour le cerveau, celui-ci ne pourrait porter son influence sur les intercostaux et le diaphragme ; ces muscles deviendraient inactifs, et par là même les phénomènes mécaniques seraient anéantis.

La mort du cœur ne termine pas de la même manière ces deux espèces de phénomènes. Suivant qu'elle naît d'une lésion du côté à sang noir ou des gros troncs veineux, d'une affection du côté à sang rouge ou des grosses artères, elle frappe différemment le poumon.

§ I. Déterminer comment le cœur à sang noir cessant d'agir, l'action du poumon est interrompue.

Le cœur à sang noir n'a visiblement aucune influence

sur les phénomènes mécaniques du poumon ; mais il concourt essentiellement à produire les chimiques, en envoyant à cet organe le fluide qui doit puiser dans l'air de nouveaux principes, et lui communiquer ceux qui le surchargent.

Lors donc que le ventricule et l'oreillette du système à sang noir, ou quelques-uns des gros vaisseaux veineux qui concourent à former ce système, interrompent leurs fonctions, comme il arrive par une plaie, par une ligature faite dans les expériences, etc., etc., alors les phénomènes chimiques sont tout à coup anéantis ; mais l'air entre encore dans le poumon par la dilatation et le resserrement de la poitrine.

Cependant rien n'arrive au ventricule à sang rouge : si un peu de sang y pénètre pendant quelques instants, il est noir, n'ayant subi aucune altération. Sa quantité est insuffisante pour produire le mouvement cérébral, qui cesse alors faute d'agent d'impulsion. Les fonctions du cerveau sont par là même suspendues, d'après ce qui a été dit ci-dessus : par conséquent, plus d'action sur les intercostaux ni sur le diaphragme, qui restent en repos, et laissent sans exercice les phénomènes mécaniques.

Voilà donc comment arrive la mort du poumon, lorsque le cœur à sang noir meurt lui-même. Elle succède d'une manière inverse à la mort du cœur à sang rouge.

§ II. Déterminer comment le cœur à sang rouge cessant d'agir, l'action du poumon est interrompue.

Lorsqu'une plaie intéresse le ventricule ou l'oreillette à sang rouge, l'aorte ou ses grandes divisions ; lorsqu'une ligature est appliquée artificiellement à celles-ci ; lorsqu'un anévrisme dont elles sont le siége se rompt, etc., le poumon cesse ses fonctions dans l'ordre suivant :

1º Plus d'impulsion reçue par le cerveau ; 2º plus de mouvement de cet organe ; 3º plus d'action exercée sur les muscles ; 4º plus de contraction des intercostaux et

12

du diaphragme ; 5° plus de phénomènes mécaniques. Or, sans ceux-ci, les chimiques ne peuvent avoir lieu ; ils s'interrompent dans le cas précédent, faute de sang : c'est le défaut d'air qui les arrête dans celui-ci ; car ces deux choses leur sont également nécessaires : sans l'une, l'autre est inutile pour eux.

Telle est donc la différence de la mort du poumon à la suite des lésions du cœur, que si c'est le côté à sang noir qui est affecté, les phénomènes chimiques cessent d'abord, puis les mécaniques finissent ; que si l'affection existe au contraire dans le côté à sang rouge, les premiers terminent, et les derniers commencent la mort. Comme la circulation est très-rapide, un très-court intervalle existe dans l'interruption des uns et des autres.

ARTICLE IV.

DE L'INFLUENCE QUE LA MORT DU CŒUR EXERCE SUR CELLE DE TOUS LES ORGANES.

Je diviserai cet article, comme les précédents, en deux sections : l'une sera consacrée à examiner comment, le cœur à sang rouge cessant d'agir, tous les organes interrompent leur action ; dans l'autre, je chercherai le mode d'influence de la mort du cœur à sang noir sur celle de toutes les parties.

§ I. Déterminer comment la cessation des fonctions du cœur à sang rouge interrompt celles de tous les organes.

Toutes les fonctions appartiennent ou à la vie animale, ou à l'organique. De là deux classes très-distinctes entre elles. Comment la première classe s'interrompt-elle dans la lésion de l'oreillette ou du ventricule à sang rouge ? De deux manières : d'abord, parce que le cerveau, rendu immobile, devient inerte, et ne peut ni recevoir les sensattions, ni exercer son influence sur les organes locomoteurs 9 et vocaux.

Tout cet ordre de fonctions s'arrête alors comme quand la masse encéphalique a éprouvé une violente commotion qui a subitement détruit son action. Voilà comment une plaie du cœur, un anévrisme qui se rompt, etc., anéantissent tout à coup nos rapports avec les objets extérieurs.

On n'observe point ce lien entre le mouvement du cœur et les fonctions de la vie animale, dans les animaux où le cerveau n'a pas besoin, pour agir, de recevoir du sang une secousse habituelle. Arrachez à un reptile son cœur, ou liez ses gros vaisseaux, il vivra encore longtemps pour ce qui l'entoure; la locomotion, les sensations, etc., ne s'éteindront point à l'instant, comme dans les espèces à sang rouge et chaud.

Au reste, en supposant que le cerveau n'interrompît point son action dans les lésions du cœur à sang rouge, la vie animale finirait également à une époque beaucoup plus éloignée, il est vrai, mais qui n'arriverait pas moins ; car à l'exercice des fonctions de cette vie est attachée, comme cause nécessaire, l'excitation de ses organes par le sang qui y aborde; or, cette excitation tient ici, comme ailleurs, à deux causes : 1° au mouvement ; 2° à la nature du sang. Je n'examinerai ici que le premier mode d'influence, l'autre appartenant au poumon.

Ce n'est pas seulement dans la vie animale, mais encore dans l'organique, que les parties ont besoin, pour agir, d'un mouvement habituel qui entretienne leur action; c'est une condition essentielle aux fonctions des muscles, des glandes, des vaisseaux, des membranes, etc... Or ce mouvement, né en partie du cœur, diffère essentiellement de celui que le sang communique au cerveau.

Ce dernier organe obéit d'une manière très-sensible, très-apparente, à l'impulsion de totalité qui soulève sa masse pulpeuse, ou lui permet de s'abaisser pendant l'intermittence. Au contraire, le mouvement intérieur qui

agite isolément chacune de ses parties est très-peu marqué : ce qui dépend de ce que ses vaisseaux, divisés à
l'infini, d'abord dans ses anfractuosités, puis sur la pie-
mère, ne pénètrent sa substance que par des ramifications presque capillaires.

Le mouvement déterminé dans les autres organes par
l'abord du sang offre un phénomène exactement inverse :
on ne voit en eux ni abaissement ni soulèvement ; ils ne
sont point agités par une secousse générale, parce que,
comme je l'ai dit, l'impulsion des artères se perd dans les
parties molles environnantes, tandis qu'au cerveau les
parties dures voisines la répercutent sur ce viscère. Au
contraire, les vaisseaux s'insinuant par des troncs considérables dans presque tous les organes, ne se divisant que
très-peu avant d'y arriver, leur pulsation y fait naître une
agitation intestine, des oscillations partielles, des secousses
propres à chacun des lobes, des feuillets ou des fibres
dont ils sont l'assemblage.

Comparez la manière dont le cerveau, d'une part, de
l'autre le foie, la rate, les reins, les muscles, la peau, etc.,
reçoivent le sang rouge qui les nourrit, et vous concevrez
facilement cette différence.

Il était nécessaire que le cerveau fût distingué des autres organes par le mouvement de totalité que lui imprime l'abord du sang, parce que, renfermé dans une
boîte osseuse, il n'est point, comme eux, en butte à mille
autres causes d'agitation générale.

Remarquez, en effet, que tous les organes ont autour
d'eux une foule d'agents destinés à suppléer à l'impulsion
qui leur manque du côté du cœur. Dans la poitrine, l'élévation et l'abaissement alternatifs des intercostaux et du
diaphragme, la dilatation et le resserrement successifs
dont les poumons et le cœur sont le siége : dans l'abdomen, l'agitation non interrompue produite sur les parois
abdominales par la respiration ; l'état sans cesse variable
de l'estomac, des intestins, de la vessie, qui sont tour à

tour distendus ou concentrés sur eux-mêmes ; le déplacement des viscères flottants, continuellement occasionné par les attitudes diverses que nous prenons : dans les membres, leurs flexion et extension, adduction et abduction, élévation et abaissement, qui ont lieu à chaque instant, soit pour leur totalité, soit pour leurs diverses parties, etc., etc., voilà des causes permanentes de mouvement qui équivalent bien, pour entretenir la vie des organes autres que le cerveau, à celles résultant de l'abord du sang à celui-ci.

Je ne prétends pas cependant exclure tout à fait cette dernière cause de l'excitation nécessaire à la vie des organes ; elle se joint vraisemblablement à celle que je viens d'exposer ; et voilà sans doute pourquoi la plupart des viscères reçoivent, ainsi que le cerveau, le sang rouge par leur surface concave, comme on le voit au rein, au foie, à la rate, aux intestins, etc. Par cette disposition, l'impulsion du cœur moins disséminée est plus facilement ressentie ; mais ce n'est là qu'une condition accessoire à l'entretien des fonctions.

D'après ce qui vient d'être dit, nous sommes en droit d'ajouter une raison à celle présentée plus haut, pour établir comment, le cœur à sang rouge cessant d'agir, toutes les fonctions de la vie animale sont interrompues. Nous pouvons ainsi commencer à expliquer le même phénomène dans l'organique ; la raison est, en effet, commune à toutes deux. Or voici quelle est cette raison :

1° Le mouvement intestin, né, dans chacun des organes des deux vies, du mode de distribution artérielle, étant alors totalement suspendu, il n'y a plus d'excitation dans ces organes, et bientôt, par là même, plus de vie ; 2° ils n'ont plus autour d'eux des causes d'agitation générale ; car presque toutes ces causes tiennent à des mouvements auxquels le cerveau préside : tels sont ceux de la respiration, de la locomotion des membres, de l'œil, des muscles sous-cutanés, de ceux du bas-ventre, etc. Or, comme le cerveau est en collapsus dès qu'il ne reçoit rien du cœur, tous ses mouvements sont aussi manifestement nuls ; et par là même l'excitation qui en résultait pour les organes voisins est anéantie.

Il suit de là que le cœur exerce sur les divers organes deux modes d'influence, l'un direct et sans intermédiaire, l'autre indirect et par l'entremise du cerveau ; en sorte que la mort de ces organes, à la suite des lésions du premier, arrive médiatement et immédiatement.

Nous avons quelquefois des exemples de morts partielles analogues à cette mort générale : c'est ainsi que lorsque la circulation est tellement empêchée dans un membre, que le sang rouge ne se distribue plus aux parties qui s'y trouvent, ces parties sont frappées d'abord d'insensibilité et de paralysie, bientôt ensuite de gangrène. L'opération d'anévrisme ne nous fournit que trop d'exemples de ce phénomène, que l'on produit également dans les expériences sur les animaux vivants.

Sans doute qu'ici le défaut d'action, né ordinairement des éléments qui composent le sang rouge et le distinguent du noir, influe spécialement ; mais celui provenant de l'absence du mouvement intestin que ce sang communique aux parties n'est pas moins réel.

Quant à l'interruption de la nutrition, elle ne peut être admise comme cause des symptômes qui succèdent à l'oblitération d'une grosse artère : la manière lente, graduée, insensible, dont s'opère cette fonction, ne s'accorde pas visiblement avec leur invasion subite, instantanée, surtout par rapport aux fonctions de la vie animale, qui sont anéanties dans le membre, à l'instant même où le sang n'y coule plus, comme elles le sont aussi dès que, par la section des nerfs, il est privé de l'influence de ceux-ci.

Outre les causes précédentes, qui, lorsque le cœur cesse d'agir, suspendent en général toutes les fonctions animales et organiques, il en est une autre relative au plus grand nombre de ces dernières, savoir, à la nutrition, à l'exhallation, à la sécrétion, et par là même à la digestion qui ne s'opère que par des fluides sécrétés. Cette autre cause consiste en ce que les diverses fonctions, ne recevant plus de matériaux qui les entretiennent, finissent nécessairement. Leur terme n'arrive cependant que peu à peu, parce que ce n'est pas dans la circulation générale, mais dans la capillaire, qu'elles puisent ces matériaux. Or, cette dernière circulation n'est soumise qu'à l'influence des forces contractiles insensibles de la partie où elle s'exécute; elle s'exerce indépendamment du cœur, comme on le voit dans la plupart des reptiles, où cet organe peut être enlevé, et où, lorsqu'il manque, le sang oscille encore longtemps dans les petits vaisseaux. Il est donc manifeste que toute la portion de ce fluide qui se trouvait dans le système capillaire à l'instant de l'interruption de la circulation générale doit servir encore quelque temps à ces diverses fonctions, lesquelles ne finiront par conséquent que graduellement.

Voici donc, en général, comment l'anéantissement de toutes les fonctions succède à l'interruption de celles du cœur.

Dans la vie animale, c'est : 1° parce que tous ces organes cessent d'être excités au dedans par le sang, et au dehors par le mouvement des parties voisines; 2° parce que le cerveau, manquant également de causes excitantes, ne peut communiquer avec aucun de ces organes.

Dans la vie organique, la cause de l'interruption de ses phénomènes est alors : 1° comme dans l'animale, le défaut d'excitation interne et externe des différents viscères; 2° l'absence des matériaux nécessaires aux diverses fonctions de cette vie, toutes étrangères à l'influence du cerveau.

Au reste, une foule de considérations, autres que celles exposées ci-dessus, prouvent et la réalité de l'excitation des organes par le mouvement que leur imprime le cœur ou le système vasculaire, et la vérité de la cause que nous

assignons à leur mort, lorsque cette excitation cesse. Voici
quelques-unes de ces considérations :

1° Les organes qui ne reçoivent point de sang, et que les
fluides blancs pénètrent seuls, tels que les cheveux, les ongles, les poils, les cartilages, les tendons, etc., jouissent
et d'une vitalité moins prononcée, et d'une action moins
énergique, que ceux où ce fluide circule soit par l'influence
du cœur, soit par celle des forces contractiles insensibles
de la partie même.

2° Quand l'inflammation détermine le sang à se porter
accidentellement dans les organes blancs, ces organes prennent tout à coup un surcroît de vie, une surabondance de
sensibilité, qui les mettent souvent, sous le rapport des
forces, au niveau de ceux qui dans l'état ordinaire en sont
doués au plus haut degré.

3° Dans les parties où le sang pénètre habituellement, si
l'inflammation augmente la quantité de ce fluide, si une
pulsation contre nature indique un accroissement d'impétuosité dans son cours, toujours on remarque une exaltation locale dans les phénomènes de la vie. Ce changement
des forces précède, il est vrai, celui de la circulation, dans
les deux cas précédents ; c'est parce que la sensibilité organique a été augmentée dans la partie que le sang s'y porte
d'abord en plus grande abondance ; mais ensuite c'est l'accès
du sang qui entretient les forces au degré contre nature où
elles se sont montées ; il est l'excitant continuel de ces
forces. Une quantité déterminée de ce fluide était nécessaire, dans l'état ordinaire, pour les soutenir dans la proportion fixée par la nature. Cette proportion étant alors
doublée, triplée même, il faut bien que l'excitant soit
aussi double, triple, etc. ; car il y a toujours ces trois
choses dans l'exercice des forces vitales : la faculté, qui est
inhérente à l'organe ; l'excitant, qui lui est étranger, et
l'excitation, qui résulte de leur contact mutuel.

4° C'est sans doute par cette raison qu'en général les
organes auxquels le sang est apporté habituellement par

les artères jouissent de la vie à un point d'autant plus marqué que la quantité de ce fluide y est plus considérable, comme on le voit par les muscles, ou encore par le gland, le corps caverneux, le mamelon, à l'instant de leur érection, etc., par la peau de la face dans les passions vives qui la colorent et en gonflent le tissu, par l'exaltation des fonctions cérébrales, lorsque c'est en dedans que le sang se dirige avec impétuosité, etc.

5° De même que tout ce qui accroît chacun des phénomènes de la vie en particulier détermine toujours un accroissement local de la circulation, de même, lorsque l'ensemble de ces phénomènes s'exalte, tout le système circulatoire prononce davantage son action. L'usage des spiritueux, des aromatiques, etc., à une certaine dose, est suivi momentanément d'une énergie généralement accrue et dans les forces et dans la circulation : les accès de fièvre ardente doublent, triplent même l'intensité de la vie, etc.

Je n'ai égard, dans ces considérations qu'au mouvement que le sang communique aux organes ; je fais abstraction de l'excitation qui naît en eux de la nature de ce fluide, du contact des principes qui le rendent rouge ou noir. Je fixerai plus loin l'attention du lecteur sur cet objet.

Terminons là ces réflexions qui suffisent pour convaincre de plus en plus combien le sang, par son simple abord dans les organes, et indépendamment de la matière nutritive qu'il y porte, est nécessaire à l'activité de leur action, et combien par conséquent la cessation des fonctions du cœur doit influer promptement sur leur mort.

ARTICLE V.

DE L'INFLUENCE QUE LA MORT DU CŒUR EXERCE SUR LA MORT GÉNÉRALE.

Toutes les fois que le cœur cesse d'agir, la mort générale survient de la manière suivante : l'action cérébrale s'anéantit d'abord faute d'excitation ; par là même les sensations, la locomotion et la voix, qui sont sous l'immédiate dépendance de l'organe encéphalique, se trouvent interrompues. D'ailleurs, faute d'excitation de la part du sang, les organes de ces fonctions cesseraient d'agir, en supposant que le cerveau resté intact pût encore exercer sur eux son influence ordinaire. Toute la vie animale est donc subitement anéantie. L'homme, à l'instant où son cœur est mort, cesse d'exister pour ce qui l'environne.

L'interruption de la vie organique, qui a commencé par la circulation, s'opère en même temps par la respiration. Plus de phénomènes mécaniques dans le poumon, dès que le cerveau a cessé d'agir, puisque le diaphragme et les intercostaux sont sous sa dépendance. Plus de phénomènes chimiques, dès que le cœur ne peut recevoir ni envoyer les matériaux nécessaires à leur développement ; en sorte que, dans les lésions du cœur, ces derniers phénomènes sont interrompus directement et sans intermédiaire, et que les premiers cessent au contraire indirectement et par l'entremise du cœur qui est mort préliminairement.

La mort générale se continue ensuite peu à peu d'une manière graduée, par l'interruption des sécrétions, des exhalations et de la nutrition. Cette dernière finit d'abord dans les organes qui reçoivent habituellement du sang, parce que l'excitation née de l'abord de ce fluide est nécessaire pour l'entretenir dans ses organes, et qu'elle manque alors de ce moyen. Elle ne cesse que consécutivement dans les parties blanches, parce que, moins soumises à l'influence du cœur, elles ressentent plus tard les effets de sa mort.

Dans cette terminaison successive des derniers phénomènes de la vie interne, ses forces subsistent encore quelque temps, lorsque déjà ses fonctions ont cessé : ainsi la sensibilité organique, les contractilités organiques, sensibles et insensibles, survivent-elles aux phénomènes digestifs, sécrétoires, nutritifs, etc.

Pourquoi les forces vitales sont-elles encore quelque temps permanentes dans la vie interne, tandis que, dans la vie externe, celles qui leur correspondent, savoir l'espèce de sensibilité et de contractilité appartenant à cette vie, se trouvent subitement éteintes ? C'est que l'action de sentir et de se mouvoir organiquement ne suppose point l'existence d'un centre commun ; qu'au contraire, pour se mouvoir et agir animalement, l'influence cérébrale est nécessaire. Or, l'énergie du cerveau étant éteinte dès que le cœur n'agit plus, tout sentiment et tout mouvement externes doivent cesser à l'instant même.

C'est dans l'ordre que je viens d'exposer que s'enchaînent les phénomènes de la mort générale qui dépend d'une rupture anévrismale, d'une plaie au cœur ou aux gros vaisseaux, des polypes formés dans leurs cavités, des ligatures qu'on y applique artificiellement, de la compression trop forte que certaines tumeurs exercent sur eux, des abcès de leurs parois, etc., etc.

C'est encore de cette manière que nous mourons dans les affections vives de l'âme. Un homme expire à la nouvelle d'un événement qui le transporte de joie ou qui le plonge dans une affreuse tristesse, à la vue d'un objet qui le saisit de crainte, d'un ennemi dont la présence l'agite de fureur, d'un rival dont les succès irritent sa jalousie, etc., etc. : eh bien, c'est le cœur qui cesse d'agir le premier dans tous ces cas ; c'est lui dont la mort entraîne successivement celle des autres organes ; la passion a porté spécialement sur lui son influence : par là son mouvement est arrêté ; bientôt toutes les parties deviennent immobiles.

Ceci nous mène à quelques considérations sur la syncope, qui présente en moins le même phénomène qu'offrent en plus ces espèces de morts subites.

Cullen rapporte à deux chefs généraux les causes de cette affection : les unes existent, selon lui, dans le cerveau, les autres dans le cœur. Il place parmi les premières

les vives affections de l'âme, les évacuations diverses, etc.
Mais il est facile de prouver que la syncope qui succède
aux passions n'affecte que secondairement le cerveau, et
que toujours c'est le cœur qui, s'interrompant le premier,
détermine par sa mort momentanée le défaut d'action du
cerveau. Les considérations suivantes laisseront, je crois,
peu de doutes sur ce point.

1° J'ai prouvé, à l'article des passions, que jamais elles
ne portent sur le cerveau leur première influence ; que cet
organe n'est qu'accessoirement mis en action par elles ;
que tout ce qui a rapport à nos affections morales appartient à la vie organique, etc., etc.

2° Les syncopes que produisent les vives émotions sont
analogues en tout, dans leurs phénomènes, à celles qui
naissent des polypes, des hydropisies du péricarde, etc.
Or, dans celles-ci l'affection première est dans le cœur ;
elle doit donc l'être aussi dans les autres.

3° A l'instant où la syncope se manifeste, c'est à la région précordiale, et non dans celle du cerveau, que nous
éprouvons un saisissement. Voyez l'acteur qui joue sur la
scène cette mort momentanée ; c'est sur le cœur, et non
sur la tête, qu'il porte sa main en se laissant tomber, pour
exprimer le trouble qui l'agite.

4° A la suite des passions vives qui ont produit la syncope, ce ne sont pas des maladies du cerveau, mais bien
des affections du cœur, qui se manifestent : rien de plus
commun que les vices organiques de ce viscère à la suite
des chagrins, etc. Les folies diverses qui sont produites
par la même cause ont le plus souvent leur foyer principal
dans quelque viscère de l'épigastre profondément affecté,
et le cerveau ne cesse plus que par contre-coup d'exercer
régulièrement ses fonctions.

5° Je prouverai plus bas que le système cérébral n'exerce
aucune influence directe sur celui de la circulation ; qu'il
n'y a point de réciprocité entre ces deux systèmes ; que les
altérations du premier n'entraînent point dans le second

des altérations analogues, tandis que celles du second modifient la vie du premier d'une manière nécessaire. Rompez toutes les communications nerveuses qui unissent le cœur avec le cerveau, la circulation continue comme à l'ordinaire ; mais dès que les communications vasculaires qui tiennent le cerveau sous l'empire du cœur se trouvent interceptées, alors plus de phénomènes cérébraux apparents.

6° Si l'influence des passions n'est pas portée au point de suspendre tout à coup le mouvement circulatoire, de produire la syncope par conséquent, des palpitations et autres mouvements irréguliers en naissent fréquemment. Or, c'est constamment au cœur, et jamais au cerveau, que se trouve le siége de ces altérations secondaires, où il est facile de distinguer l'organe affecté, parce que lui seul est troublé, et que tous ne cessent pas alors d'agir, comme il arrive dans la syncope. Ces petits effets des passions sur le cœur servent à éclairer la nature des influences plus grandes qu'il en reçoit dans cette affection.

Concluons de ces diverses considérations que le siége primitif du mal, dans la syncope, est toujours au cœur ; que cet organe ne cesse pas alors d'agir parce que le cerveau interrompt son action, mais que celui-ci meurt parce qu'il ne reçoit point du premier le fluide qui l'excite habituellement, et que l'expression vulgaire de *mal de cœur* indique avec exactitude la nature de cette maladie.

Que la syncope dépende d'un polype, d'un anévrisme, etc., ou qu'elle soit le résultat d'une passion vive, l'affection successive des organes est toujours la même ; toujours ils meurent momentanément, comme nous avons dit qu'ils périssaient réellement dans une plaie du cœur, dans une ligature de l'aorte, etc.

C'est encore de la même manière que sont produites les syncopes qui succèdent à des évacuations de sang, de pus, d'eau, etc. Le cœur, sympathiquement affecté, cesse d'agir,

13

et tout de suite le cerveau, faute d'excitant, interrompt aussi son action.

Les syncopes nées des odeurs, des antipathies, etc., paraissent aussi offrir dans leurs phénomènes la même marche, quoique leur caractère soit plus difficile à saisir.

Il y a une grande différence entre syncope, asphyxie et apoplexie : dans la première, c'est par le cœur ; dans la seconde, par le poumon ; dans la troisième, par le cerveau, que commence la mort générale.

La mort qui succède aux diverses maladies enchaîne ordinairement ces divers phénomènes, d'abord l'un de ces trois organes aux deux autres, et ensuite aux diverses parties. La circulation, la respiration ou l'action cérébrale cessent ; les autres fonctions s'interrompent après cela d'une manière nécessaire. Or, il arrive assez rarement que le cœur soit le premier qui finisse dans ces genres de morts. On l'observe cependant quelquefois : ainsi, à la suite de longues douleurs, dans les grandes suppurations, dans les pertes, dans les hydropisies, dans certaines fièvres, dans les gangrènes, etc., souvent des syncopes surviennent à différents intervalles ; une plus forte se manifeste ; le malade ne peut la soutenir ; il y succombe ; et alors, quelle que soit la partie de l'économie qui se trouve affectée, quel que soit le viscère ou l'organe malade, les phénomènes de la mort se succèdent en commençant par le cœur, et s'enchaînent de la manière que nous l'avons exposé plus haut pour les morts subites dont les lésions de cet organe sont le principe.

Dans les autres cas, le cœur finit ses fonctions après les autres parties ; il est l'*ultimum moriens*.

En général, il est beaucoup plus commun dans les diverses affections morbifiques, soit chroniques, soit aiguës, que la poitrine s'embarrasse, et que la mort commence par le poumon, que par le cœur ou le cerveau.

Quand une syncope termine les différentes maladies, on observe constamment sur le cadavre que les poumons sont dans une vacuité presque entière : le sang ne les engorge point. Si aucun vice organique n'existe préliminairement en eux, ils sont affaissés, n'occupent qu'une partie de la cavité pectorale, présentent la couleur qui leur est naturelle.

La raison de ce fait anatomique est simple. La circulation, qui a été tout à coup interrompue, qui ne s'est point graduellement affaiblie, n'a pas eu le temps de remplir les vaisseaux du poumon, comme cela arrive lorsque la mort générale commence par celui-ci, et même par le cerveau, comme nous le verrons. J'ai déjà un grand nombre d'observations de sujets où le poumon s'est trouvé ainsi vide, et dont j'ai appris que la fin avait été amenée par une syncope.

En général, toutes les fois que la mort a commencé par le cœur ou les gros vaisseaux, et qu'elle a été subite, on peut considérer cette vacuité des poumons comme un phénomène presque universel. On le remarque dans les grandes hémorrhagies par les plaies, dans les ruptures anévrismales, dans les morts par les passions violentes, etc. Je l'ai observé sur les cadavres de personnes suppliciées par la guillotine. Tous les animaux que l'on tue dans nos boucheries présentent cette disposition. Le poumon de veau que l'on sert sur nos tables est toujours affaissé et jamais infiltré de sang.

On pourrait, en faisant périr lentement l'animal par le poumon, engorger cet organe, et lui donner un goût qui serait tout différent de son goût naturel, et qui se rapprocherait de celui que la rate nous présente plus communément. Les cuisiniers ont avantageusement mis à profit l'infiltration sanguine où se trouve presque constamment ce dernier viscère, pour assaisonner différents mets. A son défaut, on pourrait à volonté se procurer un poumon également infiltré, en asphyxiant peu à peu l'animal. [V]

ARTICLE VI.

DE L'INFLUENCE QUE LA MORT DU POUMON EXERCE SUR CELLE DU CŒUR.

Nous avons dit plus haut que les fonctions du poumon étaient de deux sortes, mécaniques et chimiques. Or, la cessation d'activité de cct organe commence tantôt par les unes, tantôt par les autres.

Une plaie qui le met à découvert de l'un et de l'autre côté, dans une étendue considérable, et qui en détermine l'affaissement subit; la section de la moelle épinière, qui paralyse tout à coup les intercostaux et le diaphragme; une compression très-forte exercée en même temps et sur tout le thorax et sur les parois de l'abdomen, compression d'où naît une impossibilité égale, et pour la dilatation suivant le diamètre transversal, et pour celle suivant le diamètre perpendiculaire de la poitrine; l'injection subite d'une grande quantité de fluide dans cette cavité, etc., etc. : voilà des causes qui font commencer la mort du poumon par les phénomènes mécaniques. Celles qui portent sur les chimiques leur première influence sont l'asphyxie par les différents gaz, par la strangulation, par la submersion, par le vide produit d'une manière quelconque, etc.

Examinons dans l'un et l'autre genre de mort du poumon, comment arrive celle du cœur.

§ I. Déterminer comment le cœur cesse d'agir par l'interruption des phénomènes mécaniques du poumon.

L'interruption de l'action du cœur ne peut succéder à celle des phénomènes mécaniques du poumon que de deux manières : 1° directement, parce que le sang trouve alors dans cet organe un obstacle mécanique réel à sa circulation; 2° indirectement, parce que, le poumon cessant d'agir mécaniquement, il ne reçoit plus l'aliment nécessaire à ses phénomènes chimiques, dont la fin détermine celle de la contraction du cœur.

Tous les physiologistes ont admis le premier mode d'interruption dans la circulation pulmonaire. Repliés sur eux-mêmes, les vaisseaux ne leur ont point paru propres à transporter le sang à cause des nombreux frottements qu'il y éprouve. C'est par cette explication, empruntée des phénomènes hydrauliques, qu'ils ont rendu raison de la mort qui succède à une expiration trop prolongée.

Goodwyn a prouvé que l'air, restant alors dans les vésicules aériennes en assez grande quantité, pouvait suffisamment les distendre pour permettre mécaniquement le passage de ce fluide, et qu'ainsi la permanence contre nature de l'expiration n'agit point de la manière dont on le croit communément. C'est un pas fait vers la vérité; mais on peut s'en approcher de plus près, l'atteindre même, en assurant que ce n'est point seulement parce que tout l'air n'est pas chassé du poumon par l'expiration, que le sang y circule encore avec facilité, mais bien parce que les plis produits dans les vaisseaux par l'affaissement des cellules ne peuvent être un obstacle réel à son cours. Les observations et expériences suivantes établissent, je crois, incontestablement ce fait.

1° J'ai prouvé ailleurs que l'état de plénitude ou de vacuité de l'estomac et de tous les organes creux en général n'apporte dans leur circulation aucun changement apparent; que par conséquent le sang traverse aussi facilement les vaisseaux repliés sur eux-mêmes que distendus en tous sens. Pourquoi un effet tout différent naîtrait-il dans le poumon de la même disposition des parties?

2° Il est différents vaisseaux dans l'économie, que l'on peut alternativement et à volonté ployer sur eux-mêmes ou étendre en tous sens : tels sont ceux du mésentère, lorsqu'on les a mis à découvert par une plaie pratiquée à l'abdomen d'un animal. Or, dans cette expérience, déjà faite pour prouver l'influence de la direction flexueuse des artères sur le mécanisme de leur pulsation, si l'on ouvre une des mésentériques, qu'on la plisse et qu'on la déploie tour

15.

à tour, le sang jaillira dans l'un et l'autre cas avec la même facilité, et dans deux temps égaux l'artère versera une égale quantité de fluide. J'ai répété plusieurs fois comparativement cette double expérience sur la même artère ; toujours j'en ai obtenu le résultat que j'indique. Or, ce résultat ne doit-il pas être aussi uniforme dans le poumon? L'analogie l'indique ; l'expérience suivante le prouve.

3° Prenez un animal quelconque, un chien par exemple ; adaptez à sa trachée-artère mise à nu et coupée transversalement le tube d'une seringue à injection ; retirez subitement, en faisant le vide avec celle-ci, tout l'air contenu dans le poumon ; ouvrez en même temps l'artère carotide. Il est évident que, dans cette expérience, la circulation devrait subitement s'interrompre, puisque les vaisseaux pulmonaires passent tout à coup du degré d'extension ordinaire au plus grand reploiement possible, et cependant le sang continue encore quelque temps à être lancé avec force par l'artère ouverte, et par conséquent à circuler à travers le poumon affaissé sur lui-même. Il cesse ensuite peu à peu ; mais c'est par d'autres causes que nous indiquerons.

4° On produit le même effet en ouvrant des deux côtés la poitrine d'un animal vivant : alors le poumon s'affaisse aussitôt, parce que l'air échauffé et raréfié contenu dans cet organe ne peut faire équilibre avec l'air frais qui le presse au dehors (1). Or, ici aussi la circulation n'éprouve

_____

(1) Comme dans les cadavres l'air du dedans et celui du dehors sont à la même température, le poumon n'éprouve, quand il en est plein, aucun affaissement, lorsqu'on ouvre la cavité pectorale. Ordinairement un espace existe alors entre ses parois et l'organe qu'elles renferment : ce n'est point parce que nous mourons dans l'expiration, car à mesure que le poumon se vide par elle, les côtes et les intercostaux s'appuient sur cet organe ; c'est que l'air pulmonaire, en se refroidissant, occupe moins d'espace, et que les cellules, en se resserrant peu à peu, à mesure que le refroidissement a lieu, diminuent le volume total de l'organe. Un vide se fait donc alors entre les deux portions pectorale et pulmonaire de la plèvre.

point l'influence de ce changement subit ; elle se soutient encore quelques minutes au même degré, et ne s'affaiblit ensuite que par gradation. On peut, pour plus d'exactitude,

C'est ainsi que, dans certaines circonstances, le cerveau s'affaissant et diminuant de volume après la mort, tandis que la cavité du crâne reste la même, un vide s'établit entre ces deux parties, qui nous offrent alors une disposition étrangère à celle des organes vivants. Si les sacs sans ouverture que représentent le péritoine, la tunique vaginale, etc., ne ressemblent jamais par là à ceux que forment la plèvre et l'arachnoïde ; si toujours leurs surfaces diverses sont contiguës après la mort, c'est que les parois abdominales ou la peau du scrotum, incapables de résister à l'air extérieur, s'affaissent sous sa pression, et s'appliquent aux organes intérieurs à mesure que la diminution de ceux-ci tend à former le vide.

C'est à ce vide existant dans la plèvre des cadavres qu'il faut rapporter le phénomène suivant, qu'on observe toujours lorsqu'on ouvre l'abdomen et qu'on dissèque le diaphragme. En effet, tant qu'aucune ouverture n'est pratiquée à ce muscle, il reste distendu et concave, malgré le poids des viscères pectoraux qui appuient sur lui dans la situation perpendiculaire, parce que l'air extérieur qui en presse la concavité l'enfonce alors dans le vide de la poitrine, lequel n'existe jamais pendant la vie. Mais qu'on donne accès à l'air par un coup de scalpel, à l'instant cette cloison musculeuse s'affaisse, parce que l'équilibre s'établit. Si on vide avec une seringue tout l'air du poumon, la voûte diaphragmatique se prononce davantage.

Il y a donc cette différence entre l'ouverture d'un cadavre et celle d'un sujet vivant, que dans le premier le poumon était déjà affaissé, que dans le second il s'affaisse à l'instant de l'ouverture. Le retour des cellules sur elles-mêmes, lorsque l'air refroidi se condense et occupe moins d'espace, est un effet de la contractilité de tissu ou par défaut d'extension, laquelle, comme nous l'avons dit, reste encore en partie aux organes après leur mort.

D'ailleurs, si le poumon s'affaissait dans le cadavre à l'instant de l'ouverture de la poitrine, ce serait à cause de la pression exercée par l'air extérieur, pression qui expulserait à travers la trachée-artère celui contenu dans cet organe. Or, si pour empêcher la sortie de ce fluide vous bouchez hermétiquement le canal en y adaptant un tube dont le robinet se trouve fermé, et qu'ensuite la poitrine soit ouverte, le poumon est également affaissé ; donc l'air en était déjà sorti. Faites au contraire la même expérience sur un animal vivant, vous empêcherez toujours l'affaissement de cet organe en prévenant l'expulsion de l'air.

pomper avec une seringue le peu d'air resté encore dans les vésicules, et le même phénomène s'observe également dans ce cas.

5° A côté de ces considérations, plaçons, comme accessoires, la permanence et même la facilité de la circulation pulmonaire dans les collections aqueuse, purulente ou sanguine, soit de la plèvre, soit du péricarde, collections dont quelques-unes rétrécissent si prodigieusement les vésicules aériennes, plissent par conséquent les vaisseaux de leurs parois d'une manière si manifeste, nous aurons alors assez de données pour pouvoir évidemment conclure que la disposition flexueuse des vaisseaux ne saurait jamais y être un obstacle au passage du sang; que par conséquent l'interruption des phénomènes mécaniques de la respiration ne fait point directement cesser l'action du cœur, mais qu'elle la suspend indirectement, parce que les phénomènes chimiques ne peuvent plus s'exercer, faute de l'aliment qui les entretient.

Si donc nous parvenons à déterminer comment, lorsque

Sous ce rapport, Goodwyn est parti d'un principe faux, pour mesurer sur le cadavre la quantité d'air restant dans le poumon après chaque expiration. D'ailleurs, pour peu qu'on ait ouvert de sujets, on doit être convaincu qu'à peine trouve-t-on sur deux le poumon dans la même disposition. La manière infiniment variée dont se termine la vie, en accumulant plus ou moins de sang dans cet organe, en y retenant plus ou moins d'air, etc., lui donne un volume si variable, qu'aucune donnée générale ne peut être établie. D'un autre côté, peut-on espérer d'être plus heureux sur le vivant ? Non ; car qui ne sait que la digestion, l'exercice, le repos, les passions, le calme de l'âme, le sommeil, la veille, le tempérament, le sexe, etc., font varier à l'infini et la rapidité du sang qui le traverse, et la quantité d'air qui le pénètre ? Tous les calculs sur la somme de ce fluide, entrant ou sortant suivant l'inspiration ou l'expiration, me paraissent des contre-sens physiologiques, en ce qu'ils assimilent la nature des forces vitales à celle des forces physiques. Ils sont aussi inutiles à la science que ceux qui avaient autrefois pour objet la force musculaire, la vitesse du sang, etc. D'ailleurs, voyez si leurs auteurs sont plus d'accord entre eux qu'on ne l'était autrefois sur ce point tant agité.

ces derniers phénomènes sont anéantis, le cœur reste inactif, nous aurons résolu une double question.

Plusieurs auteurs ont admis, comme cause de la mort
qui succède à une inspiration trop prolongée, la distension
mécanique des vaisseaux pulmonaires par l'air raréfié, distension qui y empêche la circulation. Cette cause n'est pas
plus réelle que celle des plis à la suite de l'expiration. En
effet, gonflez le poumon par une quantité d'air plus grande
que celle des plus fortes inspirations; maintenez cet air
dans les voies aériennes, en fermant un robinet adapté à la
trachée-artère; ouvrez ensuite la carotide, vous verrez le
sang couler encore assez longtemps avec une impétuosité
égale à celle qu'il affecte lorsque la respiration est parfaitement libre; ce n'est que peu à peu que son cours se ralentit, tandis qu'il devrait subitement s'interrompre, si
cette cause, qui agit d'une manière subite, était, en effet,
celle qui arrête le sang dans ses vaisseaux.

§ II. Déterminer comment le cœur cesse d'agir par l'interruption des phénomènes
chimiques du poumon.

Selon Goodwyn, la cause unique de la cessation des contractions du cœur, lorsque les phénomènes chimiques s'interrompent, est le défaut d'excitation du ventricule à sang
rouge, qui ne trouve point dans le sang noir un stimulus
suffisant; en sorte que, dans sa manière de considérer
l'asphyxie, la mort n'arrive alors que parce que cette cavité
ne peut plus rien transmettre aux divers organes. Elle survient presque comme dans une plaie du ventricule gauche,
ou plutôt comme dans une ligature de l'aorte à sa sortie
du péricarde. Son principe, sa source, sont exclusivement
dans le cœur. Les autres parties ne meurent que faute de
recevoir du sang : à peu près comme dans une machine
dont on arrête le ressort principal, tous les autres cessent
d'agir, non par eux-mêmes, mais parce qu'ils ne sont point
mis en action.

Je crois, au contraire, que, dans l'interruption des phénomènes chimiques du poumon, il y a affection générale
de toutes les parties ; qu'alors le sang noir, poussé partout, porte sur chaque organe où il aborde l'affaiblissement
et la mort ; que ce n'est pas faute de recevoir du sang,
mais faute d'en recevoir du rouge, que chacun cesse d'a-
gir ; qu'en un mot, tous se trouvent alors pénétrés de la
cause matérielle de leur mort, savoir, du sang noir ; en
sorte que, comme je le dirai, on peut isolément asphyxier
une partie, en y poussant cette espèce de fluide par une
ouverture faite à l'artère, tandis que toutes les autres reçoivent le sang rouge du ventricule.

Je remets aux articles suivants à prouver l'effet du contact du sang noir sur toutes les autres parties : je me
borne, dans celui-ci, à bien rechercher les phénomènes de
ce contact sur les parois du cœur.

Le mouvement du cœur peut se ralentir et cesser sous
l'influence du sang noir de deux manières : 1° parce que,
comme l'a dit Goodwyn, le ventricule gauche n'est point
excité par lui à sa surface interne ; 2° parce que, porté
dans son tissu par les artères coronaires, ce fluide empêche
l'action de ses fibres, agit sur elles comme sur toutes les
autres parties de l'économie, en affaiblissant leur force,
leur activité. Or, je crois que le sang noir peut, comme le
rouge, porter à la surface interne du ventricule aortique
une excitation qui le force à se contracter. Les observations
suivantes me paraissent confirmer cette assertion.

1° Si l'asphyxie avait sur les fonctions du cœur une
semblable influence, il est évident que ses phénomènes
devraient toujours commencer par la cessation de l'action
de cet organe, que l'anéantissement des fonctions du cerveau ne devrait être que secondaire, comme il arrive dans
la syncope, où le pouls est sur-le-champ suspendu, et où,
par là même, l'action cérébrale se trouve interrompue.

Cependant, asphyxiez un animal, en bouchant sa trachée-artère, en le plaçant dans le vide, en ouvrant sa poi-

trine, en le plongeant dans le gaz acide carbonique, etc., vous observerez constamment que la vie animale s'interrompt d'abord, que les sensations, la perception, la locomotion volontaire, la voix se suspendent, que l'animal est mort au dehors, mais qu'au dedans le cœur bat encore quelque temps, que le pouls se soutient, etc.

Il arrive donc alors, non ce qu'on observe dans la syncope, où le cerveau et le cœur s'arrêtent en même temps, mais ce qu'on remarque dans les violentes commotions, où le second survit encore quelques instants au premier. Il suit de là que les différents organes ne cessent pas d'agir dans l'asphyxie, parce que le cœur n'y envoie plus de sang, mais parce qu'il y pousse un sang qui ne leur est point habituel.

2° Si on bouche la trachée d'un animal, une artère quelconque étant ouverte, on voit, comme je le dirai, le sang qui en sort s'obscurcir peu à peu, et enfin devenir aussi noir que le veineux. Or, malgré ce phénomène qui se passe d'une manière très-apparente, le fluide continue encore quelque temps à jaillir avec une force égale à celle du sang rouge. Il est des chiens qui, dans cette expérience, versent par l'artère ouverte une quantité de sang noir plus que suffisante pour les faire périr d'hémorrhagie, si la mort n'était pas déjà amenée chez eux par l'asphyxie où ils se trouvent.

3° On pourrait croire que quelques portions d'air respirable, restées dans les cellules aériennes tant que le sang noir continue à couler, lui communiquent encore quelques principes d'excitation : eh bien, pour s'assurer que le sang veineux passe dans le ventricule à sang rouge, tel qu'il était exactement dans celui à sang noir, pompez avec une seringue tout l'air de la trachée-artère, préliminairement mise à nu, et coupée transversalement pour y adapter le robinet ; ouvrez ensuite une artère quelconque, la carotide, par exemple. Dès que le sang rouge contenu dans cette artère se sera écoulé, le sang noir lui succédera presque

tout à coup et sans passer, comme dans le cas précédent,
par diverses nuances ; alors aussi le jet reste encore très-
fort pendant quelque temps ; il ne s'affaiblit que peu à peu,
tandis que si le sang noir n'était point un excitant du
cœur, son interruption devrait être subite, ici où le sang ne
peut éprouver aucune espèce d'altération dans le poumon,
où il est dans l'aorte ce qu'il était dans les veines caves.

4º Voici une autre preuve du même genre. Mettez à
découvert un seul côté de la poitrine, en sciant exactement les côtes en devant et en arrière, aussitôt le poumon
de ce côté s'affaisse, l'autre restant en activité. Ouvrez
une des veines pulmonaires ; remplissez une seringue,
échauffée à la température du corps, du sang noir pris
dans une veine du même animal, ou dans celle d'un autre ;
poussez ce fluide dans l'oreillette et le ventricule à sang
rouge : il est évident que son contact devrait, d'après l'o-
pinion commune sur l'asphyxie, non pas anéantir le mouvement de ces cavités, puisqu'elles reçoivent en même
temps du sang rouge de l'autre poumon, mais au moins
le diminuer d'une manière sensible. Cependant je n'ai
point observé ce phenomène dans quatre expériences que
j'ai faites successivement ; l'une m'a offert un surcroît de
battement à l'instant où j'ai poussé le piston de la seringue.

5º Si le sang noir n'est point un excitant du cœur, tandis que le rouge en détermine la contraction, il paraît que
cela ne peut dépendre que de ce qu'il est plus carboné et
plus hydrogéné que lui, puisque c'est là qu'il en diffère
principalement. Or, si le cœur a cessé de battre dans un
animal tué exprès par une lésion du cerveau ou du poumon, on peut, tant qu'il conserve encore son irritabilité,
rétablir l'exercice de cette propriété en soufflant par l'aorte,
ou par une des veines pulmonaires, soit du gaz hydrogène, soit du gaz acide carbonique, dans le ventricule et
l'oreillette à sang rouge. Donc, ni le carbone ni l'hydrogène n'agissent sur le cœur comme sédatifs.

Les expériences que j'ai faites et publiées l'an passé sur

les emphysèmes produits dans divers animaux avec ces deux gaz ont également établi cette vérité pour les autres muscles, puisque leurs mouvements ne cessent point dans ces expériences, et qu'après la mort l'irritabilité se conserve comme à l'ordinaire.

Enfin, il m'est également arrivé de rétablir les contractions du cœur, anéanties dans diverses morts violentes, par le contact du sang noir injecté dans le ventricule et l'oreillette à sang rouge, avec une seringue adaptée à l'une des veines pulmonaires.

Le cœur à sang rouge peut donc aussi pousser le sang noir dans toutes les parties, et voilà comment arrive dans l'asphyxie la coloration des différentes surfaces, coloration dont je présenterai le détail dans l'un des articles suivants.

Le simple contact du sang noir n'agit pas à la surface interne des artères d'une manière plus sédative. En effet, si, pendant que le robinet adapté à la trachée-artère est fermé, on laisse couler le sang de l'un des vaisseaux les plus éloignés du cœur, d'un de ceux du pied, par exemple, il jaillit encore quelque temps avec une force égale à celle qu'il avait lorsque le robinet était ouvert, et que par conséquent il était rouge. L'action exercée dans tout son trajet depuis le cœur sur les parois artérielles ne diminue donc point l'énergie de ces parois. Lorsque cette énergie s'affaiblit, c'est, au moins en grande partie, par des causes différentes.

Concluons des expériences dont je viens d'exposer les résultats, et des considérations diverses qui les accompagnent, que le sang noir, arrivant en masse au ventricule à sang rouge et dans le système artériel, peut par son seul contact en déterminer l'action, les irriter, comme on le dit, à leur surface interne, en être un excitant; que si aucune autre cause n'arrêtait leurs fonctions, la circulation continuerait, sinon peut-être avec tout autant de force, au moins d'une manière très-sensible.

Quelles sont donc les causes qui interrompent la circu-

14

lation dans le cœur à sang rouge et dans les artères, lorsque le poumon y envoie du sang noir ? (Car, lorsque celui-
ci y a coulé quelque temps, son jet s'affaiblit peu à peu,
cesse enfin presque entièrement ; et si on ouvre alors le
robinet adapté à la trachée-artère, il se rétablit bientôt
avec force.)

Je crois que le sang noir agit sur le cœur ainsi que sur
toutes les autres parties, comme nous verrons qu'il influence le cerveau, les muscles volontaires, les membranes, etc., tous les organes, en un mot, où il se répand,
c'est-à-dire en pénétrant son tissu, en affaiblissant chaque
fibre en particulier ; en sorte que je suis très-persuadé que,
s'il était possible de pousser par l'artère coronaire du sang
noir, pendant que le rouge passe, comme à l'ordinaire,
dans l'oreillette et le ventricule aortiques, la circulation
serait presque aussi vite interrompue que dans les cas précédents, où le sang noir ne pénètre le tissu du cœur par
les artères coronaires qu'après avoir traversé les deux cavités à sang rouge.

C'est par son contact avec les fibres charnues, à l'extrémité du système artériel, et non par son contact sur la
surface interne du cœur, que le sang noir agit : aussi ce
n'est que peu à peu, et lorsque chaque fibre en a été bien
pénétrée, que sa force diminue et cesse enfin, tandis que
la diminution et la cessation devraient, comme je l'ai fait
observer, être presque subites dans le cas contraire.

Comment le sang noir agit-il ainsi, à l'extrémité des artères, sur les fibres des différents organes ? Est-ce sur ces
fibres elles-mêmes, ou bien sur les nerfs qui s'y rendent,
qu'il porte son influence ? Je serais encore porté à admettre la dernière opinion, et à considérer la mort par l'asphyxie comme un effet généralement produit par le sang
noir sur les nerfs qui, dans toutes les parties, accompagnent les artères où circule alors cette espèce de fluide ;
car, d'après ce que nous dirons, l'affaiblissement qu'é-
prouve alors le cœur n'est qu'un symptôme particulier de

cette maladie dans laquelle tous les autres organes sont le siége d'une semblable débilité.

On pourrait demander aussi comment le sang noir agit sur les nerfs ou sur les fibres. Est-ce que les principes qu'il contient en abondance en affaiblissent directement l'action, ou bien n'interrompt-il cette action que par l'absence de ceux qui entrent dans la composition du sang rouge, etc., etc.? Là reviendraient les questions de savoir si l'oxygène est le principe de l'irritabilité, si le carbone et l'hydrogène agissent d'une manière inverse, etc., etc.

Arrêtons-nous quand nous arrivons aux limites de la rigoureuse observation; ne cherchons pas à pénétrer là où l'expérience ne peut nous éclairer. Or, je crois que nous établirons une assertion très-conforme à ces principes, les seuls, selon moi, qui doivent diriger tout esprit judicieux, en disant en général, et sans déterminer comment, que le cœur cesse d'agir lorsque les phénomènes chimiques du poumon sont interrompus, parce que le sang noir qui pénètre ses fibres charnues n'est point propre à entretenir leur action.

D'après cette manière d'envisager les phénomènes de l'asphyxie, relativement au cœur, il est évident qu'ils doivent également porter leur influence sur l'un et sur l'autre ventricule, puisque alors le sang noir est distribué en proportion égale dans les parois charnues de ces cavités, par le système des artères coronaires. Cependant on observe constamment que le côté à sang rouge cesse le premier d'agir, que celui à sang noir se contracte encore quelque temps, qu'il est, comme on le dit, l'*ultimum moriens*.

Ce phénomène suppose-t-il un affaiblissement plus réel, une mort plus prompte dans l'une que dans l'autre des cavités du cœur? Non; car, comme l'observe Haller, il est commun à tous les genres de mort des animaux à sang chaud, et n'a rien de particulier pour l'asphyxie.

Si d'ailleurs le ventricule à sang rouge mourait le premier, comme le suppose la théorie de Goodwyn, alors

voici ce qui devrait arriver dans l'ouverture des cadavres
asphyxiés : 1° distension de ce ventricule et de l'oreillette
correspondante, par le sang noir qu'ils n'auraient pu chasser dans l'aorte ; 2° plénitude égale des veines pulmonaires et même des poumons ; 3° engorgement consécutif de
l'artère pulmonaire et des cavités à sang noir. En un mot,
la congestion du sang devrait commencer dans celui de
ses réservoirs qui cesse le premier son action, et se pro-
pager ensuite, de proche en proche, dans les autres.

Quiconque a ouvert des cadavres d'asphyxiés a dû se
convaincre, au contraire, 1° que les cavités à sang rouge
et les veines pulmonaires ne contiennent alors qu'une
quantité de sang noir très-petite en comparaison de la
quantité du même fluide qui distend les cavités opposées ;
2° que le terme où le sang s'est arrêté est principalement
dans le poumon, et que c'est depuis là qu'il faut partir
pour suivre sa stase dans tout le système veineux ; 3° que
les artères en renferment à proportion tout autant que le
ventricule qui leur correspond, et que ce n'est point par
conséquent dans le ventricule plutôt qu'ailleurs qu'à commencé la mort.

Pourquoi cette portion du cœur cesse-t-elle donc de
battre avant l'autre ? Haller l'a dit : c'est que celle-ci est
plus longtemps excitée, contient une quantité plus grande
de sang, laquelle afflue des veines et reflue du poumon.
On connaît la fameuse expérience par laquelle, en vidant
les cavités à sang noir, et en liant l'aorte pour retenir ce
fluide dans les poches à sang rouge, il a prolongé le battement des secondes bien au delà de celui des premières.
Or, dans cette expérience, il est manifeste que c'est du
sang noir qui s'accumule dans l'oreillette et le ventricule
aortiques, puisque pour la faire il faut ouvrir préliminairement la poitrine, et que dès que les poumons sont à nu,
l'air, ne pouvant y pénétrer, ne saurait colorer ce fluide
dans son passage à travers le tissu de ces organes.

Voulez-vous encore une preuve plus directe ? Fermez la

trachée-artère par un robinet, immédiatement avant l'expérience : elle réussira également bien, et cependant le sang
arrivera alors nécessairement noir dans les cavités à sang
rouge. On peut d'ailleurs, en ouvrant ces cavités à la suite
de cette expérience et de la précédente, s'assurer de la
couleur du sang. J'ai plusieurs fois constaté ce fait remarquable.

Concluons de là que le sang noir excite, presque autant
que le rouge, la surface interne des cavités qui contiennent
ordinairement ce dernier ; et que si elles cessent leur action
avant celles du côté opposé, ce n'est pas parce qu'elles
sont en contact avec lui, mais au contraire parce qu'elles
n'en reçoivent pas une quantité suffisante, ou même quelquefois parce qu'elles en sont presque entièrement privées,
tandis que les cavités à sang noir s'en trouvent remplies.

Je ne prétends pas, malgré ce que je viens de dire, rejeter entièrement la non-excitation de la surface interne
du ventricule à sang rouge par le sang noir. Il est possible
que celui-ci soit un peu moins susceptible que l'autre
d'entretenir cette excitation, surtout s'il est vrai qu'il
agisse sur les nerfs que l'on sait s'épanouir et à la surface
interne et dans le tissu du cœur ; mais je crois que les considérations précédentes réduisent à bien peu de chose
cette différence d'excitation. Voici cependant une expérience où elle paraît assez manifeste. Si un robinet est
adapté à la trachée-artère coupée et mise à nu, et qu'on
vienne à le fermer, le sang noircit et jaillit noir pendant
quelque temps avec sa force ordinaire, mais enfin le jet
s'affaiblit peu à peu ; donnez alors accès à l'air, le sang
redevient plus rouge presque tout à coup, et son jet augmente aussi très-visiblement.

Cette augmentation subite paraît d'abord ne tenir qu'au
simple contact de ce fluide sur la surface interne du ventricule aortique, puisqu'il n'a pas eu le temps d'en pénétrer le tissu ; mais pour peu qu'on examine les choses attentivement, on observe bientôt qu'ici cette impétuosité

14.

d'impulsion dépend surtout de ce que l'air, entrant tout
à coup dans la poitrine, détermine l'animal à de grands
mouvements d'inspiration et d'expiration, lesquels deviennent très-apparents à l'instant où le robinet est ouvert. Or, le cœur, excité à l'extérieur, et peut-être un peu
comprimé par ces mouvements, expulse alors le sang avec
une force étrangère à ses contractions habituelles.

Ce que j'avance est si vrai, que, lorsque l'inspiration et
l'expiration reprennent leur degré accoutumé, le jet, quoique aussi rouge, diminue manifestement; il n'est même
plus poussé au delà de celui qu'offrait le sang noir dans
les premiers temps de son écoulement, et avant que le
tissu du cœur fût pénétré de ce fluide.

D'ailleurs, l'influence des grandes expirations sur la
force de projection du sang par le cœur est très-manifeste,
sans toucher à la trachée-artère. Ouvrez la carotide; précipitez la respiration en faisant beaucoup souffrir l'animal
.(car j'ai constamment observé que toute douleur subite
apporte tout à coup ce changement dans l'action du diaphragme et des intercostaux) ; précipitez, dis-je, la respiration, et vous verrez alors le jet du sang augmenter manifestement. Vous pourrez même souvent produire artificiellement cette augmentation en comprimant avec force
et d'une manière subite les parois pectorales. Ces expériences réussissent surtout sur les animaux déjà affaiblis
par la perte d'une certaine quantité de sang; elles sont
moins apparentes sur ceux pris avant cette circonstance.

· Pourquoi, dans l'état ordinaire, les grandes expirations
faites volontairement ne rendent-elles pas le pouls plus
fort, puisque dans les expériences elles augmentent très-
souvent le jet du sang ? J'en ignore la raison.

·Il suit de ce que nous venons de dire, que l'expérience
dans laquelle le sang rougit et jaillit tout à coup assez loin,
à l'instant où le robinet est ouvert, n'est pas aussi con-
cluante que d'abord elle m'avait paru ; car pendant plusieurs jours ce résultat m'a embarrassé, attendu qu'il ne

s'alliait point avec la plupart de ceux que j'obtenais.

Reconnaissons donc encore une fois que, si l'irritation produite par le sang rouge à la surface interne du cœur est un peu plus considérable que celle déterminée par le noir, l'excès est peu sensible, presque nul, et que l'interruption des phénomènes chimiques agit principalement de la manière que j'ai indiquée.

Dans les animaux à sang rouge et froid, dans les reptiles spécialement, l'action du poumon n'est point dans un rapport aussi immédiat avec celle du cœur que dans les animaux à sang rouge et chaud.

J'ai lié sur deux grenouilles les poumons à leur racine, après les avoir mis à découvert par deux incisions faites latéralement à la poitrine ; la circulation a continué comme à l'ordinaire pendant un temps assez long. En ouvrant la poitrine, j'ai vu même quelquefois le mouvement du cœur précipité à la suite de cette expérience, ce qui, il est vrai, tenait sans doute au contact de l'air.

Je terminerai cet article par l'examen d'une question importante : celle de savoir comment, lorsque les phénomènes chimiques du poumon s'interrompent, l'artère pulmonaire, le ventricule et l'oreillette à sang noir, tout le système veineux, en un mot, se trouvent gorgés de sang, tandis qu'on en rencontre beaucoup moins dans le système vasculaire à sang rouge, lequel en présente cependant davantage que dans la plupart des autres morts. Le poumon semble, en effet, être alors le terme où est venue finir la circulation, qui s'est ensuite arrêtée de proche en proche dans les autres parties.

Ce phénomène a dû frapper tous ceux qui ont ouvert des asphyxiés. Haller et autres l'expliquaient par les replis des vaisseaux pulmonaires. J'ai dit ce qu'il fallait penser de cette opinion.

Avant d'indiquer une cause plus réelle, remarquons que le poumon où s'arrête le sang, parce qu'il offre le premier obstacle à ce fluide, se présente dans un état qui varie singulièrement, suivant la manière dont s'est terminée la vie. Quand la mort a été prompte et instantanée, alors cet organe n'est nullement engorgé ; l'oreillette et le ventricule à sang noir, l'artère pulmonaire, les veines caves, etc., ne sont pas très-distendus.

J'ai observé ce fait : 1° sur les cadavres de deux personnes qui s'étaient pendues, et qu'on a apportées dans mon amphithéâtre ; 2° sur trois sujets tombés dans le feu, qui y avaient été tout à coup étouffés, et par là même asphyxiés ; 3° sur des chiens que je noyais subitement, ou dont j'interceptais l'air de la respiration en fermant tout à-coup un robinet adapté à la trachée-artère ; 4° sur des cochons d'Inde que je faisais périr dans le vide, dans les différents gaz, dans le carbonique spécialement, ou bien dont je liais l'aorte à sa sortie du cœur, ou enfin dont j'ouvrais simplement la poitrine pour interrompre les phénomènes mécaniques de la respiration ; car, dans cette dernière circonstance, c'est, comme je l'ai observé, parce que les phénomènes chimiques cessent que le cœur n'agit plus, etc., etc. Dans tous ces cas, le poumon n'était presque pas gorgé de sang.

Au contraire, faites finir dans un animal les phénomènes chimiques de la respiration d'une manière lente et graduée ; noyez-le en le plongeant dans l'eau et le retirant alternativement ; asphyxiez-le en le plaçant dans un gaz où vous laisserez d'instant en instant pénétrer un peu d'air ordinaire pour le soutenir, ou en ne fermant qu'incomplétement un robinet adapté à la trachée-artère ; en un mot, en faisant durer le plus longtemps possible cet état de gêne et d'angoisse qui, dans l'interruption des fonctions du poumon, est intermédiaire à la vie et à la mort : toujours vous observerez cet organe extrêmement engorgé par le sang, ayant un volume double, triple même de celui qu'il présente dans le cas précédent.

Entre l'extrême engorgement et la vacuité presque complète des vaisseaux pulmonaires, il est des degrés in-

finis ; or, on est le maître, suivant la manière dont on fait
périr l'animal, de déterminer tel ou tel de ces degrés ; je
l'ai très-souvent observé. C'est ainsi qu'il faut expliquer
l'état d'engorgement du poumon de tous les sujets dont
une longue agonie, une affection lente dans ses progrès
ont terminé la vie : la plupart des cadavres apportés dans
nos amphithéâtres présentent cette disposition.

Mais, quel que soit l'état du poumon dans les asphyxiés,
qu'il se trouve gorgé ou vide de sang, que la mort ait été
par conséquent longuement amenée ou subitement produite, toujours le système vasculaire à sang noir est alors
plein de ce fluide, surtout aux environs du cœur ; toujours
il y a, sous ce rapport, une grande différence entre lui et
le système vasculaire à sang rouge ; toujours, par conséquent, c'est dans le poumon que la circulation trouve son
principal obstacle.

De quelle cause peut donc naître cet obstacle que ne
présentent point au sang les plis de l'organe, ainsi que
nous l'avons vu ? Ces causes sont relatives : 1° au sang,
2° au poumon, 3° au cœur.

La cause principale, relative au sang, est la grande
quantité de ce fluide qui passe alors des artères dans les
veines. En effet, nous verrons bientôt que le sang noir circulant dans les artères n'est point susceptible de fournir aux
sécrétions, aux exhalations et à la nutrition, les matériaux
divers nécessaires à ces fonctions, ou que, s'il apporte ces
matériaux, s'il ne peut point exciter les organes, il les
laisse inactifs (1).

Il suit de là que toute la portion de ce fluide, enlevée

_____

(1) Voyez l'article de l'influence du poumon sur toutes les parties.
Je suis obligé ici de déduire des conséquences de principes que je ne
prouverai que plus bas : tel est, en effet, l'enchaînement des questions
qui ont pour objet la circulation, qu'il est impossible que la solution
de l'une amène comme conséquence nécessaire celle de toutes les
autres. C'est un cercle où il faut toujours supposer quelque chose,
sauf à le prouver ensuite.

ordinairement au système artériel par ces diverses fonctions, reflue dans le système veineux avec la portion qui doit y passer naturellement, et qui est le résidu de celui qui a été employé : de là une quantité de sang beaucoup plus grande que dans l'état habituel ; de là, par conséquent, bien plus de difficultés pour ce fluide à traverser le poumon.

Tous les praticiens qui ont ouvert des cadavres d'asphyxiés ont été frappés de l'abondance du sang qu'on y rencontre. M. Portal a fait cette observation ; je l'ai toujours constatée dans mes expériences.

Les causes relatives au poumon qui, chez les asphyxiés, arrêtent dans cet organe le sang qui le traverse, sont, d'abord son défaut d'excitation par le sang rouge. En effet, les artères bronchiques qui y portent ordinairement cette espèce de fluide, n'y conduisent plus alors que du sang noir ; de là la couleur brun obscur que prend cet organe, dès qu'on empêche d'une manière quelconque l'animal de respirer. On voit surtout très-bien cette couleur, et on distingue même ses nuances successives, lorsque, la poitrine étant ouverte, l'air ne peut pénétrer dans les cellules aériennes affaissées, pour rougir le sang qui y circule encore.

La noirceur du sang des veines pulmonaires concourt aussi, et même plus efficacement, vu sa quantité plus grande, à cette coloration, qu'il faut bien distinguer des taches bleuâtres naturelles au poumon dans certains animaux.

Le sang noir circulant dans les vaisseaux bronchiques produit sur le poumon le même effet qui, dans le cœur, naît de son contact, lorsqu'il pénètre cet organe par les coronaires : il affaiblit ses diverses parties, empêche leur action et la circulation capillaire qui s'y opère sous l'influence de leurs forces toniques.

La seconde cause qui, dans l'interruption des phénomènes chimiques du poumon, gêne la circulation de cet organe, c'est le défaut de son excitation par l'air vital. Le premier effet de cet air parvenant sur les surfaces muqueuses des cellules aériennes est de les exciter, de les stimuler, d'entretenir par conséquent le poumon dans une espèce d'éréthisme continuel : ainsi les aliments arrivant dans l'estomac excitent-ils ses forces ; ainsi tous les réservoirs sont-ils agacés par l'abord des fluides qui leur sont habituels.

Cette excitation des membranes muqueuses par les substances étrangères en contact avec elles soutient leurs forces toniques, qui tombent en partie, et laissent par conséquent la circulation capillaire moins active lorsque ce contact devient nul.

Les différents fluides aériformes qui remplacent l'air atmosphérique dans les diverses asphyxies paraissent agir à des degrés très-variés sur les forces toniques ou sur la contractilité organique insensible. Les uns, en effet, les abattent presque subitement, et arrêtent tout à coup la circulation, que d'autres laissent encore durer pendant plus ou moins longtemps. Comparez l'asphyxie par le gaz nitreux, l'hydrogène sulfuré, etc., à celle par l'hydrogène pur, par le gaz acide carbonique, etc., vous verrez une différence notable. Cette différence, ainsi que les effets variés qui résultent des diverses asphyxies, tiennent aussi, comme nous le verrons, à d'autres causes ; mais celle-ci y influe bien évidemment.

Enfin la cause relative au cœur qui, chez les asphyxiés, fait stagner le sang dans le système vasculaire veineux, c'est l'affaiblissement du ventricule et de l'oreillette de ce système, lesquels, pénétrés dans toutes leurs fibres par le sang noir, ne sont plus susceptibles de pousser avec énergie ce fluide vers le poumon, de surmonter par conséquent la résistance qu'il y trouve : ils se laissent donc distendre par lui, et ne peuvent non plus résister à l'abord de celui qu'y versent les veines caves. Celles-ci se gonflent aussi comme tout le système veineux, parce que leurs parois, cessant d'être excitées par le sang rouge, étant toutes pénétrées du noir, perdent peu à peu le ressort nécessaire à leurs fonctions.

Il est facile de concevoir d'après ce que nous venons de dire comment tout le système vasculaire à sang noir se trouve gorgé de ce fluide dans l'asphyxie.

On comprendra aussi par les considérations suivantes comment le système à sang rouge en contient une moindre quantité.

1° Comme l'obstacle commence au poumon, ce système en reçoit évidemment bien moins que de coutume ; de là, ainsi que nous avons vu, la cessation plus prompte des contractions du ventricule gauche.

2° La force naturelle des artères, quoique affaiblie par l'abord du sang noir dans les fibres de leurs parois, est cependant bien supérieure à celle du système veineux, soumis d'ailleurs à la même cause de débilité; par conséquent, ces vaisseaux et le ventricule aortique peuvent bien plus facilement surmonter la résistance des capillaires de tout le corps que les veines et le ventricule veineux peuvent vaincre celle des capillaires du poumon.

3° Il n'y a dans la circulation capillaire générale qu'une cause de ralentissement, savoir, le contact du sang noir sur tous les organes, tandis qu'à cette cause se joint, dans le poumon, l'absence d'excitation habituelle déterminée sur lui par l'air atmosphérique. Donc au poumon, d'une part, plus de résistance est offerte au sang qu'y apportent les veines, et moins de force se trouve, d'autre part, pour surmonter cette résistance; tandis que dans toutes les parties on observe, au contraire, à la terminaison des artères, et lors du passage de leur sang dans les veines, des obstacles plus faibles d'un côté, de l'autre des forces plus grandes pour vaincre ces obstacles.

4° Dans le système capillaire général, qui est l'aboutissant de celui des artères, si la circulation s'embarrasse d'abord dans un organe particulier, elle peut se faire encore un peu dans les autres, et alors le sang reflue par là dans les veines. Au contraire, comme tout le système capillaire auquel aboutit celui des veines se trouve concentré dans le poumon, si ce viscère perd ses forces, sa sensibilité et sa contractilité organiques insensibles, alors il est nécessaire que toute la circulation veineuse s'arrête.

Les considérations précédentes donnent, je crois, l'explication de l'inégalité dans la plénitude des deux systèmes vasculaires, inégalité que les cadavres asphyxiés ne présentent pas seuls, mais qui est aussi plus ou moins frappante à la suite de presque toutes les maladies.

Quoique le système capillaire général offre, dans l'asphyxie, moins de résistance aux artères que le système capillaire pulmonaire n'en présente alors aux veines, cependant cette résistance, née surtout de l'abord du sang noir à tous les organes dont il ne saurait entretenir les forces, y est très-manifeste, et elle produit deux phénomènes assez remarquables.

Le premier est la stase, dans les artères, d'une quantité de sang noir bien plus considérable qu'à l'ordinaire, quoique cependant beaucoup moindre que dans les veines. De là une grande difficulté chez les asphyxiés à faire les injections, qui réussissent en général d'autant mieux, que les artères sont plus vides : le sang qui s'y trouve alors est fluide, rarement pris en caillot, parce qu'il est veineux, et que tant qu'il porte ce caractère il est moins facilement coagulable, comme le prouvent, 1° les expériences des chimistes modernes ; 2° la comparaison de celui renfermé dans les varices avec celui contenu dans les anévrismes ; 3° l'inspection de celui qui stagne ordinairement après la mort dans les veines du voisinage du cœur, etc.

Le second phénomène né, dans l'asphyxie, de la résistance qu'oppose aux artères le système capillaire général affaibli, c'est la couleur livide que présentent la plupart des surfaces et les engorgements des diverses parties, comme de la face, de la langue, des lèvres, etc. Ces deux

15

phénomènes indiquent une stase du sang noir aux extrémités artérielles qu'il ne peut traverser, comme ils dénotent le même effet dans les vaisseaux pulmonaires, où l'engorgement est bien plus manifeste, parce que, comme je l'ai dit, le système capillaire est concentré là dans un très-petit espace, tandis qu'aux extrémités artérielles il est largement disséminé.

Tous les auteurs rapportent la couleur livide des asphyxiés au reflux du sang des veines vers les extrémités; cette cause est peu réelle. En effet, ce reflux, qui est très-sensible dans les troncs, va toujours en diminuant vers les ramifications, où les valvules le rendent nul et même presque impossible.

Voici d'ailleurs une expérience qui prouve manifestement que c'est à l'impulsion du sang noir, transmis par le ventricule aortique dans toutes les artères, qu'il faut attribuer cette coloration :

1° Adaptez un tube à robinet à la trachée-artère mise à nu et coupée transversalement en haut ; 2° ouvrez l'abdomen de manière à distinguer les intestins, l'épiploon, etc.; 3° fermez ensuite le robinet. Au bout de deux ou trois minutes, la teinte rougeâtre qui anime le fond blanc du péritoine, et que cette membrane emprunte des vaisseaux rampants au-dessous d'elle, se changera en un brun obscur, que vous ferez disparaître et reparaître à volonté en ouvrant le robinet et en le refermant.

On ne peut ici, comme si on faisait l'expérience sur d'autres parties, soupçonner un reflux se propageant du ventricule droit vers les extrémités veineuses, puisque les veines mésentériques font, avec les aut s branches de la veine porte, un système à part, indépendant du grand système à sang noir, et sans communication avec les cavités du cœur, qui correspond à ce système.

Je reviendrai ailleurs sur la coloration des parties par le sang noir; cette expérience suffit pour prouver qu'elle est un effet manifeste de l'impulsion artérielle, laquelle

's'exerce, sur ce fluide étranger, aux artères dans l'état ordinaire.

Il est facile, d'après tout ce que nous avons dit, d'expliquer comment le poumon est plus ou moins gorgé de
sang, plus ou moins brun ; comment les taches livides répandues sur les différentes parties du corps sont plus ou
moins marquées, suivant que l'asphyxie a été plus ou
moins prolongée.

Il est évident que si, avant la mort, le sang noir a fait
dix ou douze fois le tour des deux systèmes, il engorgera
bien davantage leurs extrémités que s'il les a seulement
parcourus deux ou trois fois, puisqu'à chacune il en reste,
dans ces extrémités, une quantité plus ou moins grande
par le défaut d'action des vaisseaux capillaires.

J'observe, en terminant cet article, que la rate est le seul
organe de l'économie susceptible, comme le poumon, de
prendre des volumes très-différents. A peine la trouve-t-
on deux fois dans le même état. Tantôt très-gorgée de
sang, tantôt presque vide de ce fluide, elle se montre dans
les divers sujets sous des formes très-variables.

On a faussement cru qu'il y avait un rapport entre la
plénitude ou la vacuité de l'estomac et les inégalités de la
rate. Les expériences m'ont appris le contraire, comme je
l'ai dit ailleurs : ces inégalités, étrangères à la vie, paraissent survenir seulement à l'instant de la mort.

Je crois qu'elles dépendent spécialement de l'état du
foie, dont les vaisseaux capillaires sont l'aboutissant de tous
les troncs de la veine porte, comme les capillaires du poumon sont celui du grand système veineux ; en sorte que
quand les capillaires hépathiques sont affaiblis par une
cause quelconque, nécessairement la rate doit s'engorger,
et se remplir du sang qui ne peut traverser le foie. Il survient alors, si je puis m'exprimer ainsi, une asphyxie isolée dans l'appareil vasculaire abdominal.

Dans ce cas, le foie est à la rate ce que le poumon est
aux cavités à sang noir dans l'asphyxie ordinaire : c'est

dans le premier organe qu'est la résistance; c'est dans le second que se fait la stase sanguine. Mais ceci pourra être éclairé par des expériences sur les animaux tués de différentes manières. Je me propose de fixer rigoureusement, par ce moyen, l'analogie qu'il y a entre le séjour du sang dans les branches diverses de la veine porte, et celui qu'on observe dans le système veineux général, à la suite de divers genres de mort. Je n'ai point observé de particularités pour la rate et son système de veines, dans l'asphyxie ordinaire.

Au reste, il est inutile de dire qu'on doit distinguer l'engorgement de ce viscère par le sang qui l'infiltre à l'instant de la mort, engorgement que tous ceux qui ont vu des cadavres ont observé, d'avec celui plus rare que déterminent, dans cet organe, les maladies diverses. L'inspection suffit pour ne pas s'y méprendre.

ARTICLE VII.

DE L'INFLUENCE QUE LA MORT DU POUMON EXERCE SUR CELLE DU CERVEAU.

Nous venons de voir que c'est en envoyant du sang noir dans les fibres charnues du cœur, en agissant peut-être sur les nerfs par le contact de ce sang, que le poumon influe, dans l'asphyxie, sur la cessation des battements de cet organe. Ce fait semble d'avance nous en indiquer un analogue dans le cerveau : l'observation le prouve indubitablement.

Quelle que soit la manière dont s'interrompe l'action pulmonaire, que les phénomènes chimiques ou que les mécaniques cessent les uns avant les autres, toujours ce sont les premiers dont l'altération jette le trouble dans les fonctions cérébrales. Ce que j'ai dit sur ce point, relativement au cœur, est exactement applicable au cerveau : je ne me répéterai pas.

Il s'agit donc de montrer, par l'expérience et par l'observation des maladies, que, dans l'interruption des fonctions chimiques du poumon, c'est le sang noir qui interrompt l'action du cerveau, et sans doute celle de tout le système nerveux. Examinons d'abord les expériences relatives à cet objet.

J'ai d'abord commencé par transfuser au cerveau d'un animal le sang artériel d'un autre, afin que cet essai me servît de terme de comparaison pour les suivants. L'une des carotides étant ouverte dans un chien, on y adapte un tube du côté du cœur, et on lie la portion correspondante au cerveau ; on coupe ensuite la même artère sur un autre chien : une ligature est placée au-dessus de l'ouverture à laquelle on fixe l'autre extrémité du tube. Alors un aide, qui faisait avec les doigts la compression de la carotide du premier chien, cesse d'y interrompre le cours du sang, lequel est poussé avec force par le cœur de cet animal vers le cerveau de l'autre : aussitôt les battements de l'artère, qui avaient cessé dans celui-ci, au-dessus du tube, se renouvellent et indiquent le trajet du fluide. Cette opération fatigue peu l'animal qui reçoit le sang, surtout si on a eu soin d'ouvrir une de ses veines, pour éviter une trop grande plénitude des vaisseaux : il vit très-bien ensuite.

Nous pouvons donc conclure de cette expérience, souvent répétée, que le contact d'un sang rouge étranger n'est nullement capable d'altérer les fonctions cérébrales.

J'ai, après cela, adapté à la carotide ouverte sur un chien, tantôt l'une des veines d'un autre chien par un tube droit, tantôt la jugulaire du même par un tube recourbé, de manière à ce que le sang noir parvînt au cerveau par le système à sang rouge. L'animal qui était censé recevoir le fluide n'a éprouvé aucun trouble dans plusieurs expériences, qui m'étonnaient d'autant plus, que leur résultat ne s'accordait point avec celui des essais tentés sur les autres organes. J'en ai enfin aperçu la raison : c'est que le sang noir ne parvient point alors au cerveau. Le mouvement qui

15.

s'établit dans la partie supérieure de l'artère ouverte, et qui projette le sang rouge en sens opposé à celui où il coule ordinairement, est égal et même supérieur à l'impulsion veineuse qu'il surmonte et dont il empêche l'effet, comme on peut le voir en ouvrant la portion d'artère placée au-dessus du tube qui devrait y conduire du sang noir. Ce mouvement paraît dépendre et des forces contractiles organiques de l'artère, et de l'impulsion du cœur, qui fait refluer le sang par les anastomoses, en sens opposé à celui qui lui est naturel.

Il faut donc recourir à un moyen plus actif pour pousser cette espèce de sang au cerveau. Or, ce moyen était bien simple à trouver. J'ai ouvert, sur un animal, la carotide et la jugulaire; j'ai reçu, dans une seringue échauffée à la température du corps, le fluide que versait cette dernière, et je l'ai injecté au cerveau par la première, que j'avais liée du côté du cœur pour éviter l'hémorrhagie. Presque aussitôt l'animal s'est agité; sa respiration s'est précipitée, il a paru dans des étouffements analogues à ceux que détermine l'asphyxie : bientôt il en a présenté tous les symptômes; la vie animale s'est suspendue entièrement; le cœur a continué à battre encore, et la circulation à se faire pendant une demi-heure, au bout de laquelle la mort a terminé aussi la vie organique.

Le chien est de taille moyenne, et six onces de sang noir ont été à peu près injectées avec une impulsion douce, de peur qu'on n'attribuât au choc mécanique ce qui ne devait être que l'effet de la nature, de la composition du fluide. J'ai répété consécutivement cette expérience sur trois chiens le même jour, et ensuite à différentes reprises sur plusieurs autres : le résultat a été invariable, non-seulement quant à l'asphyxie de l'animal, mais même quant aux phénomènes qui accompagnent la mort.

On pourrait croire que, sorti de ses vaisseaux et exposé au contact de l'air, le sang reçoit de ce fluide des principes funestes, ou lui communique ceux qui étaient nécessaires à l'entretien de la vie, et qu'à cette cause est due la mort subite qui survient lorsqu'on pousse le sang au cerveau. Pour éclaircir ce soupçon, j'ai fait à la jugulaire d'un chien une petite ouverture à laquelle a été adapté le tube d'une seringue échauffée, dont j'ai ensuite retiré le piston, de manière à pomper le sang dans la veine, sans que l'air pût être en contact avec ce fluide : il a été poussé tout de suite par une ouverture faite à la carotide : aussitôt les symptômes se sont manifestés comme dans les cas précédents; la mort est survenue, mais plus lentement, il est vrai, et avec une agitation moins vive. Il est donc possible que, lorsque l'air est en contact avec le sang vivant, sorti de ses vaisseaux, il l'altère un peu, et le rende moins susceptible d'entretenir la vie des solides; mais la cause essentielle de la mort est toujours, d'après l'expérience précédente, dans la noirceur de ce fluide.

Il paraît donc, d'après cela, que le sang noir ou n'est point un excitant capable d'entretenir l'action cérébrale, ou même qu'il agit d'une manière délétère sur l'organe encéphalique. En poussant, par la carotide, diverses substances étrangères, on produit des effets analogues.

J'ai tué des animaux en leur injectant de l'encre, de l'huile, du vin, de l'eau colorée avec le bleu ordinaire, etc. La plupart des fluides excrémentiels, tels que l'urine, la bile, les fluides muqueux pris dans les affections catarrhales ont aussi sur le cerveau une influence mortelle, par leur simple contact.

La sérosité du sang qui se sépare du caillot dans une saignée produit aussi la mort lorsqu'on la pousse artificiellement au cerveau; mais ses effets sont plus lents, et souvent l'animal survit plusieurs heures à l'expérience.

Au reste, c'est bien certainement en agissant sur le cerveau, et non sur la surface interne des artères, que ces diverses substances sont funestes. Je les ai injectées toutes comparativement par la crurale. Aucune n'est mortelle de cette manière : seulement j'ai remarqué qu'un engourdissement, une paralysie même, succèdent presque toujours à l'injection.

Le sang noir est sans doute funeste au cerveau, qu'il frappe d'atonie par son contact, de la même manière que les différents fluides dont je viens de parler. Quelle est cette manière ? Je ne le rechercherai point : là commenceraient les conjectures ; elles sont toujours le terme où je m'arrête.

Nous sommes déjà, je crois, autorisés à penser que, dans l'asphyxie, la circulation qui continue quelque temps après que les fonctions chimiques du poumon ont cessé, interrompt celle du cerveau, en y apportant du sang noir par les artères. Une autre considération le prouve : c'est qu'alors les mouvements de cet organe continuent comme à l'ordinaire.

Si on met la surface cérébrale à découvert sur un animal, et qu'on asphyxie cet animal d'une manière quelconque, en poussant, par exemple, différents gaz dans sa trachée-artère, au moyen d'un robinet qui y a été adapté, ou bien seulement en fermant ce robinet, on voit que déjà toute la vie animale est presque anéantie, que les fonctions du cerveau ont cessé par conséquent, et que cependant cet organe est encore agité de mouvements alternatifs d'élévation et d'abaissement, mouvements qui sont dépendants de l'impulsion donnée par le sang noir. Puis donc que cette cause de vie subsiste encore dans le cerveau, il faut bien que sa mort soit due à la nature du fluide qui le pénètre.

Cependant, si une affection cérébrale coïncide avec l'asphyxie, la mort que détermine celle-ci est plus prompte que dans les cas ordinaires. J'ai d'abord frappé de commotion un animal ; je l'ai ensuite privé d'air : sa vie, qui n'était que troublée, a été subitement éteinte. En asphyxiant un autre animal déjà assoupi par une compression exercée artificiellement sur le cerveau, toutes les fonctions m'ont paru aussi cesser un peu plus tôt que lorsque le cerveau est intact pendant l'opération. Mais éclaircissons, par de nouvelles expériences, les conséquences déduites de celles présentées jusqu'ici.

Si, dans l'asphyxie, le sang noir suspend, par son contact, l'action cérébrale, il est clair qu'en ouvrant une artère dans un animal qui s'asphyxie, la carotide, par exemple, en y prenant ce fluide, et l'injectant doucement vers le cerveau d'un autre animal, celui-ci doit mourir également asphyxié au bout de peu de temps. C'est en effet ce qui arrive constamment.

Coupez sur un chien la trachée-artère ; bouchez-la ensuite hermétiquement. Au bout de deux minutes le sang coule noir dans le système à sang rouge. Si vous ouvrez ensuite la carotide, et que vous receviez dans une seringue celui qui jaillit par l'ouverture, pour le pousser au cerveau d'un autre animal, celui-ci tombe bientôt, avec une respiration entrecoupée, quelquefois avec des cris plaintifs, et la mort ne tarde pas à survenir.

J'ai fait une expérience analogue à celle-ci, et qui donne cependant un résultat un peu différent. Elle nécessite deux chiens, et consiste, 1° à adapter un robinet à la trachée-artère du premier et l'extrémité d'un tube d'argent à sa carotide ; 2° à fixer l'autre extrémité de ce tube dans la carotide du second, du côté qui correspond au cerveau ; 3° à lier chaque artère du côté opposé à celui où le tube est engagé pour arrêter l'hémorrhagie ; 4° à laisser un instant le cœur de l'un de ces chiens pousser du sang rouge au cerveau de l'autre ; 5° à fermer le robinet, et à faire ainsi succéder du sang noir à celui qui coulait d'abord.

Au bout de quelque temps, le chien qui reçoit le fluide est étourdi, s'agite, laisse tomber sa tête, perd l'usage de ses sens externes, etc. Mais ces phénomènes sont plus tardifs à se déclarer que quand on injecte du sang noir pris dans le système veineux ou artériel. Si on cesse la transfusion, l'animal peut se ranimer, vivre même après que les symptômes de l'asphyxie se sont dissipés; tandis que la mort est constante lorsqu'on se sert de la seringue pour pousser le même fluide, quel que soit le degré de force qu'on emploie. L'air communique-t-il donc au sang quelque principe plus funeste encore que celui que lui donnent les éléments qui le rendent noir ?

J'observe que, pour cette expérience, il faut que le chien dont la carotide pousse le sang soit vigoureux, et même plus gros que l'autre, parce que l'impulsion est diminuée à mesure que le cœur se pénètre de sang noir, et que le tube ralentit d'ailleurs le mouvement, quoique cependant ce mouvement soit très-sensible, et qu'une pulsation manifeste indique au-dessus du tube l'influence du cœur de l'un sur l'artère de l'autre.

J'ai voulu essayer de rendre le sang veineux propre à entretenir l'action cérébrale, en le rougissant artificiellement. J'ai donc ouvert la jugulaire et la carotide d'un chien : l'une m'a fourni une certaine quantité de sang noir qui, reçu dans un bocal rempli d'oxygène, est devenu tout de suite d'un pourpre éclatant ; je l'ai injecté par l'artère, l'animal est mort subitement, et avec une promptitude que je n'avais point encore observée. On conçoit combien j'étais loin d'attendre un pareil résultat. Mais ma surprise a bientôt cessé, par la remarque suivante : une très-grande quantité d'air se trouvait mêlée avec le fluide qui est arrivé au cerveau très-écumeux et boursouflé. Or, nous avons vu qu'un très-petit nombre de bulles aériennes tuent les animaux, quand on les introduit dans le système vasculaire, soit du côté du cerveau, soit du côté du cœur.

Ceci m'a fait répéter mes expériences sur l'injection du sang noir, pour voir si quelques bulles ne s'y mêlaient point et n'occasionnaient pas la mort : j'ai constamment observé que non. Une autre difficulté s'est présentée à moi : il est possible que le peu d'air contenu dans l'extrémité du tube de la seringue, que celui qui a pu s'être introduit par l'artère ouverte, poussés par l'injection vers le cerveau, suffisent pour en anéantir l'action. Mais une simple réflexion a fait évanouir ce doute. Si cette cause était réelle, elle devrait produire le même effet dans l'injection de tout fluide, dans celle de l'eau, par exemple : or, rien de semblable ne s'observe avec ce fluide.

Nous pouvons donc assurer, je crois, que c'est réellement par la nature des principes qu'il contient, que le sang noir ou est incapable d'exciter l'action cérébrale, ou agit sur elle d'une manière délétère, car je ne puis dire si c'est négativement ou positivement que s'exerce son influence ; tout ce que je sais, c'est que les fonctions du cerveau sont suspendues par elle.

D'après cette donnée, il paraît qu'on devrait ranimer la vie des asphyxiés en poussant au cerveau du sang rouge, qui en est l'excitant naturel. Distinguons à cet égard deux périodes dans l'asphyxie : 1° celle où les fonctions cérébrales sont seules suspendues ; 2° celle où la circulation s'est déjà arrêtée, ainsi que le mouvement de la poitrine, car cette maladie est toujours caractérisée par la perte subite de toute la vie animale, et ensuite par celle de l'organique, qui ne vient que consécutivement. Or, tant que l'asphyxie est à la première période dans un animal, j'ai observé qu'en transfusant vers le cerveau du sang rouge, au moyen d'un tube adapté à la carotide d'un autre animal et à la sienne, le mouvement se ranime peu à peu ; les fonctions cérébrales reprennent en partie leur exercice, et même souvent des agitations subites dans la tête, les yeux, etc., annoncent le premier abord du sang ; mais aussi bientôt le mieux disparaît, et l'animal retombe, si la cause asphyxiante continue, si, par exemple, le robinet adapté à la trachée-artère reste fermé.

D'un autre côté, si on ouvre le robinet dans cette première période, presque toujours le contact d'un air nouveau sur le poumon ranime peu à peu cet organe. Le sang se colore, est poussé rouge au cerveau, et la vie se rétablit sans la transfusion précédente, qui est toujours nulle pour l'animal dont l'asphyxie est à sa seconde période, c'est-à-dire dont les mouvements organiques, ceux du cœur spécialement, sont suspendus ; en sorte que cette expérience ne nous offre qu'une preuve de ce que nous connaissions déjà, savoir, de la différence de l'influence du sang noir et du rouge sur le cerveau, et non un remède contre les asphyxies.

J'observe de plus qu'elle ne réussit pas après l'injection du sang veineux par une seringue. Alors, quoique la cause asphyxiante ait cessé après l'injection, quoiqu'on pousse du sang artériel par la même ouverture, soit en le transfusant de l'artère d'un autre animal, soit en l'injectant après l'avoir pris dans une artère ouverte, et en avoir rempli un siphon, l'animal ne donne que de faibles marques d'excitation ; souvent aucune n'est sensible ; toujours la mort est inévitable.

En général, l'asphyxie, occasionnée par le sang pris dans le système veineux même et poussé au cerveau, est plus prompte, plus certaine, et diffère bien manifestement de celle que fait naître dans le poumon même le changement gradué du sang rouge en sang noir, lors de l'interruption de l'air, de l'introduction des gaz dans la trachée, etc.

Après avoir établi, par diverses expériences, l'influence funeste du sang noir sur le cerveau, qui le reçoit des artères dans l'interruption des phénomènes chimiques du poumon, il n'est pas inutile, je crois, de montrer que les phénomènes des asphyxies, observés sur l'homme, s'accordent très-bien avec ces expériences qui me paraissent leur servir d'explication.

1° Tout le monde sait que toute espèce d'asphyxie porte sa première influence sur le cerveau ; que les fonctions de cet organe sont d'abord anéanties ; que la vie animale cesse, surtout du côté des sensations ; que tout rapport avec ce qui nous environne est tout à coup suspendu, et que les fonctions internes ne s'interrompent que consécutivement. Quel que soit le mode d'asphyxie : par la sub-

mersion, par la strangulation, par le vide, par les divers
gaz, etc., le même symptôme se manifeste toujours.

2° Il est curieux de voir comment, dans les expériences
où l'on asphyxie un animal dont une artère est ouverte, à
mesure que le sang s'obscurcit et devient noir, l'action
cérébrale se trouble et se trouve déjà presque anéantie,
que celle du cœur continue encore avec énergie.

3° On sait que la plupart des asphyxiés qui échappent
à la suffocation n'ont éprouvé qu'un engourdissement
général, un assoupissement dont le siége évident est au
cerveau ; que chez tous ceux où le pouls et le cœur ont
cessé de se faire sentir, la mort est presque certaine. Dans
de nombreuses expériences, je n'ai jamais vu l'asphyxie
se guérir à cette période.

4° Presque tous les malades qui ont survécu à cet accident, surtout lorsqu'il est déterminé par la vapeur du
charbon, disent avoir ressenti d'abord une douleur plus
ou moins violente à la tête, effet probable du premier
contact du sang noir sur le cerveau. Ce fait a été noté par
la plupart des auteurs qui ont traité cette matière.

5° Ces expressions vulgaires, *le charbon entête, porte à
la tête*, etc., ne prouvent-elles pas que le premier effet de
l'asphyxie que cette substance détermine par sa vapeur se
porte sur le cerveau et non sur le cœur ? Souvent le peuple,
qui voit sans le prestige des systèmes, observe mieux que
nous, qui ne voyons quelquefois que ce que nous cherchons à apercevoir d'après l'opinion que nous nous sommes
préliminairement formée.

6° Il est divers exemples de malades qui, revenus de
l'état d'asphyxie où les a plongés la vapeur du charbon,
conservent plus ou moins longtemps diverses altérations
dans les fonctions intellectuelles et dans les mouvements
volontaires, altérations qui ont évidemment leur siége au
cerveau. Plusieurs jours après l'accident, s'il a été à un
certain degré, les malades vacillent, ne peuvent se soutenir
sur leurs jambes ; leurs idées sont confuses. C'est en moins

16

ce que présente en plus l'apoplexie. Quelquefois des mouvements convulsifs se manifestent presque tout à coup à la suite de l'impression des vapeurs méphitiques. Souvent un mal de tête a duré plusieurs jours après la disparition des autres symptômes. On peut voir dans les observateurs, dans l'ouvrage de M. Portal en particulier, ces preuves multipliées de l'influence funeste et souvent prolongée du sang noir sur le cerveau, où le transmettent les artères.

Cette influence, quoique réelle sur les animaux à sang froid, sur les reptiles en particulier, est cependant beaucoup moins manifeste. J'ai fait, sur les côtés de la poitrine, deux incisions à une grenouille : le poumon est sorti de l'un et de l'autre côté ; je l'ai lié là où les vaisseaux y pénètrent. L'animal a cependant vécu encore très-longtemps, quoique toute communication fût rompue entre le cerveau et l'organe pulmonaire. Si, au lieu de lier celui-ci, on en fait l'extirpation, le même phénomène se remarque.

Dans les poissons, que l'organisation des branchies fait essentiellement différer des reptiles, le rapport entre le poumon et le cerveau m'a paru un peu plus immédiat, quoique cependant beaucoup moins que dans les espèces à sang rouge et chaud.

J'ai enlevé, dans une carpe, la lame cartilagineuse qui recouvre les branchies ; celles-ci, mises à nu, s'écartaient et se rapprochaient alternativement de l'axe du corps. La respiration a paru se faire comme à l'ordinaire, et l'animal a vécu très-longtemps sans trouble apparent dans ses fonctions.

J'ai embrassé ensuite, par un fil de plomb, toutes les branchies et les anneaux cartilagineux qui les soutiennent ; ce fil a été serré de manière que tout mouvement s'est trouvé empêché dans l'appareil pulmonaire. Bientôt la carpe a langui ; ses nageoires ont cessé d'être tendues ; le mouvement musculaire s'est peu à peu affaibli ; il a cessé entièrement, et l'animal est mort au bout d'un quart d'heure.

Les mêmes phénomènes se sont à peu près manifestés dans une autre carpe dont j'avais arraché les branchies ; seulement, j'ai observé que l'instant qui a suivi l'expérience a été marqué par divers mouvements irréguliers, après lesquels l'animal s'est relevé dans l'eau, s'y est main - tenu comme à l'ordinaire, a perdu beaucoup de sang, et a ensuite succombé entièrement au bout de vingt minutes.

Au reste, le genre particulier de rapports qui unit le cœur, le cerveau et le poumon dans les animaux à sang rouge et froid, mérite, je crois, de fixer d'une manière spéciale l'attention des physiologistes. Ces animaux ne doivent point être sujets, comme ceux à sang rouge et chaud, aux défaillances, à l'apoplexie et aux autres maladies où la mort est subite par l'interruption de ces rapports ; ou du moins leurs maladies analogues à celles-là doivent porter d autres caractères ; leur asphyxie est infiniment plus longue à s'opérer. Revenons aux espèces voisines de l'homme.

D'après l'influence du sang noir sur le cœur, sur le cerveau et sur tous les organes, j'avais pensé que les personnes affectées d'anévrismes variqueux devaient moins vite périr asphyxiées que les autres, si elles se trouvaient privées d'air, parce que le sang rouge, passant dans leurs veines, traverse le poumon sans avoir besoin d'éprouver d'altération, et doit par conséquent entretenir l'action cérébrale.

Pour m'assurer si ce soupçon était fondé, j'ai fait d'abord communiquer sur un chien l'artère carotide avec la veine jugulaire par un tuyau recourbé, qui portait le sang de la première dans la seconde, et lui communiquait un mouvement de pulsation très-sensible. J'ai ensuite fermé le robinet adapté préliminairement à la trachée-artère de l'animal, qui a paru, en effet, rester un peu plus longtemps sans éprouver les phénomènes de l'asphyxie.

Mais la différence n'a pas été très-marquée ; elle s'est trouvée nulle sur un second animal, où j'ai répété la même expérience.

Nous pouvons, je crois, conclure avec certitude des expériences et des considérations diverses exposées dans ce paragraphe :

1° Que, dans l'interruption des phénomènes chimiques du poumon, le sang noir agit sur le cerveau comme sur le cœur, c'est-à-dire en pénétrant le tissu de cet organe, et en le privant par là de l'excitation nécessaire à son action ;

2° Que son influence est beaucoup plus prompte sur le premier que sur le second de ces organes ;

3° Que c'est l'inégalité de cette influence qui détermine la différence de cessation des deux vies dans l'asphyxie, où l'animale est toujours anéantie avant l'organique.

Nous pouvons aussi concevoir, d'après ce qui a été dit dans cet article et dans le précédent, combien est peu fondée l'opinion de ceux qui ont cru que, chez les suppliciés par la guillotine, le cerveau pouvait vivre encore quelque temps, et même que les sensations de plaisir ou de douleur pouvaient s'y rapporter. L'action de cet organe est immédiatement liée à sa double excitation : 1° par le mouvement, 2° par la nature du sang qu'il reçoit. Or, cette excitation devenant alors subitement nulle, l'interruption de toute espèce de sentiment doit être subite.

Quoique, dans la cessation des phénomènes chimiques du poumon, le trouble des fonctions cérébrales influe beaucoup sur la mort des autres organes, cependant il n'en est le principe que dans la vie animale, où même d'autres causes se joignent aussi à celle-là, comme nous allons le voir. La vie organique cesse par le seul contact du sang noir sur les divers organes. La mort du cerveau n'est qu'un phénomène isolé et partiel de l'asphyxie, laquelle ne réside exclusivement dans aucun organe, mais les frappe tous également par l'influence du sang qu'elle y envoie. Ceci va se développer dans l'article suivant. [X]

ARTICLE VIII.

DE L'INFLUENCE QUE LA MORT DU POUMON EXERCE SUR CELLE DE TOUS LES ORGANES.

Je viens de montrer comment l'interruption des phénomènes chimiques du poumon anéantit les fonctions du cœur et du cerveau. Il me reste à faire voir que ce n'est pas seulement sur ces deux organes que le sang noir exerce son influence, que tous ceux de l'économie en reçoivent une funeste impression, lorsqu'il y est conduit par les artères, et que par conséquent l'asphyxie est, comme je l'ai dit, une maladie générale à tous les organes.

Je ne reviendrai pas sur la division des phénomènes pulmonaires en mécaniques et chimiques. Que la mort commence par les uns ou par les autres, c'est toujours, comme je l'ai prouvé, l'interruption des derniers qui fait cesser la vie : eux seuls vont donc m'occuper.

Mais avant d'analyser les effets produits par la cessation de ces phénomènes sur tous les organes, et par conséquent le mode d'action du sang noir sur eux, il n'est pas inutile, je crois, d'exposer les phénomènes de la production de cette espèce de sang à l'instant où les fonctions pulmonaires s'interrompent. Ce paragraphe, qui paraîtra peut-être intéressant, pouvait indifféremment appartenir aux deux articles précédents ou à celui-ci.

§ I. Exposer les phénomènes de la production du sang noir dans l'interruption des fonctions chimiques du poumon.

On sait en général que le sang se colore en traversant le poumon, que de noir qu'il était il devient rouge ; mais jusqu'ici cette matière intéressante n'a été l'objet d'aucune expérience précise et rigoureuse. Le poumon des grenouilles à larges vésicules, à membranes minces et trans-

16.

parentes, serait propre à observer cette coloration, si, d'un côté, la lenteur de la respiration chez ces animaux, la différence de son mécanisme d'avec celui de la respiration des animaux à sang chaud, la somme trop petite du sang qui traverse leurs poumons, n'empêchaient d'établir des analogies complètes entre eux et les espèces voisines de l'homme, ou l'homme lui-même, et si, d'un autre côté, la ténuité de leurs vaisseaux pulmonaires, l'impossibilité de comparer les changements dans la vitesse de la circulation avec ceux de la couleur du sang, ne rendaient incomplètes toutes les expériences faites sur ces petits amphibies.

C'est sur les animaux à double ventricule, à circulation pulmonaire complète, à température supérieure à celle de l'atmosphère, à deux systèmes non communicants pour le sang rouge et le sang noir, qu'il faut rechercher les phénomènes de la respiration humaine et de toutes les fonctions qui en dépendent. Quelles inductions rigoureuses peut-on tirer des expériences faites sur les espèces où des dispositions opposées se rencontrent ?

D'un autre côté, dans tous les mammifères que leur organisation pulmonaire range à côté de l'homme, l'épaisseur des vaisseaux et des cavités du cœur empêche, sinon de distinguer entièrement la couleur du sang, au moins d'en saisir les nuances avec précision. Les expériences faites sans voir ce fluide à nu ne peuvent donc qu'offrir des approximations, et jamais des notions rigoureuses.

C'est ce qui m'a déterminé à rechercher d'une manière exacte ce que jusqu'ici on n'avait que vaguement déterminé.

Une des meilleures méthodes pour bien juger la couleur du sang est, à ce qu'il me semble, celle dont je me suis servi. Elle consiste, comme je l'ai déjà dit souvent, à adapter d'abord à la trachée-artère, mise à nu et coupée transversalement, un robinet que l'on ouvre ou que l'on ferme à volonté, et au moyen duquel on peut laisser pénétrer dans le poumon la quantité précise d'air nécessaire aux expériences, y introduire différents gaz, les y retenir, pomper tout l'air que l'organe renferme, le distendre par ce fluide au delà du degré ordinaire, etc. L'animal respire très-bien par ce robinet lorsqu'il est ouvert ; il vivrait avec lui pendant un temps très-long, sans un trouble notable dans ses fonctions.

On ouvre, en second lieu, une artère quelconque, la carotide, la crurale, etc., afin d'observer les altérations diverses de la couleur du sang qui en jaillit, suivant la quantité, la nature de l'air qui pénètre les cellules aériennes.

En général, il ne faut pas choisir de petites artères : le sang s'y arrête trop vite. Le moindre spasme, le moindre tiraillement peut y suspendre son cours, tandis que la circulation générale continue. D'un autre côté, les grosses artères dépensent, en peu de temps, une quantité si grande de ce fluide, que bientôt l'hémorrhagie pourrait tuer l'animal. Mais on remédie à cet inconvénient en adaptant à ces vaisseaux un tube à diamètre très-petit, ou plutôt en ajustant au tube adapté à l'artère un robinet qui, ouvert à volonté, ne fournit qu'un jet de la grosseur qu'on désire.

Tout étant ainsi préparé sur un animal quelconque, d'une stature un peu grande, sur un chien, par exemple, voyons quelle est la série des phénomènes que nous offre la coloration du sang.

En indiquant, dans ces phénomènes, le temps précis que la coloration reste à se faire, je ne dirai que ce que j'aurai vu, sans prétendre que, dans l'homme, la durée des phénomènes soit uniforme, que cette durée soit même constante dans les animaux examinés aux époques diverses du sommeil, de la digestion, de l'exercice, du repos, des passions, s'il était possible de répéter les expériences à ces époques diverses. En général, c'est peu connaître, comme je l'ai dit, les fonctions animales, que de vouloir les soumettre au moindre calcul, parce que leur instabilité est extrême. Les phénomènes restent toujours les mêmes, et c'est ce qui nous importe; mais leurs variations, en plus ou en moins, sont sans nombre.

Revenons à notre objet, et commençons par les phénomènes relatifs au changement en noir du sang rouge, ou plutôt au non-changement en rouge du sang noir.

1° Si on ferme le robinet tout de suite après une inspiration, le sang commence, au bout de trente secondes, à s'obscurcir; sa couleur est foncée après une minute; elle est parfaitement semblable à celle du sang veineux, après une minute et demie ou deux minutes.

2° La coloration en noir est plus prompte de plusieurs secondes si on ferme le robinet à l'instant où l'animal vient d'expirer, surtout si, l'expiration ayant été forte, il a rendu beaucoup d'air : après une expiration ordinaire, la différence est peu sensible.

3° Si on adapte au robinet le tube d'une seringue à injection, et qu'en tirant le piston on pompe tout l'air contenu dans le poumon, soit en une fois, soit en deux, suivant le rapport de capacité de la seringue et des vésicules aériennes, le sang passe tout à coup du rouge au noir : vingt à trente secondes suffisent pour cela. Il semble qu'il ne faille alors que le temps nécessaire pour évacuer le sang rouge contenu depuis le poumon jusqu'à l'artère ouverte, et que tout de suite le noir lui succède. Il n'y a point ici de gradation. Les nuances ne deviennent point successivement plus foncées pendant la coloration; elle est subite : c'est le sang qui sort par les artères, tel qu'il était dans les veines.

4° Si, au lieu de faire le vide dans le poumon, on y pousse une quantité d'air un peu plus grande que celle que l'animal absorbe dans la plus grande inspiration, et qu'on l'y retienne en fermant le robinet, le sang reste plus longtemps à se colorer; ce n'est qu'après une minute qu'il s'obscurcit; il ne jaillit complétement noir qu'au bout de trois : cela varie cependant suivant l'état et la quantité d'air qui est poussée. En général, plus il y a de fluide dans le poumon, plus la coloration tarde à se faire.

Il résulte de toutes ces expériences, que la durée de la coloration du sang rouge en noir est, en général, en raison directe de la quantité d'air contenue dans le poumon; que tant qu'il en existe de respirable dans les dernières cellules aériennes, le sang conserve plus ou moins la rougeur artérielle; que cette couleur s'affaiblit à mesure que la portion respirable diminue; qu'elle reste la même qu'elle est dans les veines, quand tout l'air vital a été épuisé à l'extrémité des bronches.

J'ai remarqué que dans les diverses expériences où l'on asphyxie un animal, en fermant le robinet et en retenant ainsi de l'air dans sa poitrine pendant l'expérience, s'il agite avec force cette cavité, par des mouvements analogues à ceux de l'inspiration et de l'expiration, la coloration en noir tarde plus à se faire, ou plutôt celle en rouge est plus longue à cesser que si la poitrine reste immobile; c'est qu'en imprimant à l'air des secousses, ces mouvements le font probablement circuler dans les cellules aériennes, et par conséquent présentent, sous plus de points, sa portion respirable au sang qui doit ou s'unir à elle, ou lui communiquer ses principes devenus hétérogènes à sa nature. Ce que je dirai bientôt sur les animaux qui respirent dans des vessies rendra évidente cette explication.

Je passe maintenant à la coloration en rouge du sang rendu noir par les expériences précédentes. Les phénomènes dont elles ont été l'objet se passent pendant le temps qui de l'asphyxie conduit à la mort : ceux-ci ont lieu durant l'époque qui de l'asphyxie ramène à la vie.

1° Si on ouvre le robinet fermé depuis quelques minutes, l'air pénètre aussitôt les bronches. L'animal expire avec force celui qu'elles contiennent, en absorbe du nouveau avec avidité, et répète précipitamment six ou sept grandes inspirations et expirations. Si, pendant ce temps, on examine l'artère ouverte, on voit presque tout à coup un jet très-rouge succéder au noir qu'elle fournissait : l'intervalle de l'un à l'autre est tout au plus de trente secondes. Il ne faut que le temps nécessaire pour que le sang noir contenu depuis le poumon jusqu'à l'ouverture de l'artère se soit évacué ; à l'instant le rouge lui succède. C'est le même phénomène, en sens inverse, que celui indiqué plus haut, au sujet de l'asphyxie par le vide fait en pompant l'air avec la seringue. On ne voit point ici de nuances successives du noir au rouge ; le passage est tranchant ; l'éclat de la dernière couleur paraît même plus vif que dans l'état ordinaire.

2° Si, au lieu d'ouvrir subitement le robinet, on laisse pénétrer l'air dans la trachée-artère, par une très-petite fente, la coloration est beaucoup moins vive, mais elle est aussi prompte.

3° Si on adapte au robinet une seringue chargée d'air, qu'on pousse ce fluide vers le poumon, après avoir ouvert le robinet, et qu'on le referme ensuite, le sang devient rouge, mais beaucoup moins manifestement que lorsque l'entrée de l'air est due à une respiration volontaire. Cela tient probablement à ce que la portion d'air injectée par la seringue refoule dans le fond des cellules celle qui existe déjà dans le poumon ; tandis qu'au contraire, si on ouvre simplement le robinet, l'expiration rejette d'abord l'air devenu inutile à la coloration, et l'inspiration le remplace ensuite par de l'air nouveau. L'expérience suivante paraît confirmer ceci.

4° Si, au lieu de pousser de l'air sur celui qui est déjà renfermé dans le poumon, on pompe d'abord celui-ci, et qu'on en injecte ensuite du nouveau, la coloration est plus rapide et surtout plus vive que dans le cas précédent. Cependant elle l'est encore un peu moins que quand c'est par l'inspiration et l'expiration naturelles que se renouvelle l'air.

5° Le poumon étant mis à découvert de l'un et l'autre côté, par la section latérale des côtes, la circulation continue encore pendant un certain temps. Alors si, au moyen de la seringue adaptée au robinet de la trachée-artère, on dilate alternativement les vésicules pulmonaires, et qu'on les vide de l'air qu'on y a poussé, les couleurs rouge et noire s'observent tour à tour, et à un degré à peu près égal à celui de l'expérience précédente, pendant le temps que la circulation dure, et malgré l'absence de toute fonction mécanique.

Nous pouvons, je crois, tirer des faits que je viens d'exposer les conséquences suivantes :

1° La rapidité avec laquelle le sang redevient rouge quand on ouvre le robinet ne permet guère de douter que le principe qui sert à cette coloration ne passe directement du poumon dans le sang, à travers les parois membraneuses des vésicules, et qu'une voie plus longue, telle, par exemple, que celle du système absorbant, ne saurait être parcourue par lui. J'établirai d'ailleurs bientôt cette assertion sur d'autres faits.

2° L'expérience célèbre de Hook, par laquelle on accélère les mouvements affaiblis du cœur, chez les asphyxiés ou chez les animaux dont la poitrine est ouverte, en poussant de l'air dans leur trachée-artère, se conçoit très-bien d'après la coloration observée précédemment dans la même expérience. Le sang rouge, en pénétrant les fibres du cœur, fait cesser l'affaiblissement dont les frappait le contact du sang noir.

3° Je ne crois pas que jamais on soit venu à bout de ressusciter, par ce moyen, les mouvements du cœur, une fois qu'ils sont anéantis par le contact du sang noir. Je l'ai toujours inutilement tenté, quoique plusieurs auteurs prétendent y avoir réussi. Cela se conçoit aisément; en effet, pour que l'action de l'air vivifie le cœur, il faut que le sang qu'elle colore pénètre cet organe : or, si la circulation a cessé, comment pourra-t-il y arriver ?

On doit cependant distinguer deux cas dans l'interruption de l'action du cœur par l'asphyxie. Quelquefois la syncope survient, et arrête le mouvement de cet organe avant que l'influence du sang noir ait pu produire cet effet : alors, en poussant de l'air dans le poumon, celui-ci, excité par ce fluide, réveille sympathiquement le cœur, comme il arrive lorsqu'une cause irritante est appliquée, dans la syncope, sur la pituitaire, le visage, etc. Ce sont les nerfs qui forment alors les moyens de communication entre le poumon et le cœur. Mais quand ce dernier a cessé d'agir, parce que le sang noir en pénètre le tissu, alors il n'est plus susceptible de répondre à l'excitation sympathique qu'exerce sur lui le poumon, parce qu'il contient en lui la cause de son inertie, et que, pour surmonter cette cause, il en faudrait une autre qui agit en sens inverse, je veux dire le contact du sang rouge : or, ce contact est devenu impossible.

J'ai voulu m'assurer quelle était l'influence des différents gaz respirés sur la coloration du sang. J'ai donc adapté au tube fixé dans la trachée-artère différentes vessies, dont les unes contenaient de l'hydrogène, les autres du gaz acide carbonique.

L'animal, en respirant et en inspirant, fait alternativement gonfler et resserrer la vessie. Il reste d'abord assez calme : mais au bout de trois minutes, on le voit qui commence à s'agiter ; la respiration se précipite et s'embarrasse : alors le sang qui jaillit d'une des carotides ouvertes s'obscurcit, et devient enfin noir au bout de quatre ou cinq minutes.

La différence dans la durée et dans l'intensité de la coloration m'a toujours paru très-peu marquée, quel que fût celui des gaz dont je me servisse pour l'expérience. Cette remarque mérite d'être rapprochée des expériences des commissaires de l'Institut, qui ont vu l'asphyxie complète ne survenir qu'après dix minutes dans l'hydrogène pur, et se manifester au bout de deux dans le gaz acide carbonique. Le sang noir circule donc plus longtemps dans le système artériel, lors de la première que lors de la seconde asphyxie, sans tuer l'animal, et sans anéantir par conséquent l'action de ses organes. Cela confirme quelques réflexions que je présenterai sur la différence des asphyxies.

Pourquoi la coloration est-elle plus tardive en adaptant

les vessies au robinet qu'en fermant simplement celui-ci sans faire respirer aucun gaz ? Cela tient à ce que l'air contenu dans la trachée-artère et dans ses divisions, à l'instant de l'expérience, étant, à plusieurs reprises, poussé dans la vessie et repoussé dans le poumon, toute la portion respirable qu'il contient se présente successivement aux orifices capillaires, qui la transmettent au sang.

Au contraire, en se contentant de fermer le robinet, l'air ne peut être agité que difficilement d'un semblable mouvement ; en sorte que, dès que la portion respirable de celui que renferment les cellules bronchiques est épuisée, le sang cesse de se colorer en rouge, quoiqu'il reste dans la trachée et dans ses grosses divisions une quantité assez grande de ce fluide, qui n'a point été dépouillée de son principe vivifiant, comme il est facile de s'en assurer, même après l'entière asphyxie de l'animal, en coupant la trachée au-dessous du robinet et en y plongeant ensuite une bougie.

En général, il paraît que la coloration ne se fait qu'aux extrémités bronchiques, et que la surface interne des gros vaisseaux aériens est étrangère à ce phénomène.

On peut d'ailleurs se convaincre de la réalité de l'explication que je viens de présenter, en pompant préliminairement l'air du poumon, en adaptant ensuite au robinet une vessie pleine d'un des deux gaz, que l'animal inspire et expire seul et sans mélange : alors la coloration est presque subite. Mais ici, comme dans l'expérience précédente, il n'y a que peu de différence dans l'intensité et dans la rapidité de cette coloration, soit que l'un, soit que l'autre gaz ait été employé. J'ai choisi ces deux gaz, parce qu'ils entrent dans les phénomènes de l'inspiration naturelle.

Lorsqu'on adapte à la trachée-artère une vessie pleine d'oxygène, que l'animal respire alors presque pur, le sang reste très-longtemps à se colorer en noir ; mais il ne prend pas d'abord une teinte plus rouge que celle qui lui est naturelle, comme je l'avais soupçonné.

17

§ II. Le sang resté noir par l'interruption des phénomènes chimiques du poumon
    pénètre tous les organes, et y circule quelque temps dans le système vasculaire
    à sang rouge.

Nous venons d'établir les phénomènes de la coloration du sang dans l'interruption des phénomènes chimiques du poumon. Avant de considérer l'influence de cette coloration sur la mort des organes, prouvons d'abord que tous sont pénétrés par le sang resté noir.

J'ai démontré que la force du cœur subsistait encore quelque temps à un degré égal à celui qui lui est ordinaire, quoique le sang noir y aborde ; que ce sang jaillit d'abord avec un jet semblable à celui du rouge ; que l'affaiblissement de ce jet n'est que graduel et consécutif, etc. Je pourrais déjà conclure de là, 1° que la circulation artérielle continue encore pendant un certain temps, quoique les artères contiennent un fluide différent de celui qui leur est habituel ; 2° que l'effet nécessaire de cette circulation prolongée est de pénétrer de sang noir tous les organes qui n'étaient accoutumés qu'au contact du rouge. Mais déduisons cette conclusion d'expériences précises et rigoureuses.

Pour bien apprécier ce fait important, il suffit de mettre successivement à découvert les divers organes, pendant que le tube adapté à la trachée est fermé, et par conséquent que l'animal s'asphyxie. J'ai donc ainsi examiné tour à tour les muscles, les nerfs, les membranes, les viscères, etc. Voici le résultat de mes observations :

1° La matière colorante des muscles se trouve dans deux états différents ; elle est libre ou combinée : libre dans les vaisseaux où elle circule avec le sang auquel elle appartient ; combinée avec les fibres, et alors hors des voies circulatoires ; c'est cette dernière partie qui forme spécialement la couleur du muscle. Or, elle n'éprouve dans l'asphyxie aucune altération : elle reste constamment la même ; au contraire, l'autre noircit sensiblement. Coupé en travers, l'organe fournit une infinité de gouttelettes noirâtres qui sont les indices des vaisseaux divisés, et qui ressortent sur le rouge naturel des muscles : c'est le sang circulant dans le système artériel de ces organes, auxquels il donne la teinte livide qu'ils présentent alors, et qui est très-sensible sur le cœur, où beaucoup de ramifications se rencontrent à proportion de celles des autres muscles.

2° Les nerfs sont habituellement pénétrés par une foule de petites artères qui rampent dans leur tissu, et qui vont y porter l'excitation et la vie. Dans l'asphyxie, le sang noir, qui les traverse, s'annonce par une couleur brune obscure, que l'on voit succéder au blanc de rose naturel à ces organes.

3° Il est peu de parties où le contact du sang noir soit plus visible que sur la peau : les taches livides, si fréquentes dans l'asphyxie, ne sont, comme nous l'avons dit, que l'effet de l'obstacle qu'il éprouve à passer dans le système capillaire général, dont la contractilité organique insensible n'est point suffisamment excitée par lui. A cette cause sont aussi dus l'engorgement et la tuméfaction de certaines parties, telles que les joues, les lèvres, la face, en général, la peau du crâne, quelquefois celle du cou, etc. Ce phéno-mène est le même que celui que présente le poumon, le-quel, ne pouvant être traversé par le sang dans les derniers instants, devient le siége d'un engorgement qui affecte sur-tout le système capillaire. Au reste, ce phénomène y est toujours infiniment plus marqué que dans le système ca-pillaire général, par les raisons exposées plus haut.

4° Les membranes muqueuses nous offrent aussi, lors-que les fonctions chimiques du poumon s'interrompent, un semblable phénomène. La tuméfaction si fréquente de la langue, chez les noyés, chez les pendus, chez les asphyxiés par les vapeurs du charbon, etc. ; la lividité de la membrane de la bouche, des bronches, des intestins, etc., observées par la plupart des auteurs, ne tiennent pas à d'autres prin-cipes. En voici d'ailleurs la preuve :

Retirez, sur un animal, une portion d'intestins ; fendez-la de manière à mettre sa surface interne à découvert, fermez le robinet préliminairement adapté à la trachée-artère; au bout de quatre à cinq minutes, quelquefois plus tard, une teinte brune obscure a succédé au rouge qui caractérise cette surface dans l'état naturel.

5° J'ai fait la même observation sur les bourgeons charnus d'une plaie faite à un animal, pour y observer cette coloration par le sang noir. Remarquons cependant que, dans les deux expériences précédentes, ce phénomène est plus lent à se produire que dans plusieurs autres circonstances.

6° La coloration des membranes séreuses par le moyen que j'ai indiqué est beaucoup plus prompte, comme on peut s'en assurer en examinant comparativement les surfaces interne et externe de l'intestin pendant que le robinet est fermé : cela tient à ce que, dans ces sortes de membranes, la teinte livide qu'elles prennent dépend, non du sang qui les pénètre, mais des vaisseaux qui rampent au-dessous d'elles : telles sont les artères du mésentère sous le péritoine, celles du poumon sous la plèvre, etc. Or, ces vaisseaux étant considérables, c'est la grande circulation qui s'y opère, et par conséquent le sang noir y aborde presque dès l'instant où il est produit. Dans les membranes muqueuses, au contraire, ainsi que dans les cicatrices, c'est par le système capillaire de la membrane elle-même que se fait la coloration. Or, ce système est bien plus lent à recevoir le sang noir et à s'en pénétrer que le premier; quelquefois même il refuse de l'admettre en certains endroits : ainsi j'ai vu plusieurs fois la membrane des fosses nasales être très-rouge dans les animaux asphyxiés, tandis que celle de la bouche était livide, etc.

En général, le sang noir se comporte de trois manières dans le système capillaire général : 1° il est des endroits où il ne pénètre nullement, et alors les parties conservent leur couleur naturelle; 2° il en est d'autres où il passe manifestement, mais où il s'arrête, et alors on observe une simple coloration s'il y en aborde peu; cette coloration,

plus une tuméfaction de la partie, si beaucoup y pénètre ;
3° enfin, dans d'autres cas, le sang noir traverse, sans s'arrêter, le système capillaire, et passe dans les veines, comme
le faisait le sang rouge.

Dans le premier et le second cas, la circulation générale
trouve l'obstacle qui l'arrête dans le système capillaire général ; dans le troisième, qui est beaucoup plus général,
c'est aux capillaires du poumon que le sang va suspendre
son cours, après avoir circulé dans les veines.

Ces deux genres d'obstacles coïncident souvent l'un avec
l'autre. Ainsi, dans l'asphyxie, une partie du sang noir
circulant dans les artères s'arrête à la face, aux surfaces
muqueuses, à la langue, aux lèvres, etc.; l'autre partie,
bien plus considérable, qui n'a point trouvé d'obstacle dans
le système capillaire général, va engorger le poumon, et y
trouver le terme de son mouvement.

Pourquoi certaines parties du système capillaire général
refusent-elles d'admettre le sang noir, ou, si elles l'admettent, ne peuvent-elles le faire passer dans les veines, tandis que d'autres, moins facilement affaib''s par l'influence
de son contact, favorisent sa circulation comme à l'ordinaire? Pourquoi le premier phénomène est-il plus particulièrement observable à la face? Cela ne peut dépendre
que du rapport qu'il y a entre la sensibilité de chaque
partie et cette espèce de sang : or, ce rapport nous est
inconnu.

J'ai voulu me servir de la facilité qu'on a de faire varier
la couleur du sang suivant l'état du poumon, pour distinguer l'influence de la circulation de la mère sur celle de
l'enfant. Je me suis procuré une chienne pleine, je l'ai as-
phyxiée en fermant un tube adapté à sa trachée-artère.
Quatre minutes après que toute communication a été inter-
ceptée entre l'air extérieur et ses poumons, elle a été ouverte :
la circulation continuait. La matrice a été incisée, ainsi que
ses membranes, et j'ai mis le cordon à découvert sur deux
ou trois fœtus. Nous n'avons aperçu aucune différence en-

17.

tre le sang de la veine et des artères ombilicales : il était également noir dans l'un et l'autre genre de vaisseaux.

Je n'ai pu voir d'autres chiennes pleines, et d'une assez grande stature, pour répéter cette expérience d'une autre manière. Il faudrait en effet, 1° mettre à nu le cordon, et comparer d'abord la couleur naturelle du sang de l'artère avec la couleur naturelle de celui de la veine ombilicale. Leur différence, dans plusieurs fœtus de cochon d'Inde, m'a paru infiniment moindre qu'elle l'est chez l'adulte, dans les deux systèmes vasculaires, et même elle s'est trouvée entièrement nulle dans plusieurs circonstances. Les deux sangs offraient une noirceur égale, malgré que la respiration de la mère se fît très-bien encore, son ventre étant ouvert. 2° On fermerait le robinet de la trachée, et on observerait si les changements de la coloration du sang de l'artère ombilicale du fœtus (en supposant que son sang soit différent de celui de la veine) correspondraient à ceux qui s'opéreraient inévitablement alors dans le système artériel de la mère, ou si les uns n'influeraient point sur les autres. Les expériences faites dans cette vue, et sur de grands animaux, pourront beaucoup éclairer le mode de communication vitale de la mère à l'enfant. On a aussi à désirer des observations sur la couleur du sang dans le fœtus humain, sur la cause du passage de sa couleur livide à un rouge très-marqué, quelque temps après être sorti du sein de sa mère, etc., etc.

Je pourrais ajouter différents exemples à ceux que je viens de rapporter, sur la coloration par le sang noir des différents organes. Ainsi le rein d'un chien ouvert pendant qu'il s'asphyxie présente une lividité bien plus remarquable que durant sa vie, dans la substance corticale, où se distribuent surtout les artères, comme on le sait. Ainsi la rate ou le foie, coupés en travers, ne laissent-ils plus échapper que du sang noir, au lieu de ce mélange de jets noirs et rouges qu'on observe lorsqu'on fait la section de ces organes sur un animal vivant dont la respiration est libre, etc.

Mais nous avons, je crois, assez de faits pour établir avec certitude que le sang resté noir, après l'interruption des phénomènes chimiques du poumon, circule encore quelque temps, pénètre tous les organes, et y remplace le sang rouge qui en arrosait le tissu.

Cette conséquence nous mène à l'explication d'un phénomène qui frappe sans doute tous ceux qui font des ouvertures de cadavres; savoir, qu'on n'y rencontre jamais que du sang noir, même dans les vaisseaux destinés au sang rouge.

Dans les derniers instants de l'existence, quel que soit le genre de mort, nous verrons que le poumon s'embarrasse presque toujours, et finit ses fonctions avant que le cœur n'ait interrompu les siennes. Le sang fait encore plusieurs fois le tour de son double système, après qu'il a cessé de recevoir l'influence de l'air : il circule donc noir pendant un certain temps, et par conséquent reste tel dans tous les organes, quoique cependant la circulation soit bien moins marquée que dans l'asphyxie, ce qui établit les grandes différences de ce genre de mort ; différence dont nous parlerons. Rien de plus facile, d'après cela, que de concevoir les phénomènes suivants :

1° Lorsque le ventricule et l'oreillette à sang rouge, la crosse de l'aorte, etc., etc., contiennent du sang, c'est toujours du noir, comme le savent très-bien ceux qui ont l'habitude d'injecter souvent. En exerçant les élèves dans la pratique des opérations chirurgicales sur le cadavre, j'ai toujours vu que lorsque les artères ouvertes ne sont pas entièrement vides et qu'elles laissent suinter un peu de sang, ce sang offre constamment la même couleur.

2° Le corps caverneux est toujours gorgé de cette espèce de fluide, soit qu'il se trouve dans l'état de cette flaccidité habituelle, soit qu'il reste en érection, comme je l'ai vu sur deux sujets apportés à mon amphithéâtre : l'un s'était pendu, l'autre avait éprouvé une violente commotion, à laquelle il paraissait avoir subitement succombé.

3° On ne trouve presque jamais rouge le sang qui distend plus ou moins la rate des cadavres ; cependant l'extérieur de cet organe, et sa surface concave, présentent quelquefois des taches d'une couleur écarlate très-vive que je ne sais trop à quoi attribuer.

4° Les membranes muqueuses perdent, à la mort, la rougeur qui les caractérisait pendant la vie ; elles prennent presque toujours une teinte sombre, foncée, etc.

5° Lorsqu'on examine le sang épanché dans le cerveau des apoplectiques, on le trouve presque constamment noir.

6° Souvent, au lieu de se porter au dedans, c'est au dehors que le sang se dirige. Toute la face, le cou, quelquefois les épaules, se gonflent alors et s'infiltrent de sang : il est assez commun de voir des cadavres où se rencontre cette disposition que je n'ai encore jamais vue coïncider avec un épanchement interne. Or, examinez alors la couleur de la peau ; elle est violette ou d'un brun très-foncé, signe manifeste de l'espèce de sang qui l'engorge. Ce n'est pas, comme on l'a dit à cause de cette douleur, le reflux du sang veineux qui produit ce phénomène, mais bien la stase du sang noir qui circule, à l'instant de la mort, dans le système capillaire extérieur, où il trouve un obstacle, et qu'il engorge au lieu de le rompre, d'en briser les parois, et de s'épancher, comme il arrive dans le cerveau. Je présume que cette différence tient à la résistance plus grande, à la texture plus serrée des vaisseaux externes que des internes.

Je ne pousse pas plus loin les conséquences nombreuses du principe établi ci-dessus, savoir de la circulation du sang noir dans le système artériel pendant les derniers moments qui terminent la vie ; j'observe seulement que lorsque c'est par la circulation que commence la mort, comme dans une plaie du cœur, etc., les phénomènes précédents ne s'observent pas, ou du moins sont très-peu sensibles.

Passons à l'examen de l'influence que le sang noir exerce sur les organes dont il pénètre le tissu.

§ III. Le sang noir n'est point propre à entretenir l'activité et la vie des organes, qu'il pénètre dès que les fonctions chimiques du poumon ont cessé.

Quelle est l'influence du sang noir abordant aux organes par les artères? Pour le déterminer, remarquons que le premier résultat du contact du sang rouge est d'exciter ces organes, de les stimuler, d'entretenir leur vie, comme le prouvent les observations suivantes :

1º Comparez les tumeurs inflammatoires, l'érysipèle, le phlegmon, etc., à la formation desquels le sang rouge concourt essentiellement, avec les taches scorbutiques, les pétéchies, etc., que le sang noir produit surtout ; vous verrez les unes caractérisées par l'exaltation, les autres par la prostration locale des forces de la vie.

2º Examinez deux hommes, dont l'un, à face rouge, à poitrine large, à surface cutanée, que le moindre exercice colore fortement en rose, etc., annonce la plénitude du développement des fonctions qui changent en rouge le sang noir, et dont l'autre, à teint blême et livide, à poitrine resserrée, etc., indique, par son extérieur, que ces fonctions languissent chez lui : vous verrez quelle est la différence dans l'énergie de leurs forces respectives.

3º La plupart des gangrènes séniles commencent par une lividité dans la partie, lividité qui est l'indice évident de l'absence ou de la diminution du sang rouge.

4º La rougeur des branchies est, dans les poissons, le signe auquel on reconnaît leur vigueur.

5º Plus les bourgeons charnus sont rouges, meilleure est leur nature : plus ils sont pâles ou bruns, moins la cicatrice a de la tendance à se faire.

6º La couleur vive de toute la tête, de la face surtout, l'ardeur des yeux, etc., coïncident toujours avec l'extrême énergie que prend, dans certains accès fébriles, l'action du cerveau.

7º Plus les animaux ont leur système pulmonaire développé, plus la coloration du sang y est active, par consé-

quent plus la vie générale de leurs organes divers est parfaite et bien développée.

8° La jeunesse, qui est l'âge de la vigueur, est celui où
le sang rouge prédomine dans l'économie. Qui ne sait que
les vieillards ont, à proportion, et leurs artères plus rétrécies, et leurs veines plus larges que dans les premières années ? Qui ne sait que le rapport des deux systèmes vasculaires est inverse dans les deux âges extrêmes de la vie ?

J'ignore comment le sang rouge excite et entretient par
sa nature la vie de toutes les parties. Peut-être est-ce par
la combinaison des principes qui le colorent, avec les divers organes auxquels il parvient. En effet, voici la différence des phénomènes qu'offrent les deux systèmes capillaires, général et pulmonaire.

Dans le premier, le sang, en changeant de couleur, laisse
dans les parties les principes qui le rendent rouge ; au lieu
que dans le second, les éléments auxquels il doit sa noirceur sont rejetés par l'expiration et par l'exhalation qui
l'accompagnent. Or, cette union des principes colorant le
sang artériel avec les organes n'entre-t-elle pas pour beaucoup dans l'excitation habituelle où ils sont entretenus, excitation nécessaire à leur action ? Si cela est, on conçoit
que le sang noir, ne pouvant offrir les matériaux de cette
union, ne saurait agir comme excitant de nos diverses
parties.

Du reste, je propose cette idée sans y tenir en aucune
manière ; on peut la mettre à côté de l'action sédative que
j'ai dit être peut-être exercée sur les nerfs par le sang
noir. Quelque probable que paraisse une opinion, dès que
la rigoureuse expérience ne saurait la démontrer, tout esprit judicieux ne doit y attacher aucune importance.

Recherchons donc, abstraction faite de tout système,
comment le contact du sang noir sur les parties en détermine la mort.

On peut, comme nous l'avons fait en parlant de la mort
du cœur, diviser ici les parties en celles qui appartiennent

à la vie animale, et en celles qui concourent aux phénomènes organiques. Voyons comment les unes et les autres finissent alors d'agir.

Tous les organes de la vie animale sont sous la dépendance du cerveau; si ce viscère interrompt ses phénomènes, les leurs cessent alors nécessairement. Or, nous avons vu que le contact du sang noir frappe d'atonie les forces cérébrales, d'une manière presque soudaine. Sous ce premier rapport, les organes locomoteurs, vocaux et sensitifs doivent donc rester dans l'inertie chez les asphyxiés; c'est même la seule cause qui en suspend l'exercice dans les expériences diverses où l'on pousse du sang noir au cerveau, les autres parties n'en recevant point. Mais lorsque le fluide circule dans tout le système, lorsque tous les organes sont, comme lui, soumis à son influence, deux autres causes se joignent à celle-ci :

1° Les nerfs qui s'en trouvent pénétrés ne sont plus, par là même, susceptibles d'établir des communications entre le cerveau et les sens d'une part, de l'autre entre ce même viscère et les organes locomoteurs ou vocaux.

2° Le contact du sang noir sur ces organes eux-mêmes y anéantit leur action. Injectez, en effet, dans l'artère crurale d'un animal cette espèce de sang pris dans une de ses veines : vous verrez bientôt ses mouvements s'affaiblir d'une manière sensible, quelquefois même une paralysie momentanée survenir. J'observe que, dans cette expérience, c'est à la partie la plus supérieure de l'artère qu'il faut injecter le fluide, lequel doit être poussé en assez grande abondance. Si on ouvrait le vaisseau à sa partie moyenne, les muscles de la cuisse recevant presque tous du sang rouge, continueraient, sans nulle altération, leurs mouvements divers. Cela m'est arrivé dans deux ou trois circonstances.

Je sais qu'on peut dire que la ligature de l'artère, nécessaire dans cette expérience, est seule capable de paralyser le membre. En effet, il m'est arrivé deux fois, sinon d'anéantir entièrement, au moins d'affaiblir les mouvements par ce seul moyen ; mais aussi, souvent j'ai remarqué que son influence était presque nulle, sans doute parce qu'alors les capillaires suppléent, ce qui ne peut arriver dans l'expérience connue de Sténon, où la ligature est appliquée à l'aorte, et où le mouvement est toujours tout de suite intercepté. Cependant le résultat de l'injection du sang noir est presque constamment le même que celui que j'ai indiqué. Je dis presque, car, 1° je l'ai vu manquer une fois, quoique avec les précautions requises ; 2° l'affaiblissement des mouvements varie, suivant les animaux, et dans sa durée, et dans le degré auquel on l'observe.

Il y a aussi, dans cette expérience, une suspension manifeste du sentiment, laquelle arrive quelquefois plus tard que celle du mouvement, mais qui est toujours réelle, surtout si on a le soin de répéter trois ou quatre fois, et à de légers intervalles, l'injection du sang noir.

On produit un effet analogue, mais plus tardif et plus difficile, en adaptant à la canule placée dans la crurale un tube déjà fixé dans la carotide d'un autre animal, dont la trachée-artère est ensuite fermée, de manière que son cœur pousse du sang noir dans la cuisse du premier.

Les organes de la vie interne, indépendants de l'action cérébrale, ne sont point arrêtés, comme ceux de la vie externe, par la suspension de cette action, lorsque le sang noir circule dans le système artériel ; le seul contact de ce sang est la cause qui en suspend les fonctions. La mort de ces organes a donc un principe de moins que celle des organes locomoteurs, vocaux, etc.

J'ai déjà démontré cette influence du sang noir sur les organes de la circulation ; nous avons vu comment le cœur cesse d'agir dès qu'il en est pénétré ; c'est aussi, en partie, parce que ce fluide se répand dans les parois artérielles et veineuses, par les petits vaisseaux qui concourent à la structure de ces parois, qu'elles s'affaiblissent et cessent leurs fonctions.

Il sera sans doute toujours difficile de prouver d'une manière rigoureuse que les sécrétions, l'exhalation, la nutrition, ne sauraient puiser dans le sang noir les matériaux propres à les entretenir ; car cette espèce de sang ne circule pas assez longtemps dans les artères pour pouvoir faire des expériences sur ces fonctions.

J'ai voulu cependant tenter quelques essais : ainsi, 1₀ j'ai mis à découvert la surface interne de la vessie d'un animal vivant, après avoir coupé la symphyse et ouvert le bas-ventre : j'ai examiné ensuite le suintement de l'urine par l'orifice des uretères, pendant que j'asphyxiais l'animal en fermant le robinet adapté à sa trachée-artère ; 2° j'ai coupé le conduit déférent, préliminairement mis à nu, pour voir si, pendant l'asphyxie, la semence coulerait, etc., etc.

En général, j'ai toujours remarqué que, pendant la circulation du sang noir dans les artères, aucun fluide ne paraissait s'écouler des divers organes sécréteurs. Mais j'avoue que, dans toutes ces expériences et dans d'autres analogues que j'ai aussi tentées, l'animal éprouve un trouble trop considérable et par l'asphyxie et par les grandes incisions qu'on lui fait souffrir, le temps que dure l'expérience est trop court, pour pouvoir en tirer des conséquences de nature à être admises sans méfiance par un esprit méthodique.

C'est donc principalement par l'analogie de ce qui arrive aux autres organes que j'assure que ceux des sécrétions, de l'exhalation et de la nutrition cessent leurs fonctions lorsque le sang noir y aborde.

Cela s'accorde d'ailleurs très-bien avec divers phénomènes des asphyxiés : 1° ainsi le défaut d'exhalation cutanée pendant le temps assez long où le sang noir circule dans les artères avant la mort est-il peut-être une des causes de la permanence de la chaleur animale dans les sujets attaqués de cet accident ; 2° ainsi j'ai constamment observé sur différents chiens morts lentement d'asphyxie, pendant

19

la digestion, en leur retranchant peu à peu l'air au moyen du robinet, que les conduits hépatique, cholédoque et le duodénum contiennent beaucoup moins de bile qu'ils n'en présentent ordinairement, lorsqu'à cette époque on met à découvert ces organes sur un animal vivant ; 3° ainsi, comme je l'ai dit, le sang, ne perdant rien par les diverses fonctions indiquées plus haut, s'accumule en grande quantité dans ses vaisseaux. Voilà même pourquoi il est très-fatigant de disséquer les cadavres de pendus, d'asphyxiés par le charbon, etc. : la fluidité et l'abondance de leur sang embarrasse. Cette abondance, observée par divers auteurs, peut tenir aussi à ce que les absorbants affaiblis ne prennent point, après la mort par asphyxie, la portion séreuse du sang contenu dans les artères, comme il arrive chez presque tous les cadavres où cette portion se sépare du caillot qui reste dans le vaisseau : ici il n'y a ni séparation ni absorption.

Les excrétions paraissent alors aussi ne point se faire par l'affaiblissement qu'excite dans l'organe excréteur le contact du sang noir ; ainsi a-t-on observé fréquemment la vessie très-distendue chez les asphyxiés, comme le remarque M. Portal. C'est l'urine qui s'y trouvait avant l'accident, et qui n'a pu être évacuée, quoique la vie ait encore duré quelque temps. En général, jamais les asphyxies par le sang noir seul et sans cause délétère ne sont accompagnées de ces contractions si fréquentes à l'instant de plusieurs autres morts, ou quelques instants après, dans le rectum, la vessie, etc., contractions qui vident presque entièrement ces organes de leurs fluides, et qui doivent être bien distinguées du simple relâchement des sphincters, d'où naissent des effets analogues. Toujours les symptômes d'un affaiblissement général dans les parties se manifestent : jamais on ne voit ce surcroît de vie, ce développement de forces, qui marquent si souvent la dernière heure des mourants.

Voilà pourquoi, peut-être, on remarque dans les cadavres des personnes asphyxiées une grande souplesse des membres. La roideur des muscles paraît, en effet, tenir assez souvent à ce que la mort les frappant à l'instant de la contraction, les fibres restent rapprochées et très-cohérentes entre elles. Ici, au contraire, un relâchement général, un défaut d'action universel, existant dans les parties lorsque la vie les abandonne, elles restent en cet état, et cèdent aux impulsions qu'on leur communique.

J'avoue cependant que cette explication présente une difficulté dont je ne puis donner la solution; la voici : les asphyxiés par les vapeurs méphitiques périssent à peu près de la même manière que les noyés; ou du moins, si la cause de la mort diffère, le sang noir coule également pendant un temps assez long dans les artères. On peut le voir en ouvrant la carotide sur deux chiens, en même temps que chez l'un on fait parvenir, par un tube adapté à sa trachée-artère, des vapeurs de charbon dans le poumon, et que chez l'autre on pousse dans cet organe une certaine quantité d'eau, que l'on y maintient en fermant le robinet, et qui se trouve bientôt réduite en écume, comme chez les noyés.

Malgré cette analogie des derniers phénomènes de la vie, les membres restent souples et chauds pendant un certain temps dans le premier ; ils deviennent roides et glacés dans le second, surtout si on plonge son corps dans l'eau pendant l'expérience (car j'ai observé qu'il y a une perte moins prompte du calorique en noyant l'animal par l'eau qu'on injecte, et qui intercepte sa respiration, qu'en le plongeant tout entier dans un fluide). Mais revenons à notre objet.

Nous pouvons conclure, je crois, avec assurance, de tous les faits et de toutes les considérations renfermés dans cet article, 1° que lorsque les fonctions chimiques du poumon s'interrompent, tous les organes cessent simultanément leurs fonctions, par l'effet du contact du sang noir, quelle que soit la manière d'agir de ce sang, ce que je n'examine point; 2° que leur mort coïncide avec celle du cerveau et du cœur, mais qu'elle n'en dérive pas immédiatement; 3° que s'il était possible à ces deux organes de recevoir du sang rouge pendant que le noir pénétrerait les autres, ceux-ci finiraient leurs fonctions, tandis qu'eux continueraient les leurs; 4° qu'en un mot l'asphyxie est un phénomène général qui se développe en même temps dans tous les organes, et qui n'est prononcé très-spécialement dans aucun.

D'après cette manière d'envisager l'influence du sang noir sur les parties, il paraît que pour peu que son passage dans les artères se continue, la mort en est bientôt le résultat. Cependant certains vices organiques ont prolongé quelquefois au delà de la naissance le mélange des deux espèces de sang, mélange qui a lieu, comme on sait, chez le fœtus : tel était le vice de conformation de l'aorte naissant par une branche dans chacun des ventricules, chez un enfant dont parle Sandifort; telle paraît être encore, au premier coup d'œil, l'ouverture du trou botal chez l'adulte.

Remarquons cependant que, l'existence de ce trou ne suppose point toujours le passage du sang noir dans l'oreillette à sang rouge, comme tout le monde le croit. En effet, les deux valvules semi-lunaires entre lesquelles il est situé, quand on le rencontre au delà de la naissance, s'appliquent nécessairement l'une contre l'autre, par la pression que le sang contenu dans les oreillettes exerce sur elles, lors de la contraction simultanée de ces cavités. Le trou est alors nécessairement bouché, et son oblitération est beaucoup plus exacte que celle de l'ouverture des ventricules par les valvules mitrale et tricuspide, ou que celle de l'aorte et de la pulmonaire par les sigmoïdes.

Au reste, il est très-commun de rencontrer ce trou ouvert dans les cadavres; je l'ai déjà vu plusieurs fois. Quand il n'existe pas, rien de plus facile que de détruire l'adhérence, ordinairement très-faible, contractée par les deux valvules qui le ferment en glissant entre elles le manche du scalpel. Si on examine l'ouverture qui résulte de ce procédé, on voit qu'on n'a produit souvent aucune solution de continuité, et qu'il n'y a qu'un simple décollement.

Le trou botal, ainsi artificiellement pratiqué, présente la même disposition que celui qu'offrent naturellement certains cadavres. Or, si on examine cette disposition, on verra que lorsque les oreillettes se contractent, nécessairement le sang se forme à lui-même un obstacle, et ne peut passer de l'une dans l'autre. Il est facile même de s'assurer de la réalité du mécanisme dont je parle, par deux injections de couleur différente, faites en même temps des deux côtés du cœur, par les veines caves et par les pulmonaires.

D'après tout ce que nous avons dit, et de l'influence qu'exerce le sang sur les divers organes, soit par le mouvement dont il est agité, soit par les principes divers qui le constituent, et de la mort qui succède, dans les organes, à l'anéantissement de ces deux modes d'influence, il est évident que les organes blancs où le sang ne pénètre point dans l'état ordinaire, et que le cœur n'a point, par conséquent, directement sous sa dépendance, doivent cesser d'exister différemment que ceux qui y sont immédiatement soumis. L'asphyxie ne peut point tout à coup les atteindre ; ils ne sauraient, comme les autres, cesser presque subitement leurs fonctions dans les plaies du cœur, les syncopes, etc. En un mot, leur vie étant différente, leur mort ne doit point être la même. Or, je ne puis déterminer comme cette mort arrive ; car je ne connais point assez la vie qui la précède. Rien encore ne me paraît rigoureusement démontré sur le mode circulatoire de ces organes, sur les fluides qui les pénètrent, sur leurs rapports nutritifs avec ceux où aborde le sang, etc., etc.

ARTICLE IX.

DE L'INFLUENCE QUE LA MORT DU POUMON EXERCE SUR LA MORT GÉNÉRALE

En résumant ce qui a été dit dans les articles précédents, de l'influence qu'exerce le poumon sur le cœur, sur le cerveau et sur tous les organes, il est facile de se former une idée de la terminaison successive de toutes les fonctions, lorsque les phénomènes respiratoires sont interrompus, tant dans leur portion mécanique que dans leur portion chimique.

Voici comment la mort arrive si les phénomènes mécaniques du poumon cessent, soit par les diverses causes exposées dans l'article vᵉ, soit par d'autres analogues, comme par une rupture du diaphragme survenue à la suite d'une chute sur l'abdomen, dont les viscères ont été refoulés supérieurement, ainsi que j'ai déjà eu deux fois occasion de l'observer (1), par la fracture simultanée d'un grand nombre de côtes, par l'écrasement du sternum, etc., etc.

1° Plus de phénomènes mécaniques ; 2° plus de phénomènes chimiques, faute d'air qui les entretienne ; 3° plus d'action cérébrale, faute de sang rouge qui excite le cerveau ; 4° plus de vie animale, de sensation, de locomotion et de voix, faute d'excitation dans les organes de ces fonc-

---

(1) Lorsque le diaphragme se rompt, une cessation subite des fonctions n'est pas toujours le résultat de cet accident. Il est différentes observations où l'on a vu les malades survivre plusieurs jours à leur chute ; ce n'est que l'ouverture du cadavre qui a pu faire connaître la cause de la mort.

Les muscles intercostaux sont, dans ce cas, les seuls agents de la respiration, qui devient presque analogue à celle des oiseaux ou à celle des animaux à sang rouge et froid, qui sont privés de la cloison intermédiaire à la poitrine et à l'abdomen.

Lieutaud cite diverses ruptures du diaphragme, déterminées par des causes autres que des lésions externes. Diemerbrœck a vu ce muscle manquer chez un enfant qui vécut cependant sept années.

tions, par l'action cérébrale et par le sang rouge ; 5° plus de circulation générale ; 6° plus de circulation capillaire, de sécrétion, d'absorption, d'exhalation, faute d'action exercée par le sang rouge sur les organes de ces fonctions ; 7° plus de digestion, faute de sécrétion et d'excitation des organes digestifs, etc., etc.

Les phénomènes de la mort s'enchaînent différemment lorsque les fonctions chimiques du poumon sont interrompues, ce qui arrive, 1° dans la machine du vide ; 2° lors de l'oblitération de la trachée-artère par un robinet adapté artificiellement à ce canal, par un corps étranger qui y est tombé, par un autre qui fait saillie à la partie antérieure de l'œsophage, par la strangulation, par un polype, par des matières muqueuses amassées dans les cavités aériennes, etc. ; 3° dans les différentes affections inflammatoires, squirrheuses et autres, de la bouche, du gosier, du larynx, etc. ; 4° dans la submersion ; 5° lors d'un séjour sur le sommet des plus hautes montagnes ; 6° dans l'introduction accidentelle des différents gaz non respirables, tels que les gaz acide carbonique, azote, hydrogène, muriatique oxygéné, ammoniac, etc., etc. ; 7° lors d'une respiration trop prolongée dans l'air ordinaire, dans l'oxygène, etc., etc... Dans tous ces cas la mort survient de la manière suivante :

1° Interruption des phénomènes chimiques ; 2° suspension nécessairement subséquente de l'action cérébrale ; 3° cessation des sensations, de la locomotion volontaire, par la même raison, de la voix et des phénomènes mécaniques de la respiration, phénomènes dont les mouvements sont les mêmes que ceux de la locomotion volontaire ; 4° anéantissement de l'action du cœur et de la circulation générale ; 5° terminaison de la circulation capillaire, des sécrétions, de l'exhalation, de l'absorption, et consécutivement de la digestion ; 6° cessation de la chaleur animale qui est le résultat de toutes les fonctions, et qui n'abandonne le corps que lorsque tout a cessé d'y être en activité.

Quelle que soit la fonction par laquelle commence la mort, c'est toujours par celle-ci qu'elle s'achève.

§ I Remarques sur les différences que présentent les diverses asphyxies.

Quoique dans le double genre de mort dont je viens d'exposer l'enchaînement successif, le sang noir influe toujours spécialement, par son contact, sur l'affaiblissement et l'interruption de l'action des organes, il ne faut pas croire cependant que cette cause soit constamment la seule. Si cela était, toutes les asphyxies se ressembleraient par leurs phénomènes, comme le prouvent les considérations suivantes :

D'un côté, il y a, dans toutes ces affections, interruption de la coloration du sang noir, et par conséquent circulation de cette espèce de sang dans le système artériel ; d'un autre côté, le sang ne présente aucune nuance particulière à chaque asphyxie ; dans toutes il est le même, c'est-à-dire qu'il passe dans l'appareil vasculaire à sang rouge, tel qu'il était dans l'appareil opposé. J'ai eu occasion de m'assurer très-souvent de ce fait. Quelle que soit la manière dont j'ai essayé de faire cesser les fonctions chimiques du poumon, dans mes expériences, la noirceur m'a toujours paru à peu près uniforme.

Malgré cette uniformité relative aux phénomènes de la coloration du sang dans les asphyxies, rien n'est plus varié que leurs symptômes et que la marche des accidents qu'elles occasionnent. Leurs différences ont rapport, tantôt au temps que la mort reste à s'opérer, tantôt aux phénomènes qui se développent dans les derniers instants, tantôt à l'état des organes, à la somme des forces qu'ils conservent après que la vie les a abandonnés, etc.

1° L'asphyxie varie par rapport à sa durée : elle est prompte dans les gaz hydrogène sulfuré, nitreux, dans certaines vapeurs qui s'élèvent des fosses d'aisances, etc.; elle est plus lente dans les gaz acides carbonique, azote, dans l'air épuisé par la respiration, dans l'hydrogène pur, dans l'eau, dans le vide, etc.

2° Elle varie par les phénomènes qui i accompagnent : tantôt l'animal s'agite avec violence, est pris de convulsions subites, finit sa vie dans une agitation extrême ; tantôt il semble tranquillement voir ses forces lui échapper, passer d'abord de la vie au sommeil, et ensuite du sommeil à la mort. Lorsqu'on compare les nombreux effets du plomt des fosses d'aisances, des vapeurs du charbon, des différents gaz, de la submersion, etc., sur l'économie animale, on voit que chacune de ces causes l'influence d'une manière très-différente et souvent opposée.

3° Enfin les phénomènes qui suivent l'asphyxie sont aussi très-variables. Comparez le cadavre toujours froid d'un noyé aux restes longtemps chauds d'un homme suffoqué par les vapeurs du charbon ; lisez le résultat de diverses expériences exposées dans le rapport des commissaires de l'Institut, sur l'influence que le galvanisme reçoit des diverses asphyxies ; parcourez l'exposé des symptômes qui accompagnent le méphitisme des fosses d'aisances, symptômes développés dans un ouvrage de M. Hallé, qui a aussi spécialement concouru au rapport dont je viens de parler ; rapprochez les nombreuses observations éparses dans les ouvrages de différents autres médecins, de M. Portal, de Louis, de Haller, de Troja, de Pechlin, de Bartholin, de Morgagni, etc., etc. ; faites les expériences les plus ordinaires, les plus faciles à répéter sur la submersion, sur la strangulation, sur la suffocation par les divers gaz : vous verrez partout des différences très-remarquables dans toutes ces espèces d'asphyxies ; vous observerez que chacune est presque caractérisée par un état différent dans les cadavres des animaux qui y ont été exposés.

Pour rechercher la cause de ces différences, distinguons d'abord les asphyxies en deux classes : 1° en celles qui surviennent par le simple défaut d'air respirable ; 2° en celles où, à cette première cause se joint l'introduction dans le poumon d'un fluide délétère.

Lorsque le simple défaut d'air respirable occasionne l'asphyxie, comme dans celles produites par le vide, par la strangulation, par le séjour trop prolongé dans un air qui ne peut se renouveler, etc., par un corps étranger dans la trachée-artère, etc., etc., alors la cause immédiate de la mort me paraît être uniquement le contact du sang noir sur toutes les parties, comme je l'ai exposé très en détail dans le cours de cet ouvrage.

L'effet général de ce contact est toujours le même, quelle que soit l'espèce d'accident qui le produise : aussi les symptômes concomitants et les résultats secondaires de tous ces genres de morts présentent-ils en général peu de différence entre eux. Leur durée est la même ; si elle varie, cela ne dépend que de l'interruption plus ou moins prompte de l'air, qui est tantôt subitement arrêté comme dans la strangulation, et qui tantôt n'est qu'en partie intercepté, comme lorsque les corps étrangers ne bouchent qu'inexactement la glotte.

Cette variété dans la durée et dans l'intensité de la cause asphyxiante peut bien en déterminer quelqu'une dans certains symptômes ; tels sont la lividité et le gonflement plus ou moins grands de la face, l'embarras plus ou moins considérable du poumon, etc., le trouble plus ou moins marqué dans les fonctions de la vie animale, l'irrégularité plus ou moins sensible du pouls, etc. Mais toutes ces différences ne supposent point de diversité de nature dans la cause qui interrompt les phénomènes chimiques ; elles n'indiquent que des modifications diverses de cette même cause. Voilà, par exemple, 1° comment un pendu ne meurt point de même qu'un homme suffoqué par une tumeur inflammatoire, de même que celui dans la trachée-artère duquel est tombée une fève, un pois, etc. ; 2° comment, si on fait périr un animal sous une cloche pleine d'air atmosphérique, il restera bien plus longtemps à s'asphyxier que si on bouche la trachée-artère avec un robinet, et bien moins que si la cloche contient de l'oxygène ; 3° comment les symptômes de l'asphyxie, à une hauteur de l'atmosphère où l'air trop raréfié n'offre pas assez d'aliment à la vie, dans une chaleur étouffante qui produit sur ce fluide le même effet, diffèrent beaucoup en apparence de l'asphyxie que déterminent l'ouverture subite de la poitrine, une compression très-forte de cette cavité, en un mot toutes les causes qui font commencer la mort par les phénomènes mécaniques.

Dans tous ces cas, il n'y a qu'un principe unique de la mort, savoir, l'absence du sang rouge dans le système artériel ; mais suivant que le sang noir passe tout de suite dans ce système tel qu'il était dans les veines, ou qu'il puise encore quelque chose dans le poumon, les phénomènes qui se manifestent pendant les derniers instants, et même après la mort, varient singulièrement. Je dis après la mort, car j'ai constamment observé que dans toutes les asphyxies produites par le simple défaut d'air respirable, plus la vie tarde à se terminer, et plus par conséquent l'état d'angoisses et de malaise qui la sépare de la mort est prolongé par un peu d'air que reçoivent encore les poumons, moins l'irritabilité et même la susceptibilité galvanique se montrent avec énergie dans les expériences consécutives.

Mais si dans l'asphyxie l'introduction d'un fluide aériforme étranger dans les bronches se joint au défaut d'air respirable, alors la variété des symptômes ne tient plus à la variété des modifications de la cause asphyxiante, mais bien à la différence de sa nature.

Cette cause est, en effet, double dans le cas qui nous occupe. 1° Le sang resté noir faute des éléments qui le colorent, et porté dans tous les organes à travers le système artériel, comme dans le cas précédent, détermine également l'affaiblissement et la mort de ces organes, ou plutôt ne peut entretenir leur action ; 2° des principes per-

nicieux introduits dans le poumon avec les gaz auxquels
ils sont unis agissent directement sur les forces de la
vie, et les frappent de prostration et d'anéantissement. Il
y a donc ici absence d'un excitant propre à entretenir l'é-
nergie vitale, et présence d'un délétère qui détruit cette
énergie.

J'observe cependant, que tous les gaz n'agissent pas de
cette manière : il paraît que plusieurs ne font périr les
animaux que parce qu'ils ne sont point respirables, que
parce qu'ils ne contiennent point les principes qui colorent
le sang. Tel est, par exemple, l'hydrogène pur, où l'asphyxie s'opère à peu près de la même manière que lorsque la trachée-artère est simplement oblitérée, que lorsque l'air de la respiration a été tout épuisé, etc., et où,
comme l'observent les commissaires de l'Institut, elle est
beaucoup plus lente à s'effectuer que dans les autres fluides aériformes.

Mais lorsque, par les exhalaisons qui s'élèvent à l'air
libre, d'une fosse d'aisances, d'un caveau, d'un cloaque où
des matières putrides se sont amassées, un homme tombe
asphyxié à l'instant même où il les respire, et avec des
mouvements convulsifs, des agitations extrêmes, etc., alors
certainement il y a plus que l'interruption des phénomènes chimiques, et par conséquent que la non-coloration en
rouge du sang noir.

En effet, 1° il entre encore dans le poumon assez d'air
respirable avec les vapeurs méphitiques dont cet air est le
véhicule, pour entretenir pendant un certain temps la vie
et ses diverses fonctions ; 2° en supposant que la quantité
des vapeurs méphitiques fût telle qu'aucune place ne res-
tât pour l'air respirable, la mort ne devrait venir que par
gradation, sans des secousses violentes et subites ; elle devrait être, en un mot, telle qu'elle est produite par la simple privation de cet air : or, la manière toute différente
dont elle survient indique qu'il y a ici, outre le contact du

e sang noir, l'action d'une substance délétère dans l'économie animale.

Ces deux causes agissent donc simultanément dans l'asphyxie par les différents gaz. Tantôt l'une prédomine, tantôt leur action est égale. Si le délétère est très-violent, il
tue souvent l'animal avant que le sang noir ait pu produire
beaucoup d'effet; s'il l'est moins, la vie s'éteint sous l'influence de ce dernier autant que sous celle du premier; s'il
est faible, c'est principalement le sang noir qui suffoque.

Les asphyxies par les gaz ou les vapeurs méphitiques
se ressemblent donc toutes par l'affaiblissement qu'éprouvent les organes de la part du sang noir; c'est sous ce rapport aussi qu'elles sont analogues à celles que détermine
la simple privation de l'air respirable. Elles diffèrent par
la nature du délétère; cette nature varie à l'infini; on croit
la connaître dans quelques fluides aériformes, mais dans
le plus grand nombre nous l'ignorons encore presque entièrement : elle nous est surtout peu connue dans les vapeurs qui s'élèvent des matières fécales longtemps retenues, des égouts, etc.

D'après cela, je ferai abstraction de la nature spéciale
des différentes espèces de délétères, et de la variété des
symptômes qui peuvent naître de l'action de chacune en
particulier : je n'aurai égard qu'aux effets qui résultent de
cette action considérée d'une manière générale.

Je remarque aussi que la variété de ces effets peut beaucoup dépendre de l'état dans lequel se trouve l'individu,
en sorte que le même délétère produira des symptômes divers suivant le tempérament, l'âge, la disposition du poumon, celle du cerveau, etc., etc. Mais, en général, ces variétés portent plus sur l'intensité, sur la force ou la faiblesse des symptômes, que sur leur nature, qui reste assez
constamment la même.

Comment les différentes substances délétères qui sont
introduites dans le poumon, avec les vapeurs méphitiques
qu'elles composent en partie, agissent-elles sur l'écono-

mie? Ce ne peut être que de deux manières : 1° en affectant les nerfs du poumon, qui réagissent ensuite sympathiquement sur le cerveau ; 2° en passant dans le sang, et en allant directement porter, par la circulation, leur influence sur cet organe, et en général sur tous ceux de l'économie animale.

Je crois bien que la simple action d'une substance délétère sur les nerfs du poumon peut avoir un effet très-marqué dans l'économie, qu'elle est même capable d'en troubler les fonctions d'une manière très-sensible : à peu près comme une odeur, en frappant simplement la pituitaire, agit sympathiquement sur le cœur, et détermine la syncope ; comme la vue d'un objet hideux produit le même effet, comme un lavement irritant réveille presque tout à coup et momentanément les forces de la vie ; comme la vapeur du vinaigre, le jus d'oignon, portés sur la conjonctive pendant la syncope, suffisent quelquefois pour réveiller tous les organes ; comme l'introduction de certaines substances dans l'estomac se fait subitement ressentir dans toute l'économie, avant que ces substances aient eu le temps de passer dans le torrent circulatoire, etc.

On rencontre, à chaque instant, de ces exemples où le simple contact d'un corps sur les surfaces muqueuses produit tout à coup une réaction sympathique sur les divers organes, et occasionne des phénomènes très-remarquables dans tout le corps.

Nous ne pouvons donc rejeter ce mode d'action des substances délétères qui s'introduisent dans le poumon. Mais la même raison qui nous porte à l'admettre dans plusieurs cas nous engage à ne pas en exagérer l'influence.

Je ne connais point, en effet, d'exemple où le simple contact d'un corps délétère sur une surface muqueuse produise subitement la mort. Il peut l'amener au bout d'un certain temps, mais jamais la déterminer dans l'instant qui suit celui où il agit.

Cependant, dans l'asphyxie des vapeurs méphitiques,

telle est souvent la rapidité avec laquelle survient la mort, qu'à peine le sang noir a-t-il eu le temps d'exercer son influence, et que, bien manifestement, la cause principale de la cessation des fonctions est l'action des substances délétères.

Cette considération nous porte donc à croire que ces substances passent dans le sang à travers le poumon, et que, circulant avec ce fluide, elles vont porter à tous les organes, et principalement au cerveau, la cause immédiate de leur mort. Plusieurs médecins ont déjà soupçonné et même admis, mais sans beaucoup de preuves, ce passage dans le sang des substances délétères introduites par la respiration des vapeurs méphitiques. Voici un très-grand nombre de considérations qui me paraissent l'établir d'une manière indubitable :

1° On ne peut douter, je crois, que le poison de la vipère, que celui de plusieurs animaux venimeux, que celui de la rage même, ne s'introduisent dans le système sanguin, soit par les veines, soit par les lymphatiques, et qu'ils ne déterminent, par leur circulation avec le sang, les funestes effets qui en résultent. Pourquoi des effets plus funestes encore, et surtout plus subits, ne seraient-ils pas produits de la même manière dans les asphyxies par les vapeurs méphitiques ?

2° Il paraît très-certain qu'une portion de l'air qu'on respire passe dans le sang, et que, se combinant avec lui, il sert à la coloration. Ce passage se fait à travers la membrane muqueuse même, et non par le système absorbant, comme le prouve, dans mes expériences, la promptitude de cette coloration. Or, qui empêche que les vapeurs méphitiques ne suivent la même route que la portion respirable de l'air ? Je sais que la sensibilité propre du poumon peut le mettre en rapport avec cette portion respirable, et non avec ces vapeurs ; qu'il peut, par conséquent, admettre l'une et refuser les autres : voilà même, sans doute, pourquoi, dans l'état ordinaire, les principes constitutifs de l'air atmosphérique, autres que celui qui sert à la vie, ne traversent point ordinairement le poumon et ne se mêlent pas au sang. Mais connaissons-nous les limites précises des rapports de la sensibilité du poumon avec toutes les substances ? ne peut-il pas laisser passer les unes, quoique délétères, et s'opposer à l'introduction des autres ?

3° La respiration d'un air chargé des exhalaisons qui s'élèvent de l'huile de térébenthine donne aux urines une odeur particulière. C'est ainsi que le séjour dans une chambre nouvellement vernissée influe d'une manière si remarquable sur ce fluide. Dans ce cas, c'est bien évidemment par le poumon, au moins en partie, que le principe odorant passe dans le sang, pour se porter de là sur le rein. En effet, je me suis plusieurs fois assuré qu'en respirant dans un grand bocal, et au moyen d'un tube, l'air chargé de ce principe, qui ne saurait alors agir sur la surface cutanée, l'odeur de l'urine est toujours notablement changée. Si donc le poumon peut laisser pénétrer diverses substances étrangères à l'air respirable, pourquoi n'admettrait-il pas aussi les vapeurs méphitiques des mines, des lieux souterrains, etc. ?

4° On connaît l'influence de la respiration d'un air humide sur la production des hydropisies. Plusieurs médecins ont exagéré cette influence, qui n'est point aussi étendue qu'ils l'ont dit, mais qui cependant, très-réelle, prouve et le passage d'un fluide aqueux dans le sang avec l'air de la respiration, et, par analogie, la possibilité du passage de toute autre substance différente de l'air respirable.

5° Si on asphyxie un animal dans le gaz hydrogène sulfuré, et que, quelque temps après sa mort, on place sous un de ses organes, sous un muscle, par exemple, une plaque de métal, la surface de cette plaque contiguë à l'organe devient sensiblement sulfurée. Donc le principe étranger qui ici est uni à l'hydrogène s'est introduit dans la circulation par le poumon, a pénétré avec le sang toutes les parties, que probablement il a concouru à affaiblir, et même à interrompre dans leurs fonctions. Les commissaires de l'Institut ont observé dans leurs expériences ce phénomène, qui prouve manifestement et directement le mélange immédiat des vapeurs méphitiques avec le sang, ainsi que leur action sur les organes. J'ai fait une observation analogue, dans l'asphyxie, avec le gaz nitreux. On connaît les phénomènes de même nature qui accompagnent l'usage du mercure, pris intérieurement ou extérieurement.

Je crois que nous sommes presque déjà en droit de conclure, d'après les phénomènes que je viens d'exposer, et d'après les réflexions qui les accompagnent, que les substances délétères dont les différents gaz sont le véhicule passent dans le sang à travers le poumon, et que, portées par la circulation aux divers organes, elles vont les frapper de leur mortelle influence. Mais poursuivons nos recherches sur cet objet, et tâchons d'accumuler d'autres preuves sur les premières.

Je me suis assuré par un grand nombre d'expériences qu'on peut, sur un animal vivant, faire passer dans le sang, par la voie du poumon, l'air atmosphérique en nature, ou tout autre fluide aériforme.

Coupez la trachée-artère d'un chien, pour y adapter un robinet ; poussez par ce moyen, et avec une seringue, une quantité de gaz plus considérable que celle que le poumon contient dans une inspiration ordinaire ; retenez le gaz dans les bronches en fermant le robinet : aussitôt l'animal s'agite, se débat, fait de grands efforts avec les muscles pectoraux. Ouvrez alors une des artères, même parmi celles qui sont les plus éloignées du cœur, comme à la jambe, au pied, le sang jaillit aussitôt écumeux, et présente une grande quantité de bulles d'air.

Si c'est du gaz hydrogène que vous avez employé, vous vous assurerez qu'il a passé en nature dans le sang, en approchant de ces bulles une bougie allumée, qui les enflammera. Je fais ordinairement l'expérience de cette manière-là.

19.

Quand le sang a coulé écumeux pendant trente secondes, et même moins, la vie animale s'interrompt ; le chien tombe avec tous les symptômes de la mort qui succède à l'insufflation de l'air dans le système vasculaire à sang noir. Il périt bientôt, quoiqu'on donne accès à l'air en ouvrant le robinet, et en rétablissant ainsi la respiration.

En général, dès que le sang s'est écoulé de l'artère, mêlé avec des bulles d'air, déjà il a porté son influence funeste au cerveau ; et on peut assurer que, quelque moyen qu'on emploie, la mort est inévitable.

On voit qu'ici les causes qui déterminent la mort sont les mêmes que celles qui naissent de l'insufflation de l'air dans une veine. Toute la différence est que dans le premier cas l'air passe du poumon dans le système artériel, et que dans le second c'est du système veineux et à travers le poumon qu'il se glisse dans les artères.

Dans l'ouverture cadavérique des animaux morts à la suite de ces expériences, on trouve tout l'appareil vasculaire à sang rouge, en commençant par l'oreillette et le ventricule aortiques, plein de bulles d'air plus ou moins importantes. Dans quelques circonstances, le sang passe aussi en cet état par le système capillaire général, et tout l'appareil vasculaire à sang noir est également rempli d'un fluide écumeux. D'autres fois, les capillaires de tout le corps sont le terme où s'arrête l'air mêlé au sang ; et alors, quoique la circulation ait encore continué quelque temps après l'interruption de la vie animale, cependant le sang noir ne présente pas la moindre bulle aérienne, tandis que le rouge en est surnagé.

Je n'ai jamais observé dans ces expériences, qui ont été très-souvent répétées, que les bronches aient éprouvé la moindre déchirure : cependant j'avoue qu'il est difficile de s'en assurer dans leurs dernières ramifications ; seulement voici un phénomène qui peut jeter quelque jour sur cet objet : toutes les fois qu'on pousse l'air avec une trop grande impétuosité dans le poumon, on produit, outre le passage de ce fluide dans le sang, son infiltration dans le tissu cellulaire, où il se propage de proche en proche, et détermine par là l'emphysème de la poitrine, du cou, etc. Mais si l'impulsion est modérée, et que seulement la quantité d'air soit augmentée au delà de la mesure d'une grande inspiration, il n'y a que le passage de l'air en nature dans le sang, et jamais l'infiltration cellulaire (1).

(1) Ce fait. plusieurs fois constaté dans mes expériences, n'est pas toujours de même chez l'homme. Souvent on voit des emphysèmes produits par des efforts violents de la respiration, efforts qui ont poussé dans l'organe cellulaire l'air contenu dans le poumon. Or, si le passage de l'air dans le sang précédait ou même accompagnait toujours son introduction dans les cellules voisines des bronches, tous ces emphysèmes seraient nécessairement mortels, et même d'une manière subite, puisque, d'après ce qui a été dit plus haut, le contact de l'air sur le cerveau, où le porte la circulation, interrompt inévitablement les fonctions de cet organe.

Cependant on observe que souvent les emphysèmes ou se guérissent ou n'occasionnent la mort qu'après un temps assez long. J'ai vu, à l'Hôtel-Dieu, une tumeur aérienne se développer subitement sous l'aisselle, pendant que Desault réduisait une ancienne luxation, par les efforts violents du malade pour retenir la respiration. Au bout de quelques jours, cette tumeur disparut sans avoir nullement incommodé. On trouve dans les Mémoires de l'Académie de chirurgie, dans les Traités d'opérations, etc., divers exemples d'emphysèmes produits par les vives agitations du thorax, à la suite de l'introduction d'un corps étranger dans la trachée-artère, emphysèmes avec lesquels les malades ont vécu plusieurs jours, et auxquels même ils ont échappé.

Il est donc hors de doute que souvent chez l'homme l'air passe du poumon dans le tissu cellulaire, sans pénétrer dans le tissu artériel. Mes expériences faites sur les animaux n'ont point été exactement analogues à ce qui arrive dans l'introduction d'un corps étranger, où une partie de l'air entre et sort encore. Il est donc probable que d'une cause exactement semblable pourrait naître aussi le même effet chez les animaux.

Réciproquement, le passage de l'air dans les vaisseaux sanguins arrive quelquefois chez l'homme, sans que l'infiltration de l'organe cellulaire ait lieu ; alors la mort est subite.

Un pêcheur sujet à des coliques venteuses en est affecté tout à coup dans sa barque : le ventre se gonfle, la respiration devient pénible ; le malade meurt presque à l'instant. Morgagni l'ouvre le lendemain,

Les expériences dont je viens de donner le détail présentent des phénomènes qui se passent dans un état différent de l'inspiration ordinaire : je sens bien, par conséquent, qu'on ne peut en tirer une rigoureuse induction pour le passage des substances délétères dans la masse du sang ; mais cependant je crois qu'elles en confirment beaucoup la possibilité, qui d'ailleurs est démontrée par plusieurs des remarques précédentes.

D'après tout ce qui a été dit ci-dessus, je ne pense pas qu'on puisse refuser d'admettre ce passage. En effet,

et trouve ses vaisseaux remplis d'air. Pechlin dit avoir vu également périr un homme subitement dans les angoisses d'une respiration précipitée, et avoir trouvé ensuite beaucoup d'air dans le cœur et dans les gros vaisseaux.

J'ai déjà eu occasion de disséquer plusieurs cadavres dont la mort avait été précédée d'une congestion sanguine dans le système capillaire extérieur de la face, du cou et même de la poitrine. Ce système présentait un engorgement et une lividité remarquables dans toutes ses parties, et j'ai trouvé en ouvrant les artères et les veines, dans celles du cou et de la tête spécialement, un sang écumeux et mêlé de beaucoup de bulles d'air. J'ai appris que l'un de ces sujets avait péri subitement dans une affection convulsive des muscles pectoraux ; je n'ai pu avoir de renseignements sur les autres. Au reste, tous ceux qui ont quelque habitude des amphithéâtres doivent avoir observé ces sortes de cadavres, qui se putréfient très-promptement et avec une odeur insupportable. Ils ont remarqué aussi que l'air, dans les vaisseaux, préexistait à la putréfaction.

Je soupçonne que, dans tous ces cas, la mort a été produite par le passage subit de l'air du poumon dans le sang, qui l'a ensuite porté au cerveau ; à peu près comme j'ai dit qu'elle survient lorsque, dans un animal vivant, on pousse beaucoup d'air vers le poumon, et qu'on fait ainsi passer ce fluide dans le système vasculaire.

En rapprochant ces phénomènes des considérations présentées plus haut sur la mort par l'injection de l'air dans les veines, on sera, je crois, fort porté à admettre l'opinion que j'avance, et qui, d'ailleurs, a été celle de plusieurs médecins. On a déjà fait sur le cadavre divers essais relatifs à ce point. Morgagni en présente le détail ; mais c'est sur l'individu vivant que l'on doit observer le passage de l'air dans le sang, pour en déduire des conséquences sur l'objet qui nous occupe. On sait en effet quelle est l'influence de la mort sur la perméabilité des parties.

1° nous avons vu que la seule transmission du sang noir dans les artères ne suffisait pas pour rendre raison d'une foule de phénomènes infiniment variés que présentent les diverses asphyxies ; 2° que le simple contact, sur les nerfs pulmonaires, des substances délétères qui forment certaines vapeurs méphitiques, ne pouvait produire une mort aussi rapide que celle observée quelquefois dans ces accidents ; 3° que nous étions conduits conséquemment à soupçonner, d'après le défaut d'autres causes, celle du passage de ces substances délétères dans le sang ; 4° qu'une foule de considérations établissait positivement ce passage, qui se trouve ainsi prouvé, et par voie indirecte et par voie directe.

Ce principe étant une fois établi, voyons quelles conséquences en résultent. La première de ces conséquences est le mode d'action qu'exercent les substances délétères sur les divers organes où les porte le torrent de la circulation.

Rechercher le mécanisme précis de cette action, ce serait quitter la voie de l'expérience pour entrer dans celle des conjectures. Je ne m'en occuperai pas plus que je ne me suis occupé à trouver comment le sang noir agit précisément sur les organes dont il interrompt l'action.

Je me borne donc à examiner sur quel système se porte principalement l'influence des substances délétères mêlées avec le sang dans diverses espèces d'asphyxies. Or, tout nous annonce, 1° que c'est en général sur le système nerveux, sur celui surtout qui préside aux parties de la vie animale, car les fonctions organiques ne sont troublées que consécutivement ; 2° que dans le système nerveux animal ; c'est le cerveau qui se trouve spécialement affecté ; 3° que, sous ce rapport, M. Pinel a eu raison de classer parmi les névroses différentes asphyxies, celles surtout dans lesquelles il y a, outre le contact du sang noir, la présence d'un délétère. Voici différentes considérations qui me paraissent laisser peu de doutes sur cet objet :

1° Dans toutes les asphyxies où l'on ne peut révoquer

en doute la présence d'un délétère, comme, par exemple, dans celles produites par le plomb, les symptômes se rapportent presque toujours à deux phénomènes généraux et opposés; savoir, au spasme, à celui surtout des muscles à mouvement volontaire, ou à une torpeur, à un engourdissement analogues aux affections soporeuses. Deux ouvriers sortent d'une fosse d'aisances de la rue Saint-André-des-Arts, frappés des vapeurs du plomb : l'un s'assied sur une borne, s'endort, et tombe asphyxié ; l'autre s'enfuit en sautant convulsivement jusqu'à la rue du Battoir, et tombe également asphyxié. Le sieur Verville s'approche d'un ouvrier tué par le plomb ; il respire l'air qui s'exhale de sa bouche : soudain il est renversé sans connaissance, et bientôt il est pris de fortes convulsions. La vapeur du charbon enivre souvent, comme on le dit. J'ai vu périr les animaux asphyxiés par d'autres gaz, avec une roideur des membres qui indique le plus violent spasme. Le centre de tous ces symptômes, l'organe spécialement affecté dont ils émanent est, sans contredit, le cerveau. Il arrive alors ce qui survient quand on met cet organe à découvert, et qu'on l'irrite ou qu'on le comprime d'une manière quelconque : l'irritation ou la compression donne lieu tantôt à l'assoupissement, tantôt aux convulsions, suivant leurs degrés, et quelquefois suivant la disposition du sujet. Ici il n'y a point de compression, mais l'irritant est le délétère apporté au cerveau par la circulation.

2° La vie animale est toujours subitement interrrompue avant l'organique, dans le cas où l'asphyxie a été telle qu'on ne peut soupçonner le contact du sang noir de l'avoir seul produite. Or, le centre de cette vie est le cerveau; c'est lui auquel se rapportent les sensations et d'où partent les volitions. Tout doit donc être anéanti dans les phénomènes de nos rapports avec les êtres voisins, lorsque l'action cérébrale a cessé.

3° J'ai prouvé que lorsque le sang noir tue seul l'animal, le cerveau se trouve d'abord spécialement affecté par son contact. Pourquoi les substances délétères qui, dans l'asphyxie, sont apportées comme le sang par les artères céphaliques, n'agiraient-elles pas de la même manière sur la pulpe cérébrale ?

4° J'ai poussé par la carotide différents gaz délétères, l'hydrogène sulfuré, par exemple ; j'ai fait parvenir au cerveau quelques-unes des substances connues qui vicient la nature de ces gaz, en les mêlant avec des liquides ; et toujours l'animal a péri asphyxié, soit avec les symptômes de spasme, soit avec ceux de torpeur indiqués plus haut. En général, rien de plus semblable aux asphyxies des différents gaz délétères que la mort déterminée par les substances nuisibles, quelle que soit leur nature, qu'on introduit artificiellement dans la carotide, pour les faire parvenir au cerveau. J'ai exposé dans un des articles précédents plusieurs expériences relatives à cet objet.

5° Tous les accidents qu'entraînent après elles ces sortes d'asphyxies, lorsque le malade revient à la vie, supposent une lésion, un trouble dans le système nerveux, dans celui surtout dont le cerveau est le centre. Ce sont des paralysies, des tremblements, des douleurs vagues, des dérangements dans l'appareil sensitif extérieur, etc., etc.

Concluons, des considérations précédentes, que c'est sur le cerveau, sur le système nerveux cérébral, et par conséquent sur tous les organes de la vie animale qui en sont dépendants, que les principes délétères introduits dans la grande circulation par les asphyxies portent leur première et leur principale influence, et que c'est de la mort de ces parties que dérive spécialement celle des autres. Les divers organes sont sans doute aussi frappés et affaiblis directement dans ce cas ; ils peuvent même mourir par le contact immédiat des principes qui y abordent avec le sang ; et, sous ce rapport, leur action est analogue à celle que nous avons dit être produite par le contact du sang noir. Mais tous ces phénomènes sont constamment bien plus marqués dans la vie animale que dans l'organique, où ils se développent sans doute, comme nous avons dit que cela arrive par le contact du sang noir.

Au reste, n'oublions jamais d'associer dans la cause de ces sortes de mort l'influence de ce sang noir à celle des délétères, quoique nous ayons fait ici abstraction de cette influence. Elle est d'autant plus marquée que la circulation a continué plus longtemps après la première invasion des symptômes, parce que le sang noir a eu plus le temps de pénétrer les organes.

D'après ce que nous avons dit de l'introduction des délétères dans le sang, et de leur action sur les diverses parties, on se fera aisément, je pense, une idée de toutes les différences indiquées plus haut dans les asphyxies qu'ils produisent. La nature infiniment variée de ces délétères doit produire, en effet, des symptômes très-différents par leur intensité, par leur rapidité, par les traces qu'ils laissent et dans la vie des organes de celui qui échappe à l'asphyxie, et dans les cadavres de ceux qui y succombent.

Au reste, ces différences tiennent beaucoup aussi à la disposition du sujet : le même délétère peut, comme je l'ai dit, produire, suivant cette disposition, des effets très-divers, et quelquefois opposés en apparence.

§ II. Dans le plus grand nombre des maladies, la mort commence par le poumon.

Je viens de parler des morts subites ; disons un mot de celles qui succèdent lentement aux diverses maladies. Pour peu qu'on ait observé d'agonies, on s'est, je crois, facilement persuadé que le plus grand nombre termine la vie par une affection du poumon. Quel que soit le siége de la maladie principale, que ce soit un vice organique ou une lésion générale des fonctions, telle qu'une fièvre, etc., presque toujours, dans les derniers instants de l'existence, le poumon s'embarrasse ; la respiration devient pénible, l'air sort et entre avec peine ; la coloration du sang ne se

fait que très-difficilement : il passe presque noir dans les
artères.

Les organes, déjà affaiblis généralement par la maladie,
reçoivent bien plus facilement alors l'influence funeste du
contact de ce sang que dans les asphyxies, où ces organes
sont intacts. La perte des sensations et des fonctions intellectuelles, bientôt celle des mouvements volontaires,
succèdent à l'embarras du poumon. L'homme n'a plus de
rapport avec ce qui l'entoure ; toute sa vie animale s'interrompt, parce que le cerveau, pénétré par le sang noir,
cesse ses fonctions, qui, comme on sait, président à cette
vie.

Peu à peu le cœur et tous les organes de la vie interne,
se pénétrant de ce sang, finissent aussi leurs mouvements.
C'est donc ici le sang noir qui arrête tout à fait le mouvement vital que la maladie a déjà singulièrement affaibli.
En général, il est très-rare que cet affaiblissement, né de
la maladie, amène la mort d'une manière immédiate : il
la prépare, il rend les organes entièrement susceptibles
d'être influencés par la moindre altération du sang rouge ;
mais c'est presque toujours cette altération qui finit la vie.
La cause de la maladie n'est alors qu'une cause indirecte
de la mort générale, elle détermine celle du poumon, laquelle entraîne ensuite celle de tous les organes.

On conçoit très-bien, d'après cela, comment le peu de
sang contenu dans le système artériel des cadavres est
presque toujours noir, ainsi que nous l'avons déjà dit. En
effet, 1° le plus grand nombre des morts commencent par
le poumon ; 2° nous verrons que celles qui ont leur principe dans le cerveau doivent présenter aussi ce phénomène. Donc il n'y a que celles, assez rares, où le cœur
cesse subitement d'agir, à la suite desquelles le sang
rouge peut se trouver dans l'oreillette et le ventricule aortiques, ou dans les artères. En général, on ne fait guère
une semblable observation que dans le cœur des animaux
qui ont péri subitement d'une grande hémorrhagie, dans

20

celui des guillotinés, etc., quelquefois dans les cadavres de ceux qui ont fini par une syncope, circonstance où cependant cela n'arrive pas toujours.

D'après la fréquence des morts qui commencent par un embarras du poumon, on conçoit aussi comment cet organe se trouve presque toujours gorgé de sang dans les cadavres. En général, il est d'autant plus gros, plus pesant, que l'agonie a été plus longue.

Quand ces deux choses, 1° la présence du sang noir dans le système vasculaire à sang rouge, 2° l'engorgement du poumon par ce sang noir, se trouvent réunies, on peut dire que la mort a commencé chez le sujet par le poumon, quelle qu'ait été d'ailleurs sa maladie. En effet, la mort n'enchaîne jamais ses phénomènes immédiats (je ne parle pas des phénomènes éloignés) que de l'un des trois organes pulmonaire, céphalique ou cardiaque, à tous les autres. Or, nous avons déjà vu, d'un côté, que si elle a son principe dans le cœur, il y a vacuité presque entière des vaisseaux pulmonaires, et ordinairement présence du sang rouge dans le ventricule aortique; d'un autre côté, nous verrons que, si la mort frappe d'abord le cerveau, on observe, il est vrai, du sang noir dans l'appareil à sang rouge, mais aussi nécessairement le poumon se trouve alors vidé, à moins qu'une affection antécédente et étrangère aux phénomènes de la mort ne l'ait engorgé. Donc, le signe que j'indique ici dénote que les premiers phénomènes de la mort se sont d'abord développés dans le poumon.

ARTICLE X.

DE L'INFLUENCE QUE LA MORT DU CERVEAU EXERCE SUR CELLE DU POUMON.

Dès que le cerveau de l'homme cesse d'agir, le poumon interrompt subitement toutes ses fonctions. Ce phénomène,

constamment observé dans les animaux à sang rouge et
chaud, ne peut arriver que de deux manières : 1° parce
que l'action du cerveau est directement nécessaire à celle
du poumon ; 2° parce que celui-ci reçoit du premier une
influence indirecte par les muscles intercostaux et par le
diaphragme, influence qui cesse lorsque la masse céphalique est inactive. Déterminons lequel de ces deux modes
est celui qu'a fixé la nature.

§ I. Déterminer si c'est directement que le poumon cesse d'agir par la mort
du cerveau.

J'aurai prouvé, je crois, que ce n'est point directement
que la mort du cerveau entraîne celle du poumon, si j'établis qu'il n'y a aucune influence directe exercée par le premier sur le second de ces organes ; or, rien de plus facile à
démontrer par les expériences que ce principe essentiel.

Le cerveau ne peut influencer directement le poumon
que par la paire vague ou par le grand sympathique, seuls
nerfs qui établissent des communications entre ces deux
organes, suivant l'opinion commune ; car suivant les lois
de la nature, le grand sympathique n'est qu'un agent de
communication entre les organes et les ganglions, et non
entre le cerveau et les organes. Or, premièrement, la paire
vague ne porte point au poumon une influence actuellement nécessaire aux fonctions qui s'y exercent : les considérations et les expériences suivantes prouveront, je crois,
cette assertion.

1° Irritez la paire vague d'un seul côté ou des deux à la
fois, dans la région du cou : la respiration se précipite
d'abord un peu ; l'animal s'agite, le poumon semble gêné.
Vous croiriez d'abord que ces phénomènes indiquent une
influence directe ; détrompez-vous : toute espèce de douleur subite produit presque constamment, quels que soient
et son siége et les parties qu'elle intéresse, un semblable
phénomène, qui, du reste, se dissipe dès que l'irritation

cesse. Une simple plaie au cou, sans lésion de la huitième paire, occasionne le même effet, si elle fait beaucoup souffrir l'animal.

2° Si on coupe un seul de ces nerfs, la respiration s'embarrasse aussi tout à coup par l'effet de la douleur ; mais l'embarras dure encore quelque temps après que la cause de la douleur a cessé ; peu à peu il se dissipe, et au bout de quinze ou vingt heures, la vie enchaîne ses phénomènes avec leur régularité ordinaire.

3° Si on divise, sur un autre chien, les deux nerfs vagues, la respiration se précipite beaucoup plus ; elle ne revient point à son degré ordinaire, comme dans l'expérience précédente ; elle continue à être laborieuse pendant quatre ou cinq jours, et l'animal périt.

Il résulte de ces deux dernières expériences que le nerf de la huitième paire est bien nécessaire, il est vrai, aux fonctions pulmonaires ; que le cerveau exerce bien, par conséquent, une espèce d'influence sur ces fonctions, mais que cette influence n'est point actuelle ; que sans elle le poumon continue encore longtemps son action, et que ce n'est pas par conséquent son interruption qui fait cesser tout à coup la respiration dans les lésions du cerveau.

L'influence des nerfs que le poumon reçoit des ganglions est-elle plus immédiatement liée à ses fonctions ? Les faits suivants décideront cette question.

1° Si on coupe, de l'un et de l'autre côté du cou, le filet nerveux qu'on regarde comme le tronc du grand sympathique, la respiration n'est presque pas troublée consécutivement. Souvent on n'y aperçoit pas le moindre signe d'altération.

2° Si on divise en même temps et les deux sympathiques et les deux nerfs vagues, la mort arrive au bout d'un certain temps, et d'une manière à peu près analogue à celle où les nerfs vagues sont seulement détruits.

3° En coupant au cou le sympathique, on ne prive pas le poumon des nerfs venant du premier ganglion thorachique : or, ces nerfs peuvent un peu concourir à entretenir l'action de cet organe, malgré la section de leur tronc, puisque, comme je l'ai dit, chaque ganglion est un centre nerveux qui envoie ses irradiations particulières, indépendamment des autres centres avec lesquels il communique.

Je n'ai pu lever, par des expériences faites sur ces nerfs mêmes, ce doute très-raisonnable ; car telle est la position du premier ganglion thorachique, qu'on ne peut l'enlever dans les animaux sans des lésions trop considérables, et qui feraient périr l'individu ou le jetteraient dans un trouble tel, que les phénomènes que nous chercherions alors se confondraient parmi ceux nés du trouble universel. Mais l'analogie de ce qui arrive aux autres organes internes, lorsqu'on détruit des ganglions qui y envoient des nerfs, ne permet pas de penser que le poumon cesserait d'agir à l'instant où le premier des thorachiques serait détruit.

D'ailleurs le raisonnement suivant me paraît prouver, d'une manière indubitable, le principe que j'avance. Si les grandes lésions du cerveau interrompent tout à coup la respiration, parce que cet organe ne peut plus influencer le poumon au moyen des nerfs venant du premier ganglion thorachique, il est évident qu'en rompant la communication du cerveau avec ce ganglion, l'influence doit cesser, et par conséquent la respiration s'interrompre (car l'influence ne peut s'exercer que successivement, 1° du cerveau à la moelle épinière ; 2° de celle-ci aux dernières paires cervicales et aux premières dorsales ; 3° de ces paires à leurs branches communicantes avec le ganglion ; 4° du ganglion aux branches qu'il envoie au poumon ; 5° de ces branches au poumon lui-même). Or, si on coupe, comme l'a fait Cruikshank, la moelle épinière au niveau de la dernière vertèbre cervicale, et par conséquent au-dessus du premier ganglion thorachique, la vie et la respiration continuent encore longtemps, malgré le défaut de communication entre le cerveau et le poumon, par le premier ganglion thorachique.

20.

Je n'ai point rapporté les particularités diverses qui accompagnent la section des nerfs du poumon, lesquelles vont aussi à beaucoup d'autres organes, comme on le sait. Les phénomènes relatifs à la respiration m'ont seuls occupé : on trouvera les autres dans les auteurs qui ont fait avant moi, et sous un rapport différent, ces expériences curieuses.

Nous pouvons conclure, je crois, de toutes les expériences précédentes, que le cerveau n'a sur le poumon aucune influence directe et actuelle ; que par conséquent il faut chercher d'autres causes de la cessation subite et instantanée des fonctions du second, lorsque celles du premier s'interrompent.

Il est cependant un phénomène qui peut jeter quelques doutes sur cette conséquence, et qui semble porter atteinte au principe qu'elle établit. Je veux parler du trouble subit qu'occasionne, comme je l'ai dit, toute douleur un peu vive dans la respiration et dans la circulation. Ce trouble n'indique-t-il pas que le cœur et le poumon sont sous l'immédiate dépendance du cerveau ? Plusieurs auteurs l'ont pensé, fondés sur le raisonnement suivant : toute sensation de douleur ou de plaisir se rapporte certainement au cerveau, comme au centre qui perçoit cette sensation. Or, si toute douleur violente précipite la circulation et la respiration, il est manifeste que c'est le cerveau affecté qui réagit alors sur le poumon et sur le cœur, et trouble ainsi leurs fonctions. Mais ce raisonnement est, comme on va le voir, plus spécieux que solide.

Toute douleur un peu forte, produite soit dans l'homme, soit dans les animaux, est presque toujours accompagnée d'une émotion vive, d'une affection du principe sensitif, et non du principe intellectuel. Tantôt c'est la crainte, tantôt c'est la fureur qui agitent l'animal souffrant ; quelquefois ce sont d'autres sentiments que nous ne pouvons exactement dénommer, que nous éprouvons, mais que nous ne saurions rendre, et qui rentrent tous dans la classe des

D'après cela il y a, dans le plus grand nombre de douleurs, 1° sensation, 2° passion, émotion, affection (1). Or,
j'ai prouvé que toute sensation se rapporte à la vie animale, et spécialement au cerveau, centre de cette vie ; que
toute passion, toute émotion, au contraire, a rapport à la
vie organique, au poumon, au cœur, etc. Donc, quoique
dans toute douleur ce soit le cerveau qui perçoive la sensation, quoique ce soit dans cet organe que se trouve le
principe qui souffre, cependant il ne réagit point sur les
viscères internes : donc le trouble qui affecte alors et la
respiration et la circulation ne dépend point de cette réaction, mais de l'influence immédiate qu'exercent les passions qui agitent alors l'animal, sur son cœur ou sur son
poumon. Les considérations suivantes me paraissent d'ailleurs justifier ces conséquences d'une manière décisive.

1° Souvent le trouble de la respiration et de la circulation préexiste à la douleur. Examinez le thorax, et placez
la main sur le cœur d'un homme auquel on va pratiquer
une opération, d'un animal qu'on va soumettre à une
expérience après qu'il en a déjà éprouvé d'autres : vous
vous convaincrez facilement de cette vérité.

2° Il y a quelquefois une disproportion évidente entre
la sensation de douleur qu'on éprouve et le trouble né dans
la circulation et dans la respiration. Un malade mourut
subitement après la section du prépuce. L'opération de la
fistule à l'anus par la ligature fut également presque tout à
coup mortelle pour un autre, qu'opérait Desault, etc., etc.
Or, dans ces cas, ce n'est pas sûrement la douleur qui a
tué (je ne crois pas qu'elle tue jamais d'une manière subite) ; mais la mort est arrivée comme elle survient à la

---

(1) Ces mots *passion, émotion, affection,* etc., présentent, je le sais,
des différences très-réelles dans la langue des métaphysiciens ; mais
comme l'effet général des sentiments qu'ils expriment est toujours le
même sur la vie organique, comme cet effet général m'intéresse seul
et que les phénomènes secondaires m'importent peu, j'emploie indifféremment ces mots les uns pour les autres.

nouvelle d'un événement qui frappe l'homme d'effroi, qui l'agite de fureur, comme j'ai dit que la syncope se manifeste, etc. Ce sont le cœur et le poumon qui ont été directement.affectés par la passion, et non par la réaction cérébrale.

3º Il est des malades assez courageux pour supporter de vives douleurs avec sang-froid, et sans qu'aucune passion, sans qu'aucune émotion, se manifestent ; eh bien, examinez la poitrine, placez la main sur le cœur de ces malades à l'instant de leurs souffrances, vous ne trouverez aucune altération dans leur circulation ni dans leur respiration. Cependant leur cerveau perçoit la douleur comme celui des autres ; cet organe devrait conséquemment réagir également sur les organes internes et troubler leur action.

4º Ce n'est pas par les cris ou par le silence des malades qu'il faut juger de l'état de leur âme pendant les opérations qu'ils subissent. Ce signe est trompeur, parce que la volonté peut, chez eux, maîtriser assez les mouvements pour les empêcher de céder à l'impulsion que leur donnent les organes internes : mais examinez le cœur et le poumon ; leurs fonctions sont, si je puis m'exprimer ainsi, le thermomètre des affections de l'âme. Ce n'est pas sans raison que l'acteur qui joue un rôle de courage saisit la main de celui qu'il veut rassurer, et la place sur son cœur pour lui prouver que l'aspect du danger ou de la douleur ne l'intimide pas. C'est par la même raison qu'il ne faut point juger l'état intérieur de l'âme par les mouvements extérieurs des passions. Ces mouvements peuvent être également réels ou simulés : réels, si c'est le cœur qui en est le principe ; simulés, s'ils ne partent que du cerveau : car, dans le premier cas, ils sont involontaires ; dans le second, ils dépendent de la volonté. Examinez donc toujours dans les personnes chez qui la fureur, la douleur, le chagrin, se manifestent, si l'état du pouls correspond aux mouvements externes. Quand je vois une femme pleurer, s'agiter, être prise de mouvements convulsifs à la nouvelle de la perte d'un objet chéri, et que

je trouve son pouls dans son état naturel, je fais ce raisonnement : la vie animale est ici seule agitée ; l'organique
est calme ; or, les passions, les émotions portent toujours
leur influence sur la dernière ; donc l'émotion de cette
femme n'est pas vive ; donc ses mouvements sont simulés.
Au contraire, j'en vois une autre dont le chagrin concentré
ne se manifeste par aucun signe extérieur ; cependant son
cœur bat avec force, ou s'est tout à coup ralenti, ou a
éprouvé, en un mot, un trouble quelconque. Je dis alors
que cette femme simule un calme qui n'est pas dans son
âme. Il n'y aurait pas d'équivoque s'il était possible de distinguer les mouvements involontaires produits dans les
passions par l'action du cœur sur le cerveau, et ensuite par
la réaction de celui-ci sur les muscles, d'avec les mouvements volontaires déterminés par la simple action du cerveau sur le système locomoteur de la vie animale. Mais
dans l'impossibilité de faire cette distinction, il faut toujours comparer les mouvements externes avec l'état des
organes intérieurs.

5° Quelque vives que soient les douleurs dans lesquelles
survient le trouble de la respiration et de la circulation dont
nous avons parlé, ce trouble cesse bientôt, pour peu que
les douleurs soient permanentes. Cependant le cerveau qui
continue à percevoir la douleur devrait continuer aussi à
réagir sur le poumon et sur le cœur, si sa réaction était
une cause réelle du trouble de leurs fonctions. A quoi tient
donc ce calme des fonctions internes uni à l'affection douloureuse du cerveau ? le voici, dans notre manière de concevoir les choses : nous avons vu que l'habitude émousse
bientôt toute émotion de l'âme : quand donc la douleur
subsiste, l'émotion disparaît, et la sensation reste ; alors
plus d'influence directe exercée sur les organes internes, le
cerveau seul est affecté ; alors aussi plus de trouble dans
les fonctions internes. On conçoit que je ne parle ici que
des cas où la fièvre produite par la douleur n'a point encore troublé l'action du cœur et du poumon. Ce mode in-

termédiaire d'influence que les affections du cerveau exercent sur celles de ces organes n'est point ici de mon objet.

Je pourrais ajouter beaucoup d'autres considérations à celles-ci, pour établir, 1° que quoique le cerveau soit le siége où se rapporte la douleur, il n'est point cependant le principe d'où émanent les altérations des organes internes que cette douleur détermine ; 2° que ces altérations tiennent toujours à une émotion, à une affection de l'âme, à une passion dont l'effet et la nature sont, comme je l'ai dit, absolument distincts de la nature et de l'effet de toute espèce de sensation, soit de plaisir, soit de douleur.

Ce phénomène ne dérange donc rien à la conséquence que nous avons tirée plus haut de nos expériences, savoir, que ce n'est point directement que le poumon cesse d'agir par la mort du cerveau.

§ II. Déterminer si c'est indirectement que le poumon cesse d'agir par la mort du cerveau.

Puisque ce n'est pas le poumon même qui meurt tout à coup dans l'interruption de l'action cérébrale, puisque sa mort n'est alors qu'indirecte, il doit y avoir entre lui et le cerveau des intermédiaires qui, dans ce cas, finissent d'abord leurs fonctions, et qui par là déterminent la cessation des siennes. Ces intermédiaires sont le diaphragme et les muscles intercostaux. Soumis, par les nerfs qu'ils reçoivent, à l'influence immédiate du cerveau, ils deviennent paralytiques dès que celui-ci a perdu entièrement son action. Les expériences suivantes le prouvent.

1° Cruikshank coupa la moelle épinière d'un chien, entre la dernière vertèbre cervicale et la première dorsale. Aussitôt les nerfs intercostaux, privés de communication avec le cerveau, cessèrent leur action ; les muscles du même nom se paralysèrent ; la respiration ne s'opéra que par le diaphragme, qui recevait ses nerfs phréniques d'un point de la moelle supérieure à la section. Il est facile, dans cette

expérience, que j'ai répétée plusieurs fois, de juger de la
forte action du diaphragme, qu'on ne voit pas, par celle
des muscles abdominaux, qui se distinguent très-manifestement.

2º Si on divise les nerfs phréniques seuls, le diaphragme
devient immobile, et la respiration ne se fait que suivant
l'axe transversal et par les intercostaux ; tandis que, dans
le cas précédent, elle ne s'opérait que suivant l'axe perpendiculaire.

3º Dans les deux expériences précédentes, la vie se conserve encore assez longtemps. Mais si on vient à couper en
même temps les nerfs phréniques et la moelle épinière
vers la fin de la région cervicale, ou, ce qui revient absolument au même, si on coupe la moelle au-dessus de l'origine des nerfs phréniques, alors, comme toute communication se trouve interrompue entre le cerveau et les
agents actifs de la respiration, la mort est subite.

4º J'avais souvent observé dans mes expériences qu'un
demi-pouce de différence dans la hauteur à laquelle on fait
la section de la moelle produit une différence telle, qu'audessus la mort arrive à l'instant, et qu'au-dessous elle ne
survient souvent qu'au bout de quinze à vingt heures. En
disséquant les cadavres des animaux tués de cette manière,
j'ai constamment observé que cette différence ne tenait
qu'au nerf phrénique. Dès que la section lui est supérieure,
la respiration, et par conséquent la vie, cessent à l'instant,
parce que ni le diaphragme ni les intercostaux ne peuvent
agir. Quand elle est inférieure, l'action du premier soutient
encore quelque temps et la vie et les phénomènes respiratoires.

D'après les expériences précédentes, il est évident que la
respiration cesse tout à coup, de la manière suivante, dans
les lésions de la portion du système nerveux qui est placée
au-dessus de l'origine des nerfs phréniques : 1º interruption d'action dans les nerfs volontaires inférieurs à la lésion,
et par conséquent dans les intercostaux et les phréniques ;

2° paralysie de tous ou presque tous les muscles de la vie animale, des intercostaux et du diaphragme spécialement; 3° cessation des phénomènes mécaniques de la respiration, faute d'agents nécessaires à ces phénomènes; 4° anéantissement des phénomènes chimiques, faute de l'air dont les mécaniques déterminent l'introduction dans le poumon. L'interruption de tous ces mouvements est aussi rapide que leur enchaînement est prompt dans l'ordre naturel.

C'est ainsi que périssent subitement les malades qui éprouvent une violente lésion dans la portion de moelle épinière située entre le cerveau et l'origine des nerfs phréniques, comme cela arrive par une plaie, par une compression, effet d'un déplacement de la seconde vertèbre, etc., etc.

Les médecins ont été fort embarrassés pour fixer avec précision l'endroit du cou où une lésion de la moelle cesse d'être subitement mortelle. Ils ont bien vu, en général, que le haut et le bas de cette région présentent, sous ce rapport, une différence marquée; mais rien ici n'est précis ni exactement déterminé. Or, d'après ce que j'ai dit, la limite est facile à assigner : c'est toujours l'origine des nerfs phréniques.

Voilà encore comment périssent les malades qui éprouvent tout à coup une violente commotion, une forte compression, un épanchement considérable dans le cerveau, etc.

Il faut observer cependant, que ces diverses causes de mort agissent à des degrés très-différents. Si elles sont faibles, leur effet subit ne porte que sur les fonctions intellectuelles. Ce sont ces fonctions qui s'altèrent toujours les premières dans les lésions du cerveau, et qui sont les plus susceptibles de céder à l'influence d'un petit dérangement. En général, toute la portion de vie animale par laquelle nous recevons l'impression des objets extérieurs, et les fonctions dépendantes de cette portion, telles que la mémoire, l'imagination, le jugement, etc., commencent d'abord à se troubler. Si la lésion est plus forte, des secousses irré-

gulières se manifestent tout à coup dans les muscles volontaires des membres, les convulsions y surviennent, ou
la paralysie les affecte, etc. Enfin, si la lésion est au plus
haut point, tout se paralyse dans les muscles de la vie animale, les intercostaux et le diaphragme comme les autres.
La mort est alors subitement déterminée.

Nous pouvons facilement répondre, d'après tout ce qui
a été dit jusqu'ici, à la question que nous nous sommes
proposée dans ce paragraphe, en établissant que c'est indirectement en principe que la mort du cerveau occasionne
celle du poumon.

Il suit aussi des expériences détaillées plus haut que la
respiration est une fonction mixte, placée, pour ainsi dire,
entre les deux vies auxquelles elle sert de point de contact,
appartenant à l'animale par ses fonctions mécaniques, et à
l'organique par ses fonctions chimiques. Voilà pourquoi,
sans doute, l'existence du poumon est autant liée à celle
du cerveau, qui est le centre de la première, qu'à celle du
cœur, qui est comme le foyer de la seconde.

On observe que dans la série des animaux, à mesure que
l'organisation cérébrale se rétrécit davantage, la respiration
perd aussi beaucoup de ses phénomènes. Cette fonction
est bien plus développée chez les oiseaux et les mammifères
que chez les reptiles et les poissons, dont la masse céphalique est moins grosse, à proportion, que celle des animaux
des deux premières classes. On sait que le système nerveux
des animaux qui respirent par trachées est moins parfait,
et présente toujours des dispositions particulières ; que là
où il n'y a plus de système nerveux, celui de la respiration
disparaît aussi.

En général, le rapport est réciproque entre le cerveau et
le poumon, surtout dans les mammifères et les oiseaux.
Le premier détermine l'action du second, en favorisant
l'entrée de l'air dans les bronches, par le mouvement des
muscles respiratoires ; le second entretient l'activité du
premier par le sang rouge qu'il y envoie.

Il serait bien curieux de fixer avec précision le rapport
du système nerveux avec la respiration, dans les insectes
où l'air pénétrant par divers points, par des trachées ouvertes à l'extérieur, il ne paraît pas y avoir d'action mécanique, et où la respiration semble par conséquent appartenir tout entière à la vie organique et être indépendante
de l'animale ; tandis qu'elle tient le milieu, comme nous
l'avons dit, dans les espèces à poumon distinct, soit que
cet organe ait une structure bronchiale, soit qu'il en ait
une vésiculaire. [V]

ARTICLE XI.

DE L'INFLUENCE QUE LA MORT DU CERVEAU EXERCE SUR CELLE DU CŒUR.

Nous venons de voir, dans l'article précédent, comment,
le cerveau cessant d'agir, le poumon reste inactif. Le même
phénomène a lieu aussi dans le cœur : cet organe ne bat
plus dès que le cerveau est mort. Recherchons comment
cela arrive.

Il est évident que ce phénomène ne peut avoir lieu que
de deux manières : 1° parce que le cœur est sous l'immédiate dépendance du cerveau ; 2° parce qu'il y a entre ces
deux organes un organe intermédiaire qui interrompt d'a-
bord ses fonctions, et qui par là arrête celle du premier.

§ Ier. Déterminer si c'est immédiatement que le cœur cesse d'agir, par l'interruption de l'action cérébrale.

La plupart des médecins parlent, en général, d'une manière trop vague de l'influence cérébrale ; ils n'en déterminent pas assez l'étendue et les limites relativement aux divers organes.

Il est évident que nous aurons répondu à la question proposée dans ce paragraphe, si nous déterminons ce qu'est
cette influence par rapport au cœur. Or, tout paraît prou-

ver qu'il n'y a aucune influence directe exercée par le cerveau sur cet organe, lequel, au contraire, tient, comme nous l'avons vu, le cerveau sous son immédiate dépendance, par le mouvement qu'il lui communique.

Cette assertion n'est pas nouvelle : tous les bons physiologistes l'admettent; mais comme plusieurs opinions de médecine s'appuient sur un principe tout opposé, il n'est pas inutile, je crois, de s'arrêter un peu à bien établir celui-ci. L'observation et les expériences le démontrent également : commençons par la première.

1° Toute irritation un peu violente sur le cerveau, produite soit par une esquille, soit par du sang, soit par toute autre cause, détermine presque toujours des mouvements convulsifs, partiels ou généraux, dans les muscles de la vie animale. Or, examinez alors ceux de la vie organique, le cœur en particulier : rien n'est troublé dans leur action.

2° Toute compression de la masse cérébrale, soit que du pus, de l'eau et du sang, soit que des os fracturés la déterminent, agit assez ordinairement en sens inverse, c'est-à-dire qu'elle affecte de paralysie les muscles volontaires. Or, tant que l'affection ne s'étend pas aux muscles pectoraux, l'action du cœur n'est nullement diminuée.

3° L'opium, le vin pris à une certaine dose, diminuent momentanément l'énergie cérébrale, rendent le cerveau impropre aux fonctions qui ont rapport à la vie animale. Or, dans cet affaiblissement instantané, le cœur continue à agir comme à l'ordinaire, quelquefois même son action est accrue.

4° Dans les palpitations, dans les divers mouvements irréguliers du cœur, on n'observe point que le principe de ces dérangements existe au cerveau, qui est alors parfaitement intact, et qui continue son action comme à l'ordinaire. Cullen s'est trompé ici, comme au sujet de la syncope.

5° Les phénomènes nombreux de l'apoplexie, de l'épilepsie, de la catalepsie, du narcotisme, de la commotion, etc., phénomènes qui ont leur source principale dans le cerveau, me paraissent jeter un grand jour sur l'indépendance actuelle où le cœur est de cet organe.

6° Tout organe soumis à l'influence directe du cerveau est par là même volontaire. Or, je crois que, malgré l'observation de Stahl, personne ne range plus le cœur parmi ces sortes d'organes. Que serait la vie, si nous pouvions, à notre gré, suspendre le mouvement du viscère qui l'anime? La mort viendrait donc, par une simple volition, en arrêter le cours?

Je crois que nous pourrions déjà, sans crainte d'erreur, conclure de la simple observation, que ce n'est point immédiatement que le cœur cesse d'agir lorsque les fonctions cérébrales s'interrompent. Mais appuyons sur les expériences cette donnée fondamentale de physiologie et de pathologie.

1° Si on irrite de différentes manières le cerveau mis à découvert sur un animal, avec des agents mécaniques, chimiques, spécifiques, etc.; si on le comprime, etc., on produit diverses altérations dans les organes de la vie animale; mais le cœur reste constamment dans ses fonctions ordinaires, tant que les muscles pectoraux ne sont pas paralysés.

2° Les expériences diverses faites sur la moelle épinière mise à découvert dans la région du cou présentent un résultat parfaitement analogue.

3° Si l'on irrite les nerfs de la huitième paire, dont plusieurs filets se distribuent au cœur, le mouvement de cet organe ne se précipite pas; il ne s'arrête point, si on fait la section des deux troncs. Je ne saurais trop recommander à ceux qui répètent ces expériences de bien distinguer ce qui appartient à l'émotion, aux sentiments divers de crainte, de colère, etc., nés dans l'animal qui souffre l'expérience, d'avec ce qui est le résultat de l'irritation ou de la section du nerf.

4° Outre la huitième paire, le tronc nerveux, qu'on

nomme *grand sympathique*, fournit au cœur différents
rameaux qui se distribuent dans sa substance, et par lesquels le cerveau peut l'influencer, au moins d'après l'opinion commune qui place l'origine de ce nerf dans un de
ceux provenant de cette masse médullaire. Mais j'ai déjà
dit que le système nerveux du grand sympathique était
absolument indépendant de celui du cerveau ; qu'il n'y
avait même aucun nerf qui méritât ce nom ; que ce,qu'on
avait pris pour ce nerf était une suite de communications
entre un grand nombre de petits systèmes nerveux, tous
indépendants les uns des autres, et qui ont chacun un
ganglion pour centre, comme le grand système nerveux
de la vie animale a pour centre le cerveau. Il me semble
que cette manière de voir le grand sympathique jette
quelque jour sur l'indépendance où le cœur est du cerveau.
Mais poursuivons l'exposé des expériences propres à con-
stater cette indépendance.

5° Si on répète sur les filets cardiaques du sympathique,
filets qui viennent tous directement ou indirectement des
ganglions, les expériences faites précédemment sur le nerf
vague ou sur ses diverses branches qui émanent du cerveau, les résultats sont parfaitement analogues. Rien n'est
troublé dans les mouvements de l'organe : ces mouvements
n'augmentent point lorsqu'on irrite les nerfs ; ils ne diminuent pas lorsqu'on les coupe, comme cela arrive toujours
dans les muscles de la vie animale.

Je ne présente point très en détail toutes ces expériences,
dont la plupart sont connues, mais que j'ai voulu cependant exactement répéter, parce que tous les auteurs ne
s'accordent pas sur les phénomènes qui en résultent.

Il est un autre genre d'expériences analogues à celles-ci,
qui peuvent encore éclairer les rapports du cœur et du
cerveau : ce sont celles du galvanisme. Je ne négligerai
point ce moyen de prouver que le premier de ces organes
est toujours actuellement indépendant du second.

J'ai fait ces expériences avec une attention d'autant plus

21.

scrupuleuse, que plusieurs auteurs très-estimables ont avancé, dans ces derniers temps, une opinion contraire, et ont voulu établir que le cœur et les autres muscles de la vie organique ne diffèrent point, sous le rapport de leur susceptibilité pour l'influence galvanique, des muscles divers de la vie animale. Je vais d'abord dire ce que j'ai observé sur les animaux à sang rouge et froid.

1º J'ai armé plusieurs fois dans une grenouille, d'une part son cerveau avec du plomb, d'une autre part son cœur et ses muscles des membres inférieurs, avec une longue lame de zinc qui touchait au premier par son extrémité supérieure, et aux seconds par l'inférieure. La communication établie avec de l'argent entre les armatures des muscles et celles du cerveau a déterminé constamment des mouvements dans les membres ; mais aucune accélération ne m'a paru sensible dans le cœur, lorsqu'il battait encore ; aucun mouvement ne s'est manifesté quand il avait cessé d'être en action. Quel que soit le muscle volontaire que l'on arme en même temps que le cœur, pour comparer les phénomènes qu'ils éprouvent lors de la communication métallique, il y a toujours une différence tranchante.

2º J'ai armé sur une autre grenouille, par une tige métallique commune, d'une part la portion cervicale de la moelle épinière dans la région supérieure du cou, afin d'être au-dessus de l'endroit d'où les nerfs qui vont au sympathique, et de là au cœur, tirent leur origine ; d'autre part, le cœur et un muscle volontaire quelconque. Toujours j'ai observé un résultat analogue à celui de l'expérience précédente, en établissant la communication. Toujours de violentes agitations dans les muscles volontaires, jointes au défaut de changement manifeste dans les mouvements du cœur, se sont fait apercevoir.

3º J'ai tâché de mettre à découvert les nerfs qui vont au cœur des grenouilles ; plusieurs filets grisâtres à peine sensibles, et dont, à la vérité, je ne puis certifier positivement la nature, ont été armés d'un métal, tandis que le cœur reposait sur un autre. La communication établie par un troisième n'a déterminé aucun effet sensible.

Il me semble que ces essais, déjà tentés en partie avant moi, sont très-convenables pour déterminer positivement si le cerveau influence directement le cœur, surtout lorsqu'on a soin de les répéter, comme j'ai fait en armant successivement et tour à tour la surface interne, la surface externe, et la substance même de ce dernier organe. Dans tous ces essais, en effet, la disposition naturelle est conservée entre les diverses parties qui servent à l'unir au cerveau.

Il est un autre mode d'expériences qui consiste : 1° à détacher le cœur de la poitrine ; 2° à le mettre en contact avec deux métaux différents par deux points de sa surface, ou avec des portions de chair armées de métaux : 3° à faire communiquer les armatures par un troisième métal : alors Humboldt a vu des mouvements se manifester. J'avoue que souvent, en répétant strictement ces expériences, telles qu'elles sont indiquées, je n'ai rien aperçu de semblable. D'autres fois, cependant, un petit mouvement, très-différent de celui qui animait alors le cœur, s'est manifesté, et a paru tenir à l'influence galvanique. J'aurais presque pris ce mouvement pour l'effet de l'irritation mécanique des armatures, sans l'autorité respectable de cet auteur et d'une foule d'autres physiciens très-estimables, qui ont reconnu dans leurs essais, l'influence du galvanisme sur le cœur, lorsqu'il y est appliqué de cette manière. Je suis loin de prétendre voir dans mes expériences mieux que ceux qui se sont occupés du même objet ; je dis seulement ce que j'ai observé.

Au reste, les expériences où les armatures ne portent pas, d'un côté, sur une portion du système nerveux, de l'autre sur les fibres charnues du cœur, ne me semblent pas très-concluantes pour décider si l'influence que le cerveau exerce sur cet organe est directe. Quelle induction rigoureuse peut-on tirer des mouvements produits par l'armature de deux portions charnues ?

Je passe maintenant aux expériences faites sur les animaux à sang rouge et chaud : elles sont d autant plus nécessaires que le mode de contractilité des animaux à sang
rouge et froid diffère essentiellement du leur, comme on
le sait :

1° J'eus l'autorisation, dans l'hiver de l'an VII, de faire
différents essais sur les cadavres des guillotinés. Je les avais
à ma disposition trente à quarante minutes après le supplice.
Chez quelques-uns, toute espèce de motilité était éteinte;
chez d'autres, on ranimait cette propriété avec plus ou
moins de facilité dans tous les muscles, par les agents ordinaires. On la développait, surtout dans les muscles de la
vie animale, par le galvanisme. Or, il m'a toujours été impossible de déterminer le moindre mouvement en armant
soit la moelle épinière et le cœur, soit ce dernier organe et
les nerfs qu'il reçoit des ganglions par le sympathique, ou
du cerveau par la paire vague. Cependant les excitants
mécaniques, directement appliqués sur les fibres charnues,
en occasionnaient la contraction. Cela tenait-il à l'isolement
où étaient depuis quelque temps les filets nerveux du cœur
d'avec le cerveau ? Mais alors pourquoi ceux des muscles
volontaires, également isolés, se prêtaient-ils aux phénomènes galvaniques ? D'ailleurs les expériences suivantes
éclairciront ce doute.

2° J'ai armé de deux métaux différents, sur des chiens
et sur des cochons d'Inde, d'abord le cerveau et le cœur,
ensuite le tronc de la moelle épinière et ce dernier organe, enfin ce même organe et le nerf de la paire vague
dont il reçoit plusieurs nerfs. Les deux armatures étant
mises en communication, aucun résultat sensible n'a été
apparent; je n'ai point vu les mouvements se ranimer lorsqu'ils avaient cessé, ou s'accélérer lorsqu'ils continuaient
encore.

3° Des nerfs cardiaques de deux chiens ont été armés,
soit dans leurs filets antérieurs, soit dans les postérieurs;
une autre armature a été placée sur le cœur, tantôt à sa

surface interne, tantôt à l'externe, quelquefois dans son tissu. La communication n'a pas produit non plus des mouvements très-àpparents. Dans toutes ces expériences, il ne faut établir cette communication que quelque temps après que l'armature du cœur a été placée, afin de ne point attribuer au galvanisme ce qui n'est que l'effet de l'irritation métallique.

4° Humboldt dit que, lorsqu'on détache le cœur promptement et avec le soin d'y laisser quelques-uns de ses nerfs isolés, on peut exciter des contractions en armant ceux-ci d'un métal, et en touchant l'armature avec un autre métal : je l'ai inutilement tenté plusieurs fois ; cela a paru me réussir cependant dans une occasion.

5° J'ai presque constamment réussi, au contraire, à produire des contractions sur les animaux à sang rouge et chaud, en leur arrachant le cœur, en le mettant en contact, par deux points différents, avec des métaux, et en établissant la communication. C'est le seul moyen, je crois, de produire sur cet organe, avec efficacité et évidence, les phénomènes galvaniques. Mais ce moyen, constaté déjà plusieurs fois, et par M. Jadelot en particulier, ne prouve nullement ce que nous recherchons ici, savoir, s'il y a une influence directe exercée par le cerveau sur le cœur.

J'ai répété chacune de ces expériences sur le galvanisme, un très-grand nombre de fois, et avec les plus minutieuses précautions. Cependant je ne prétends pas, comme je l'ai dit, jeter des doutes sur la réalité de celles qui ont offert des résultats différents à des physiciens estimables. On sait combien sont variables les effets des expériences qui ont les forces vitales pour objet. Au reste, en admettant même les résultats différents des miens, je ne crois pas qu'on puisse s'empêcher de reconnaître que, sous le rapport de l'excitation galvanique, il y a une différence énorme entre les muscles de la vie animale et ceux de la vie organique. Rien de plus propre à faire reconnaître cette différence, dans les expériences sur le cœur et sur les intestins, que d'armer toujours avec le même métal qui sert à l'armature de ces muscles, un de ceux de la vie animale, et d'établir ainsi un parallèle entre eux.

D'ailleurs, en supposant que les phénomènes galvaniques eussent sur ces deux espèces de muscles une égale influence, que prouverait ce fait ? Rien autre chose, sinon que ces phénomènes suivent, dans leur succession, des lois tout opposées à celles des phénomènes de l'irritation ordinaire des nerfs et des muscles auxquels ces nerfs correspondent.

Voilà, je crois, un nombre assez considérable de preuves tirées soit de l'observation des maladies, soit des expériences, pour répondre à la question proposée dans ce paragraphe, et assurer que le cerveau n'exerce sur le cœur aucune influence directe; que par conséquent, lorsque le premier cesse d'agir, c'est indirectement que le second interrompt ses fonctions.

§ II. Déterminer si dans les lésions du cerveau la mort du cœur est causée par celle d'un organe intermédiaire.

Puisque la cessation des fonctions du cœur n'est point directe dans les grandes lésions du cerveau, et que cependant cette cessation arrive alors subitement, il faut bien qu'il y ait un organe intermédiaire, dont l'interruption d'action en soit la cause prochaine. Or, cet organe, c'est le poumon. Voici donc quel est, dans la mort du cœur déterminée par celle du cerveau, l'enchaînement des phénomènes.

1° Interruption de l'action cérébrale; 2° anéantissement de l'action de tous les muscles de la vie animale, des intercostaux et du diaphragme par conséquent; 3° cessation consécutive des phénomènes mécaniques de la respiration; 4° suspension des phénomènes chimiques, et conséquemment de la coloration du sang; 5° pénétration du sang noir dans les fibres du cœur; 6° affaiblissement et cessation d'action de ces fibres.

La mort qui succède aux lésions graves du cerveau a donc beaucoup d'analogie avec celle des différentes asphyxies ; elle est seulement plus prompte, par les raisons que j'indiquerai. Les expériences suivantes prouvent évidemment que les phénomènes de cette mort s'enchaînent de la manière que je viens d'indiquer.

1° J'ai constamment trouvé du sang noir dans le système à sang rouge de tous les animaux tués par la commotion, la compression cérébrales, etc.; leur cœur est livide, et toutes les surfaces sont colorées à peu près comme dans l'asphyxie.

2° J'ai ouvert sur un chien l'artère carotide ; aussitôt du sang rouge s'est écoulé ; l'artère a été liée ensuite, et j'ai assommé l'animal en lui portant un coup violent derrière l'occipital. A l'instant la vie animale a été anéantie ; tout mouvement volontaire a cessé ; les fonctions mécaniques et, par une suite nécessaire, les fonctions chimiques du poumon se sont trouvées arrêtées. L'artère, déliée alors, a versé du sang noir par un jet plus faible qu'à l'ordinaire : ce jet a diminué, s'est ensuite interrompu, et le sang a coulé, comme on le dit, en bavant. Enfin le mouvement du cœur a fini au bout de quelques minutes.

3° J'ai toujours obtenu un semblable résultat en ouvrant une artère sur différents animaux que je faisais périr ensuite, soit par une section de la moelle entre la première vertèbre et l'occipital, soit par une forte compression exercée sur le cerveau préliminairement mis à nu, soit par la destruction de ce viscère, etc. C'est encore ainsi que meurent les animaux par la carotide desquels on pousse au cerveau des substances délétères.

4° Les expériences précédentes expliquent la noirceur du sang qui s'écoule de l'artère ouverte des animaux qu'on saigne dans nos boucheries, après les avoir assommés. Si se coup porté sur la tête a été très-violent, le sang sort presque tel qu'il était dans les veines. S'il a été moins fort et que l'action du diaphragme et des intercostaux n'ait été

qu'affaiblie, au lieu d'avoir subitement cessé, la rougeur
du sang n'est qu'obscurcie, etc. En général, il y a un rapport constant entre les degrés divers de cette couleur et
la force du coup.

On se sert, pour l'usage de nos tables, du sang des animaux. Sans doute que le noir et le rouge diffèrent, que
l'un des deux serait préférable dans certains cas. Or, on
pourrait à volonté avoir l'un ou l'autre, en saignant les
animaux après ou avant de les avoir assommés, parce que,
dans le premier cas, la respiration a cessé avant l'hémorrhagie, et que, dans le second, elle continue pendant que
le sang coule.

En général, l'état de la respiration, qui est altéré par
un grand nombre de causes pendant les grandes hémorrhagies, fait singulièrement varier la couleur du sang qui
sort des artères : voilà pourquoi, dans les grandes opérations, dans l'amputation, dans le cancer, le sarcocèle, etc.,
on trouve tant de nuances au sang artériel. On sait qu'il
sort quelquefois très-rouge au commencement, et très-
brun à la fin de l'opération. Examinez la poitrine pendant
ces variétés, vous verrez constamment la respiration se
faire exactement lorsqu'il est coloré en rouge, être au contraire embarrassée quand sa couleur s'obscurcit.

En servant d'aide à Desault pendant ses opérations, j'ai
eu occasion d'observer plusieurs fois et ces variétés, et leur
rapport avec la respiration. Ce rapport m'avait frappé
avant même que j'en connusse la raison. Je l'ai constaté
depuis par un très-grand nombre d'expériences sur les
animaux. Je l'ai vérifié et fait observer dans l'extirpation
d'une tumeur cancéreuse des lèvres, que je pratiquai l'an
passé.

En général, il est rare que le sang artériel sorte aussi
noir que celui des veines dans les opérations; sa couleur
devient seulement plus ou moins foncée.

Je n'ai jamais trouvé dans mes expériences de rapport
entre le brun obscur de cette espèce de sang et la compres-

sion exercée au-dessus de l'artère, comme quelques-uns l'ont assuré. Il en existe bien un entre la couleur et l'impétuosité du jet, qui s'affaiblit en général lorsque cette couleur a été foncée pendant quelques instants. Mais c'est dans la respiration qu'est le principe de ce rapport, qu'on expliquera facilement d'après ce que j'ai dit en différents endroits de cet ouvrage. Revenons au point de doctrine qui nous occupe, et dont nous nous étions écartés.

Je crois que, d'après toutes les considérations et les expériences contenues dans cet article, la manière dont le cœur cesse d'agir par l'interruption des fonctions cérébrales ne peut plus être révoquée en doute, et que nous pouvons résoudre d'une manière positive la question proposée plus haut, en assurant que, dans cette circonstance, le poumon est l'organe intermédiaire dont la mort entraîne celle du cœur, laquelle ne pourrait alors arriver directement.

Il y a donc cette différence entre la mort du cœur par celle du cerveau et la mort du cerveau par celle du cœur, que, dans le premier cas, la mort de l'un n'est qu'une cause indirecte de celle de l'autre ; que dans le second cas, au contraire, cette cause agit directement, comme nous l'avons vu plus haut. Si quelques hommes ont jamais pu suspendre volontairement les battements de leur cœur, cela ne prouve pas, comme le disaient les disciples de Stahl, l'influence de l'âme sur les mouvements de la vie organique, mais seulement sur les phénomènes mécaniques de la respiration, qui dans ce cas ont dû être, ainsi que les phénomènes chimiques, préliminairement arrêtés.

Dans les animaux à sang rouge et froid, dans les reptiles en particulier, la mort du cœur ne succède pas aussi promptement à celle du cerveau que dans les animaux à sang rouge et chaud. La circulation continue encore très-longtemps dans les grenouilles, dans les salamandres, etc., après que l'on a enlevé leur masse céphalique. Je m'en suis assuré par de fréquentes expériences.

On concevra facilement ce phénomène, si on se rappelle

que la respiration peut être longtemps suspendue chez ces animaux, sans que pour cela le cœur arrête ses mouvements, comme d'ailleurs on peut s'en assurer en les forçant de séjourner sous l'eau plus que de coutume.

En effet, comme, d'après ce que nous avons dit, le cœur ne finit son action, lorsque celle du cerveau est interrompue, que parce qu'alors le poumon meurt préliminairement, il est manifeste qu'il doit exister, entre la mort violente du cerveau et celle du cœur, un intervalle à peu près égal au temps que peut durer, dans l'état naturel, la suspension de la respiration. [Y]

ARTICLE XII.

DE L'INFLUENCE QUE LA MORT DU CERVEAU EXERCE SUR CELLE DE TOUS LES ORGANES.

En rappelant ici la division des organes en deux grandes classes, savoir : en ceux de la vie animale et en ceux de la vie organique, l'on voit d'abord que les fonctions des organes de la première classe doivent s'interrompre à l'instant même où le cerveau meurt. En effet, toutes ces fonctions ont, ou indirectement, ou directement, leur siége dans cet organe. Celles qui ne lui appartiennent que d'une manière indirecte sont les sensations, la locomotion et la voix, fonctions que d'autres organes exécutent, il est vrai, mais qui, ayant leur centre dans la masse céphalique, ne peuvent continuer dès qu'elle cesse d'agir. D'un autre côté, tout ce qui, dans la vie animale, dépend immédiatement du cerveau, comme l'imagination, la mémoire, le jugement, etc., ne peut évidemment s'exercer que quand cet organe est en activité. La grande difficulté porte donc sur les fonctions de la vie organique. Recherchons comment elles finissent dans le cas qui nous occupe.

§ 1er. — Déterminer si l'interruption des fonctions organiques est un effet direct
de la cessation de l'action cérébrale.

L'observation et l'expérience vont nous servir ici, comme
dans l'article précédent, à prouver que toutes les fonctions
internes sont, de même que l'action du cœur, soustraites à
l'empire immédiat du cerveau, et que par conséquent leur
interruption ne saurait immédiatement dériver de la mort
de cet organe. Je commence par l'observation.

1° Il est une foule de maladies du cerveau qui, portées
au dernier degré, déterminent une suspension presque
générale de la vie animale; qui ne laissent ni sensations,
ni mouvements volontaires, si ce n'est de faibles agitations dans les intercostaux et dans le diaphragme, agitations qui seules soutiennent alors la vie générale. Or, dans
cet état où l'homme a perdu la moitié de son existence,
l'autre moitié que composent les fonctions organiques
continue encore souvent très-longtemps avec la même
énergie. Les sécrétions, les exhalations, la nutrition, etc.,
s'opèrent presque comme à l'ordinaire. Chaque jour l'a-
poplexie, la commotion, les épanchements, l'inflammation cérébrale, etc., etc., nous offrent ces sortes de phénomènes.

2° Dans le sommeil, les sécrétions s'opèrent certainement, quoique Bordeu s'appuie sur l'opinion contraire
pour prouver l'influence des nerfs sur les glandes. La digestion se fait aussi parfaitement bien alors; toutes les
exhalations, la sueur en particulier, augmentent souvent
au delà du degré habituel; la nutrition continue comme
à l'ordinaire, et même il y a beaucoup de preuves très-
solides en faveur de l'opinion de ceux qui prétendent
qu'elle augmente pendant que les animaux dorment. Or,
tout le monde sait, et il résulte spécialement de ce que
nous avons dit dans la première partie de cet ouvrage, que
le sommeil survient parce que le cerveau, affaibli par
l'exercice trop soutenu de ses fonctions, est obligé de les

suspendre durant un certain temps. Donc le relâchement des organes internes n'est pas une suite de celui du cerveau; donc l'influence qu'il exerce sur eux n'est pas directe; donc, quand il meurt, ce n'est pas immédiatement qu'ils interrompent leur action.

3° Le sommeil des animaux dormeurs fait mieux contraster encore que le sommeil ordinaire l'interruption de la vie animale, des fonctions cérébrales par conséquent, avec la permanence de la vie organique.

4° Dans les paralysies diverses, dans celles, par exemple, qui affectent les membres inférieurs et les viscères du bassin, à la suite d'une commotion ou d'une compression de la partie inférieure de la moelle épinière, la communication des parties paralysées avec le cerveau est ou entièrement rompue, ou au moins très-affaiblie. Elle est rompue quand toute espèce de sentiment et de mouvement a cessé; elle n'est qu'affaiblie quand l'une ou l'autre propriété reste encore. Or, dans ces deux cas, la circulation générale et celle capillaire continuent; l'exhalation s'opère, comme à l'ordinaire, dans le tissu cellulaire et à la surface cutanée; l'absorption s'exerce également, puisque sans elle l'hydropisie surviendrait. La sécrétion peut avoir lieu aussi; rien, en effet, de plus fréquent dans les paralysies complètes de vessie qu'une sécrétion abondante d'humeur muqueuse à la surface interne de cet organe. Quant à la nutrition, il est évident que, si les diverses espèces de paralysies la diminuent un peu, jamais elles ne l'arrêtent entièrement.

5° Les spasmes, les convulsions qui naissent d'une énergie contre nature dans l'action cérébrale, et qui portent d'une manière si visible leur influence sur les fonctions externes, modifient très-faiblement, et souvent pas du tout, les exhalations, les sécrétions, la circulation, la nutrition des parties où ils se développent. Dans ces divers phénomènes maladifs, c'est une chose bien digne de remarque que le calme où se trouve la vie organique,

comparé au trouble, au bouleversement, qui agitent la
vie animale dans le membre ou dans la partie affectée.

6° Les fœtus acéphales ont, dans le sein de leur mère,
une vie organique tout aussi active que les fœtus bien conformés ; ils sont même quelquefois, en naissant, dans des
proportions supérieures à l'accroissement naturel. J'ai eu
occasion de m'en assurer sur deux fœtus de cette espèce,
apportés l'an passé dans mon amphithéâtre : non-seulement leur face était plus développée, comme il arrive toujours, parce que le système vasculaire cérébral étant nul,
le facial s'accroît à proportion ; mais encore toutes les parties, celles de la génération en particulier, qui, avant la
naissance, semblent ordinairement être à peine ébauchées,
avaient un développement correspondant. Donc la nutrition, la circulation, etc., sont alors aussi actives qu'à l'ordinaire, quoique l'influence cérébrale manque absolument
à ces fonctions.

7° Qui ne sait que dans les animaux sans cerveau, dans
ceux mêmes où aucun système nerveux n'est apparent,
comme dans les polypes, la circulation capillaire, l'absorption, la nutrition, etc., s'opèrent également bien ? Qui ne
sait que la plupart des fonctions organiques sont communes à l'animal et au végétal ? que celui-ci vit réellement
organiquement, quoique ses fonctions ne soient influencées
ni par un cerveau ni par un système nerveux ?

8° Si on médite un peu les diverses preuves que Bordeu
donne de l'influence nerveuse sur les sécrétions, on verra
qu'aucune n'établit positivement l'action actuelle du cerveau sur cette fonction. Il n'y en aurait qu'une qui serait
tranchante, savoir, l'interruption subite des fluides sécrétés par la section des nerfs des diverses glandes : or, je ne
sais qui a pu jamais faire exactement cette section. On
parle beaucoup d'une expérience de cette nature, pratiquée sur les parotides. La disposition des nerfs de cette
glande rend cet essai si visiblement impossible, que je n'ai
pas même tenté de le répéter il n'y a guère que le testi-

22.

cule où il est praticable. J'ai donc isolé, dans un chien, le cordon des vaisseaux spermatiques ; les nerfs ont été coupés sans toucher aux vaisseaux. Je n'ai pu juger des effets de cette expérience par rapport à la sécrétion de la semence, parce que l'inflammation est survenue dans le testicule, où s'est ensuite formé un dépôt. Mais cette inflammation même, ainsi que la suppuration, formées sans l'influence nerveuse du cerveau, ne supposent-elles pas la possibilité de la sécrétion, indépendamment de cette influence ? On ne peut, dans cette expérience, isoler l'artère spermatique du plexus qu'elle reçoit du grand sympathique, tant est inextricable l'entrelacement de ces nerfs. Mais, au reste, leur section importe assez peu, attendu qu'ils viennent des ganglions : l'essentiel est de rompre toute communication avec le cerveau, en détruisant les filets lombaires.

Je pourrais ajouter une foule d'autres considérations à celle-ci, dont plusieurs ont déjà été indiquées par d'autres auteurs, pour prouver que les fonctions organiques ne sont nullement sous la dépendance actuelle du cerveau ; que par conséquent lorsque celui-ci meurt, ce n'est point directement qu'elles cessent d'être en activité.

C'est ici surtout que la distinction de la sensibilité et de la contractilité, en animales et en organiques, mérite, je crois, d'être attentivement examinée. En effet, l'idée de sensibilité rappelle presque toujours celle des nerfs dans notre manière de voir ordinaire, et l'idée des nerfs amène celle du cerveau ; en sorte qu'on ne sépare guère ces trois choses : cependant il n'y a réellement que dans la vie animale où l'on doit les réunir ; dans la vie organique elles ne sauraient être associées, au moins directement.

Je ne dis point que les nerfs cérébraux n'aient pas, sur la sensibilité organique, une influence quelconque ; mais je soutiens, d'après l'observation et l'expérience, que cette influence n'est point directe, qu'elle n'est point de la nature de celle qu'on observe dans la sensibilité animale.

Plusieurs auteurs ont déjà très-bien vu que l'opinion qui place dans les nerfs le siége exclusif et immédiat du sentiment est sujette à une foule de difficultés ; ils ont même cherché d'autres moyens d'expliquer les phénomènes de cette grande propriété des corps vivants. Mais il en est de la question des agents comme de celle de la nature de la sensibilité : nous nous y égarerons toujours, tant que le fil de la rigoureuse expérience ne nous guidera pas : or, cette question ne me paraît guère susceptible de se prêter à ce moyen de certitude.

Contentons-nous donc d'analyser les faits, de bien les recueillir, de les comparer entre eux, de saisir leurs rapports généraux. L'ensemble de ces recherches forme la vraie théorie des forces vitales ; tout le reste n'est que conjecture.

Outre les considérations que je viens de présenter, il en est une autre qui me paraît prouver bien manifestement que les fonctions organiques ne sont point sous l'immédiate influence du cerveau : c'est que la plupart des viscères qui servent à ces fonctions ne reçoivent point ou presque point de nerfs cérébraux, mais bien des filets provenant des ganglions.

On observe ce fait anatomique dans le foie, le rein, le pancréas, la rate, les intestins, etc., etc. Dans les organes même de la vie animale, il y a souvent des nerfs qui servent aux fonctions externes, et d'autres aux internes ; alors les uns viennent directement du cerveau, les autres des ganglions. Ainsi les nerfs ciliaires naissant du ganglion ophthalmique président-ils à la nutrition et aux sécrétions de l'œil, tandis que l'optique né du cerveau sert directement à la vision. Ainsi l'olfactif est-il dans la pituitaire l'agent de la perception des odeurs, tandis que les filets du ganglion de Meckel n'ont rapport qu'aux phénomènes organiques de cette membrane, etc.

Or, les nerfs des ganglions ne peuvent transmettre l'action cérébrale ; car nous avons vu que le système nerveux

partant de ces corps doit être considéré comme parfaitement indépendant du système nerveux cérébral ; que le
grand sympathique ne tire point son origine du cerveau,
de la moelle épinière ou des nerfs de la vie animale ; que
cette origine est exclusivement dans les ganglions ; que ce
nerf n'existe même point, à proprement parler ; qu'il n'est
qu'un ensemble d'autant de petits systèmes nerveux qu'il
y a de ganglions, lesquels sont des centres particuliers de
la vie organique, analogues au grand et unique centre
nerveux de la vie animale, qui est le cerveau.

Je pourrais ajouter bien d'autres preuves à celles indiquées plus haut, pour établir que le grand sympathique
n'existe réellement pas, et que les communications nerveuses qu'on a prises pour lui ne sont que des choses accessoires aux systèmes de ganglions. Voici quelques-unes
de ces preuves : 1° ces communications nerveuses ne se
rencontrent point au cou des oiseaux, où, comme l'observe M. Cuvier, on ne trouve entre le ganglion cervical
supérieur et le premier thoracique aucune trace du grand
sympathique. Le ganglion cervical supérieur est donc,
dans les oiseaux, ce que sont dans l'homme l'ophthalmique, le ganglion de Meckel, etc., c'est-à-dire indépendant
et isolé des autres petits systèmes nerveux dont chacun
des ganglions inférieurs forme un centre ; cependant,
malgré l'absence de communication, les fonctions se font
également bien. Cette disposition naturelle aux oiseaux
s'accorde très-bien avec celle non ordinaire à l'homme,
que j'ai quelquefois observée entre le premier ganglion
lombaire et le dernier thoracique, entre les ganglions
lombaires mêmes, ainsi qu'entre les sacrés. 2° Souvent il
n'y a point de ganglion à l'endroit où le prétendu nerf
sympathique communique avec la moelle épinière. Cela
est manifeste au cou de l'homme, dans l'abdomen des
poissons, etc., etc. Cette disposition prouve-t-elle que
l'origine du sympathique est dans la moelle épinière ?
non ; elle indique seulement une communication moins

indirecte que dans les autres parties entre les ganglions et le système nerveux de la vie animale. Voici en effet comment on doit envisager cette disposition : le ganglion cervical inférieur fournit un gros rameau qui remonte au supérieur, pour établir entre eux une communication directe; mais, en remontant, il distribue diverses branches à chaque paire cervicale, qui forment une communication secondaire. Cette disposition ne change donc rien à notre manière de voir.

Rapprochons maintenant ces considérations de celles exposées dans la note de la page 50 (1), et nous serons de plus en plus convaincus, 1° que le grand sympathique n'est qu'un assemblage de petits systèmes nerveux, ayant chacun un ganglion pour centre, étant tous indépendants les uns des autres, quoique ordinairement communiquant entre eux et avec la moelle épinière ; 2° que les nerfs appartenant à ces petits systèmes ne sauraient être considérés comme une dépendance du grand système nerveux de la vie animale ; 3° que, par conséquent, les organes pourvus exclusivement de ces nerfs ne sont point sous l'immédiate dépendance du cerveau.

Il ne faut pas croire, cependant, que tous les organes qui servent à des fonctions internes reçoivent exclusivement leurs nerfs des ganglions. Dans plusieurs, c'est le cerveau qui les fournit ; et cependant les expériences prouvent également, dans ces organes, que leurs fonctions ne sont pas sous l'immédiate influence de l'action cérébrale.

Nous n'avons encore que le raisonnement et l'observation pour base du principe important qui nous occupe ; savoir, que ce n'est point directement que les fonctions internes ou organiques cessent par la mort du cerveau. Mais les expériences sur les animaux vivants ne le démontrent pas d'une manière moins évidente.

1° J'ai toujours observé qu'en produisant artificiellement

(1) V. la page 30? et suiv.

des paralysies ou des convulsions dans les nerfs cérébraux
des diverses parties, on n'altère d'une manière sensible et
subite ni les exhalations, ni l'absorption, ni la nutrition
de ces parties.

2° On sait depuis très-longtemps qu'en irritant les nerfs
des ganglions qui vont à l'estomac, aux intestins, à la
vessie, etc., on ne détermine point de spasme dans les
fibres charnues de ces organes, comme on en produit dans
les muscles de la vie animale par l'irritation des nerfs cérébraux qui vont se distribuer à ces muscles.

3° La section des nerfs des ganglions ne paralyse point
subitement les organes creux, dont le mouvement vermi-
culaire ou de resserrement continue encore plus ou moins
longtemps après l'expérience.

4° J'ai répété, par rapport à l'estomac, aux intestins, à
la vessie, à la matrice, etc., les expériences galvaniques
dont les résultats, par rapport au cœur, ont été exposés.
J'ai armé d'abord de deux métaux différents le cerveau et
chacun de ces viscères en particulier : aucune contraction
n'a été sensible à l'instant de la communication des deux
armatures. Chacun de ces viscères a été ensuite armé en
même temps que la portion de moelle épinière placée au-
dessus d'eux. Enfin, j'ai armé simultanément et les nerfs
que quelques-uns reçoivent de ce prolongement médullaire,
et ces organes eux-mêmes : ainsi l'estomac et les nerfs de
la paire vague, la vessie et les nerfs qu'elle reçoit des lombaires ont été armés ensemble. Or, dans presque tous ces
cas, la communication des deux armatures n'a produit
aucun effet bien marqué : seulement dans le dernier, j'ai
aperçu deux fois un petit resserrement sur l'estomac et la
vessie. Dans ces diverses expériences, je produisais cependant de violentes agitations dans les muscles de la vie animale, que j'armais toujours du même métal que celui dont
je me servais pour les muscles de la vie organique, afin
d'avoir un terme de comparaison.

5° Dans tous les cas précédents, ce sont les diverses portions du système nerveux cérébral qui ont été armées en même temps que les muscles organiques. J'ai voulu galvaniser aussi les nerfs des ganglions avec les mêmes muscles. La poitrine d'un chien étant ouverte, on trouve sous la plèvre le grand sympathique, qu'il est facile d'armer d'un métal. Comme, suivant l'opinion commune, ce nerf se distribue dans tout le bas-ventre, en armant d'un autre métal chacun des viscères qui s'y trouvent contenus, et en établissant des communications, je devais espérer d'obtenir des contractions, à peu près comme on en produit en armant le faisceau des nerfs lombaires et les divers muscles de la cuisse. Cependant aucun effet n'a été sensible.

6° Dans notre manière de voir le nerf sympathique, on conçoit ce défaut de résultat. En effet, les ganglions intermédiaires aux organes gastriques et au tronc nerveux de la poitrine ont pu arrêter les phénomènes galvaniques. J'ai donc mis à découvert les nerfs qui partent des ganglions pour aller directement à l'estomac, au rectum, à la vessie, et j'ai galvanisé par ce moyen ces divers organes : aucune contraction ne m'a paru ordinairement en résulter ; quelquefois un petit serrement s'est fait apercevoir ; mais il était bien faible, en comparaison de ces violentes contractions qu'on remarque dans les muscles de la vie animale. Je ne saurais encore trop recommander ici de bien distinguer ce qui appartient au contact mécanique des métaux, d'avec ce qui est l'effet du galvanisme.

7° Ces expériences sont difficiles sur les intestins, à cause de la ténuité de leurs nerfs. Mais comme ces nerfs forment un plexus très-sensible autour de l'artère mésentérique qui va avec eux se distribuer dans le tissu de ces organes, on peut, en mettant cette artère à nu, et en l'entourant d'un métal, tandis qu'un autre est placé sur un point quelconque du tube intestinal, galvaniser également ce tube. Or, dans cette expérience, je n'ai obtenu non plus aucun résultat bien manifeste.

8° Tous les essais précédents ont été faits sur des ani-

maux à sang rouge et chaud; j'en ai tenté aussi d'analogues sur des animaux à sang rouge et froid. Le cerveau
et les viscères musculeux de l'abdomen d'une grenouille,
les mêmes viscères et la portion cervicale de la moelle
épinière, ont été armés en même temps de deux métaux
divers. Rien de sensible n'a paru à l'instant de leur communication; et cependant les muscles de la vie animale
entraient ordinairement alórs en contraction, même sans
être armés, et par le seul contact d'un métal sur l'armature
du système nerveux. Ce n'est pas faute de multiplier les
points de contact sur les viscères gastriques que le succès
a pu manquer; car j'avais soin de passer un fil de plomb
dans presque tout le tube intestinal, pour lui servir d'armature.

9° Quant aux nerfs qui vont directement aux fibres charnues des organes gastriques, ils sont si ténus sur la grenouille, qu'il est très-difficile de les armer. M. Jadelot a
cependant obtenu, dans une expérience, un resserrement
lent des parois de l'estomac, en agissant directement sur
les nerfs de ce viscère. Mais certainement ce resserrement,
analogue sans doute à ceux que j'ai observés souvent
dans d'autres expériences, ne peut être mis en parallèle
avec les effets étonnants qu'on obtient dans les muscles
volontaires; et il sera toujours vrai de dire que, sous le
rapport des phénomènes galvaniques, comme sous tous
les autres, une énorme différence existe entre les muscles
de la vie animale et ceux de la vie organique.

Voilà, je crois, une somme de preuves plus que suffisante pour résoudre avec certitude la question proposée
dans ce paragraphe, en établissant comme un principe
fondamental, 1° que le cerveau n'influence point d'une
manière directe les organes et les fonctions de la vie interne; 2° que, par conséquent, l'interruption de ces fonctions, dans les grandes lésions du cerveau, n'est point un
effet immédiat de ces lésions.

Je suis loin cependant de regarder l'action cérébrale

comme entièrement étrangère à la vie organique ; mais je crois être fondé à établir que cette vie n'en emprunte que des secours secondaires indirects, et que nous ne connaissons encore que très-peu.

Si je me suis un peu étendu sur cet objet, c'est que rien n'est plus vague en médecine que le sens qu'on attache communément à ces *action nerveuse, action cérébrale*, etc. On ne distingue jamais assez ce qui appartient aux forces d'une vie, d'avec ce qui est l'attribut des forces de l'autre. On peut faire, surtout à Cullen, le reproche de trop exagérer l'influence du cerveau.

§ 11. — Déterminer si l'interruption des fonctions de la vie organique est un effet indirect de la cessation de l'action cérébrale.

Puisque la vie organique ne cesse pas immédiatement par la cessation de l'action cérébrale, il y a donc des agents intermédiaires qui déterminent, par leur mort, cette cessation. Or, ces agents sont principalement, comme dans la mort du cœur par celle du cerveau, les organes mécaniques de la respiration. Voici la série des phénomènes qui arrivent alors :

1° Interruption des fonctions cérébrales. 2° Cessation des fonctions mécaniques du poumon. 3° Anéantissement de ses fonctions chimiques. 4° Circulation du sang noir dans toutes les parties. 5° Affaiblissement du mouvement du cœur et de l'action de tous les organes. 6° Suspension de ce mouvement et de cette action.

Tous les organes internes meurent donc à peu près comme dans l'asphyxie, c'est-à-dire 1° parce qu'ils sont frappés du contact du sang noir ; 2° parce que la circulation cesse de leur communiquer le mouvement général nécessaire à leur action, mouvement dont l'effet est indépendant de celui que produit le sang par les principes qu'il contient.

Cependant il y a plusieurs différences entre la mort par l'asphyxie et celle par les grandes lésions du cerveau. 1° La

vie animale est assez communément interrompue dans la
seconde, à l'instant même du coup ; elle ne l'est dans
la première qu'à mesure que le sang noir pénètre le cerveau. 2° La circulation est quelque temps à cesser dans la
plupart des asphyxiés, soit parce que la coloration en noir
n'est que graduelle, soit parce que l'agitation des membres et de tous les organes à mouvements volontaires l'entretient tant que le cerveau peut encore déterminer ces
mouvements. Au contraire, dans les lésions du cerveau,
d'un côté l'interruption de la respiration étant subite, la
noirceur du sang ne se fait point par degrés ; d'un autre
côté, la vie animale étant tout à coup arrêtée, tous les organes deviennent à l'instant immobiles, et ne peuvent plus
favoriser le mouvement du sang. Cette observation est
surtout applicable à la poitrine, dont les parois favorisent
singulièrement la circulation pulmonaire, et même les
mouvements du cœur, par l'élévation et l'abaissement
alternatifs dont elles sont le siége. C'est là véritablement
l'influence mécanique que la circulation reçoit dans la
respiration. Celle née de la dilatation ou du serrement
du poumon est absolument illusoire, ainsi que nous l'a-
vons vu.

Au reste, les deux genres de mort, dont l'un commence
au poumon et l'autre au cerveau, peuvent s'éloigner ou se
rapprocher par la manière dont ils arrivent ; et il s'en faut
de beaucoup que les différences que je viens d'indiquer
soient générales. Ainsi, quand l'asphyxie est subite,
comme, par exemple, lorsqu'on fait tout à coup le vide
dans la trachée-artère, en y pompant l'air avec une seringue, il n'y a ni taches livides ni engorgement du poumon ; la circulation cesse très-vite ; cette mort se rapproche
de celle où la vie du cerveau est anéantie subitement.

Au contraire, si le coup qui frappe ce dernier organe
ne fait qu'altérer profondément ses fonctions, et permet
encore aux muscles inspirateurs de s'exercer faiblement
pendant un certain temps, le système capillaire du pou-

mon peut s'engorger ; le système capillaire général peut se pénétrer aussi de sang en diverses parties. La circulation est alors lente à cesser. Cette mort a de l'analogie avec celle de beaucoup d'asphyxies.

On conçoit par là que la mort dont le principe est dans le cerveau et celle qui commence dans le poumon se rapprochent ou s'éloignent l'une de l'autre, suivant que la cause qui frappe l'un de ces deux organes agit avec plus ou moins de promptitude ou de lenteur. L'enchaînement des phénomènes est toujours à peu près le même, surtout lorsque le premier est affecté : la cause de cet enchaînement ne varie pas, mais les phénomènes eux-mêmes présentent de nombreuses variétés.

On a demandé souvent comment mouraient les pendus : les uns ont cru qu'il y avait chez eux luxation aux vertèbres cervicales, compression de la moelle épinière, et par conséquent mort très-analogue à celle qui est l'effet de la commotion, de l'enfoncement des pièces osseuses du crâne, etc. Les autres ont dit que le défaut seul de respiration les faisait périr. J'ai eu occasion de disséquer un pendu où il n'y avait pas luxation, mais fracture de la troisième vertèbre cervicale. J'ai soupçonné, il est vrai, que cette solution de continuité n'était pas arrivée à l'instant de l'accident. La personne s'était elle-même donné la mort : l'agitation du cou ne pouvait donc avoir été très-considérable. C'était sans doute un effet produit sur le cadavre même, dans une chute, dans une fausse position, etc., ce que je ne me rappelle pas cependant avoir observé sur d'autres cadavres. Au reste, que les pendus périssent par compression de la moelle, ce qui bien certainement n'arrive pas toujours, ou que chez eux le seul défaut de respiration cause la mort, on voit que l'enchaînement des phénomènes n'est pas très-différent dans l'un et l'autre cas. Quand il y a luxation, toujours aussi il y a asphyxie simultanée ; et alors cette affection est produite, d'un côté directement, parce que la pression de la corde in-

tercepte le passage de l'air, d'un autre côté, indirectement, parce que les intercostaux et le diaphragme paralysés ne peuvent plus dilater la poitrine pour recevoir ce
fluide.

En général, il y a plus de rapports entre les deux modes
par lesquels la mort du cerveau ou celle du poumon produisent la mort des organes, qu'entre un de ces deux premiers modes et celui par lequel, le cœur mourant, toutes
les parties meurent aussi.

On pourra facilement, je crois, faire, d'après ce que j'ai
dit, la comparaison de ces trois genres de mort ; comparaison qui me paraît importante, et dont voici quelques
traits :

1° Il y a toujours du sang noir dans le système à sang
rouge, quand c'est par le cerveau ou par le poumon que
commence la mort ; souvent, au contraire, ce système
contient du sang rouge, quand le cœur cesse subitement
ses fonctions.

2° La circulation dure encore quelque temps dans les
deux premiers cas ; elle est subitement anéantie dans le
troisième.

3° C'est à cause de l'absence de son mouvement général
que le sang cesse d'entretenir la vie des organes, lorsque
leur mort dépend de celle du cœur : c'est bien en partie de
cette manière, mais aussi c'est principalement par la nature des éléments qui composent le sang, que ce fluide ne
peut plus animer l'action des mêmes organes, quand leur
mort dérive de celle du poumon ou du cerveau, etc., etc.

J'indique seulement le parallèle des phénomènes divers
de ce genre de mort ; le lecteur l'achèvera sans peine.

Dans les animaux à sang rouge et froid, la mort de tous
les organes succède bien plus lentement à celle du cerveau
que dans les animaux à sang rouge et chaud. Il est assez
difficile de rendre raison de ce fait, parce qu'on ne connaît encore bien, chez les animaux, ni la différence du
sang artériel avec le sang veineux, ni le rapport qu'a

le contact de chacun de ces deux sangs avec la vie des organes.

Quand les reptiles, la grenouille, par exemple, restent longtemps sous l'eau, est-ce que le sang artériel devient noir faute de respiration? Et ces animaux ne meurent-ils pas alors, parce que, chez eux, le contact de ce sang est moins funeste aux organes que chez les animaux à sang chaud? ou bien le sang veineux continue-t-il longtemps alors à se rougir, parce que l'air contenu comme un dépôt dans les poumons à grandes vésicules de ces animaux ne peut que lentement s'épuiser, attendu que, chez eux, très-peu de sang passe dans l'artère pulmonaire, qui n'est qu'une branche de l'aorte? L'expérience par laquelle nous avons vu qu'on prolonge la coloration en rouge, par l'injection de beaucoup d'air dans la trachée-artère des chiens et autres animaux à sang chaud, semble confirmer cette dernière opinion : mais ceci a besoin, malgré les essais de Goodwyn, de beaucoup d'expériences ultérieures, comme en général tout ce qui a rapport aux trois grandes fonctions des animaux à sang froid [Z].

ARTICLE XIII.

DE L'INFLUENCE QUE LA MORT DU CERVEAU EXERCE SUR LA MORT GÉNÉRALE.

En résumant tout ce qui a été dit dans les articles précédents, rien n'est plus facile, je crois, que de se former une idée précise de la manière dont s'enchaînent les phénomènes de la mort générale qui commence au cerveau. Voici cet enchaînement :

1° Anéantissement de l'action cérébrale ; 2° cessation subite des sensations et de la locomotion volontaire ; 3° paralysie simultanée du diaphragme et des intercostaux ; 4° interruption des phénomènes mécaniques de la respiration, de la voix par conséquent ; 5° annihilation des

23.

phénomènes chimiques ; 6° passage du sang noir dans le système à sang rouge ; 7° ralentissement de la circulation par le contact de ce sang sur le cœur et les artères et par l'immobilité absolue où se trouvent toutes les parties, la poitrine en particulier ; 8° mort du cœur et cessation de la circulation générale ; 9° interruption simultanée de la vie organique, surtout dans les parties où pénètre habituellement le sang rouge ; 10° abolition de la chaleur animale qui est le produit de toutes les fonctions ; 11° terminaison consécutive de l'action des organes blancs, qui sont plus lents à mourir que toutes les autres parties, parce que les sucs qui les nourrissent sont plus indépendants de la grande circulation.

Quoique, dans ce genre de mort comme dans les deux précédents, les fonctions soient anéanties subitement, cependant plusieurs propriétés vitales restent encore aux parties pendant un certain temps ; la sensibilité et la contractilité organiques sont, par exemple, très-manifestes dans les muscles des deux vies ; la susceptibilité galvanique reste très-prononcée dans ceux de la vie animale.

Cette permanence des propriétés organiques est à peu près la même dans tous les cas ; la seule cause qui y apporte quelque différence, c'est la manière plus ou moins lente dont l'animal a péri. Plus la mort a été rapide, plus la contractilité se prononce avec énergie, et plus elle tarde à disparaître. Plus, au contraire, les organes ont fini lentement leurs fonctions, moins cette propriété est susceptible d'être mise en jeu.

Toutes choses étant égales dans la durée des phénomènes qui précèdent la mort générale par celle du cerveau, les expériences sur la contractilité présentent toujours à peu près le même résultat, parce que l'enchaînement de ces phénomènes et la cause immédiate qui les produit restent toujours aussi à peu près les mêmes. L'apoplexie, la commotion, l'inflammation, la compression violente du cerveau, la section de la moelle épinière sous l'occipital, la compression par une luxation des vertèbres , etc., sont des causes éloignées très-différentes, mais qui déterminent toutes une cause immédiate constamment uniforme.

Il n'en est pas de même de l'asphyxie par les différents gaz, maladie à la suite de laquelle l'état de la contractilité varie beaucoup, quoique souvent la durée des phénomènes de la mort ait été analogue. Cela tient; comme nous l'avons vu, à la diversité de nature dans les délétères qui sont introduits par les voies aériennes, et portés par la circulation sur les divers organes qu'ils frappent d'un affaiblissement plus ou moins direct.

L'état du poumon varie beaucoup dans les cadavres des personnes dont la mort a eu son principe dans le cerveau. Tantôt gorgé, tantôt vide de sang, il indique en général, suivant ces deux états, si la cessation des fonctions a été graduée, si par conséquent le coup n'a pas subitement anéanti l'action cérébrale, ou bien si la mort générale a été soudaine. Dans les cadavres apportés à mon amphithéâtre, avec des plaies de tête, des épanchements sanguins du cerveau, effet de l'apoplexie, etc., à peine ai-je trouvé sur deux le poumon avec la même disposition. L'état d'engorgement et de lividité des surfaces extérieures, de la peau de la tête, du cou, etc., varie également.

La mort qui succède aux diverses maladies commence beaucoup plus rarement au cerveau qu'au poumon. Cependant, dans certains accès de fièvres aiguës, le sang, violemment porté au cerveau, anéantit quelquefois la vie. Le malade a le transport, comme on le dit vulgairement. Si ce transport est porté au dernier degré, il est mortel, et alors l'enchaînement des phénomènes est le même que celui dont nous venons de parler pour les morts subites.

Il est un grand nombre de cas, autres que celui des fièvres aiguës, où le commencement de la mort peut être au cerveau, quoique cet organe ne soit pas celui qui est affecté par la maladie.

C'est dans ces cas, surtout, où l'état de plénitude ou de

vacuité du poumon varie beaucoup. En général, cet état ne donne aucune notion sur la maladie dont est mort le sujet ; il n'indique que la manière dont les fonctions ont fini dans les derniers instants de l'existence.

NOTES DE L'ÉDITEUR.

Plusieurs notes ont été publiées dans quelques éditions des *Recherches physiologiques sur la vie et la mort*. Nous aurions pu, dans celle-ci, en rédiger un très-grand nombre; mais nous avons préféré le restreindre, et nous borner à faire un choix. Comme l'ouvrage de Bichat embrasse dans ses généralités une foule de faits particuliers susceptibles d'amples développements, et comme ces faits sont, en partie, controversés par les physiologistes, nous ne pouvions entreprendre de les discuter à notre tour sans négliger le caractère de *philosophie médicale* qui sert à distinguer la série de réimpressions commencée par nous, et dont cette édition fait partie. Nous nous contenterons donc, dans les notes suivantes, d'appeler plus particulièrement l'attention de nos lecteurs sur les données qui se rattachent, d'une part, aux problèmes médico-psychologiques, et, de l'autre, aux questions de physiologie et de pathologie générales. Peu d'ouvrages ont été, plus que celui-ci, l'objet de grandes et de petites critiques. Par goût autant que par nécessité, nous éviterons les petites critiques. Quant aux annotations, dans lesquelles les éditeurs qui nous ont précédé soulèvent des débats réellement dignes de la science, nous les mentionnerons, alors même qu'elles seraient étrangères à la philosophie médicale; mais cette mention en sera faite sommairement dans la note supplémentaire qui termine le volume.

Note [A]. *Définition de la vie.*

La vie, dit Bichat, *est l'ensemble des fonctions qui résistent à la mort.* Cette définition a été souvent critiquée. Nous ne connaissons pas de physiologiste qui l'ait adoptée. C'est d'ailleurs le sort réservé à toutes les définitions où la vie est considérée d'une manière générale ou abstraite. Au point de vue ontologique, la vie est, en effet, plus aisée à concevoir qu'à définir : aussi ne faut-il pas s'étonner que les physiologistes aient ou reculé devant la difficulté, ou échoué en voulant la résoudre. La définition de Bichat est loin de correspondre à l'idée que le mot vie fait naître dans notre esprit. Elle paraît même, au premier aspect, ne renfermer qu'une négation du contraire, en indiquant ce qu'elle n'est pas, plutôt que ce qu'elle est réellement. D'ailleurs, le fait énoncé est loin d'être exact, puisque, considérée dans l'individu, la mort est le terme vers lequel tous les êtres vivants sur la terre tendent irrésistiblement. N'a-t-on pas dit que la mort est le dernier phénomène de la vie? Pour mourir, il faut vivre; bien plus : le moment suprême est encore marqué par des caractères essentiels à la vie.

Ce qui a droit de nous surprendre, c'est que, après avoir représenté la vie comme un ensemble de fonctions qui résistent à la mort, Bichat ait ajouté que l'enfance est l'âge où cette résistance est à son plus haut degré d'énergie. Ne devait-il pas se demander comment la mortalité est d'autant plus grande que les individus sont plus jeunes? Cette affirmation de Bichat sert au moins à prouver, contre l'interprétation de M. Magendie, que, dans sa pensée, la vie n'est point un simple résultat de l'organisation. Si la vie est d'autant plus énergique et plus active que l'organisation est plus éloignée de l'époque de son complet développement, il faut en conclure que la vie est une force antérieure et supérieure à l'organisme individuel.

Mais laissons là ces critiques superficielles. Quand il s'agit d'un physiologiste tel que Bichat, il faut aller au delà des apparences, et pénétrer la pensée qui s'y trouve réellement. Or cette pensée, qui est vitaliste, doit être prise en sérieuse considération.

Qu'on le remarque bien : toute la définition de Bichat, complétée dans les lignes qui la suivent, se trouve dans ce mot : *résister*, et dans ceux-ci : *résister à l'effort des puissances exté-*

rieures qui tendent à détruire les corps vivants. Ces mots impliquent l'idée d'une force distincte des influences physico-chimiques, et dont *l'ensemble des fonctions* est une manifestation. C'est à cette idée que nous devons nous arrêter pour contester un des points les plus importants de la doctrine physiologique de Bichat.

Nous dirons donc : 1° que la notion de la force vitale, exprimée en ces termes, est une notion inexacte; car l'acte le plus général de la vie n'est point une *résistance*, une réaction, une opposition; 2° que cette force agit sur les *puissances extérieures*, moins en y résistant qu'en les faisant servir aux fins pour lesquelles elle a été créée; 3° que si, comme l'enseignent les géologues, le monde inorganique a précédé l'apparition des êtres organisés, s'il a été disposé de manière à leur offrir un milieu au sein duquel pussent s'accomplir les phénomènes de la vie, il faut se garder de confondre cette harmonie, si merveilleusement préétablie, avec un antagonisme qui en serait la négation; 4° que la vie n'est point en état de lutte permanente contre la nature extérieure, puisqu'elle est en état de formation continue, puisqu'elle assimile sans cesse par des opérations régulières et spéciales les éléments divers du monde inorganique.

Et en disant ces choses, nous donnons notre assentiment au principe même de la distinction des deux forces qui se trouve formellement énoncé dans la définition de Bichat.

Pour donner une définition de la vie, considérée d'une manière générale et abstraite, nous ne devons pas nous arrêter à l'examen des phénomènes propres aux individus qui vivent et meurent sous nos yeux. Si nous nous renfermons dans cet étroit horizon, le caractère général de la vie nous apparaîtra incomplet et insuffisant. Il consistera dans le fait circulaire d'assimilation et d'élimination qui a frappé Cuvier, et qu'il a introduit dans sa définition de la vie (1). Nous devons plutôt porter nos regards sur l'ensemble des espèces végétales et ani-

(1) « Si, pour nous faire une idée juste de l'essence de la vie, nous la considérons dans les êtres où ses effets sont les plus simples, nous nous apercevrons promptement qu'elle consiste dans la faculté qu'ont certaines combinaisons corporelles de durer pendant un temps et sous une forme déterminés, en attirant sans cesse dans leur composition une partie des substances environnantes, et en rendant aux éléments des portions de leur propre substance.

males qui se propagent dans le temps et dans l'espace. De ce point de vue, la vie nous apparaît avec ses phénomènes les plus généraux, qui sont la conservation, dans les espèces, des types primordiaux, au moyen de la génération ; et la production, dans les individus, des éléments organiques correspondant à ces types, au moyen de l'assimilation. C'est ainsi que, tout en considérant la vie d'une manière générale et abstraite, le physiologiste échappe à l'ontologie, en mettant en saillie les trois ordres de faits qui sont la manifestation la plus positive et la plus caractéristique de la vie, à savoir : la reproduction, le développement et la nutrition.

Est-il nécessaire, pour nous élever à la connaissance de la vie, d'en rechercher le principe dans l'unité, au-dessus de la sphère des espèces multiples qui existent par elle? Est-il nécessaire pour cela d'assimiler la vie, comme l'ont fait Burdach et quelques philosophes panthéistes, à une idée primordiale qui, se phénoménalisant progressivement, traverse les types divers dont se composent les règnes minéral, végétal et animal, pour se réaliser définitivement dans la conscience humaine, où elle se dégage pour se réfléchir elle-même et pour se contempler? Nous n'osons descendre à de telles profondeurs (1).

« La vie est donc un tourbillon plus ou moins rapide, plus ou moins compliqué, dont la direction est constante, et qui entraîne toujours les molécules de mêmes sortes, mais où les molécules individuelles entrent et d'où elles sortent continuellement, de manière que la *forme* du corps vivant lui est plus essentielle que sa matière.

« Tant que ce mouvement subsiste, le corps où il s'exerce est *vivant*, il vit. » RÈGNE ANIMAL. *Introduction.*

La définition de Cuvier, fondée sur la considération de la nutrition, quelque incomplète qu'elle soit, est infiniment supérieure à celle de Béclard, qui définit la vie, l'*organisme en action*, et la mort, l'*organisme en repos.*

(1) « La vie est l'infini dans le fini, le tout dans la partie, l'unité dans la pluralité... Comme l'existence de l'univers tient à une cause spirituelle dont elle est la manifestation, ainsi son image ou son reflet, l'organisme individuel, n'existe que par une virtualité idéale. Au commencement ce produit idéal n'apparaît pas encore comme individualité... La vie ne peut point apparaître tout à coup dans sa plénitude entière; elle n'y arrive que peu à peu, puisqu'elle se manifeste dans le domaine du fini.... L'idée est le noyau de la vie... L'idée de la fonction crée son organe pour se réaliser .. La vie naît de ce que l'idéal se renferme dans les bornes du fini, et, à mesure qu'elle avance, elle devient de plus en plus spirituelle et moins réelle...; toute métamorphose exprime la liaison de la partie avec le tout, de sorte que le particulier, après être sorti du général, tend à prendre de plus en plus le caractère de la généralité... Comme la vie s'est plongée d'abord dans la

Nous préférons nous arrêter à la tradition biblique, confirmée par la science des géologues et des zoologistes. Or, cette tradition nous enseigne que la vie a été introduite dans le monde par la création successive des espèces végétales et animales et de l'espèce humaine.

Nous risquerons donc cette définition : *La vie est cette force mystérieuse qui se révèle dans les êtres organisés par la production des germes, au moyen desquels les espèces se conservent indéfiniment, et par la production des éléments organiques au moyen desquels les individus se développent et se conservent pendant une durée déterminée.*

L'individu meurt, et la vie reste : telle est la pensée qu'il emportait de faire prévaloir.

NOTE [B]. *Division de la vie en animale et organique.*

La définition de la vie, étant fondée sur la considération des phénomènes communs à tous les êtres vivants, ne pouvait comprendre, dans l'énoncé de ces phénomènes, ni les faits de sensibilité et de locomotion qui sont propres aux animaux, ni les actes moraux et intellectuels qui sont propres à l'homme. A l'ensemble de ces opérations distinctes qui concourent néanmoins à l'accomplissement des fonctions communes, Bichat a cru devoir donner le nom de *vie animale*, réservant à l'ensemble de ces dernières le nom de *vie organique* (1). De là, cette fameuse division de la vie en animale et organique qui triompha de toutes les critiques dont elle fut assaillie, et qui, aujour-

matière, pour acquérir un substratum fini, sur lequel il lui fût possible ensuite d'enter sa propre forme, celle d'âme : de même, celle-ci débute par être étroitement liée au corps, entourée d'une nuit obscure et plongée dans un sommeil profond... Mais le développement a lieu d'une manière progressive. Elle devient âme, sentiment de la vie, instinct, entendement et volonté; alors l'âme s'élève à son point culminant, elle a acquis la conscience de cette part d'infini qui fait sa propre et véritable essence. » Burdach, *Traité de Physiologie*, trad. de M. Jourdan, t. IV, p. 149, 157; t. V, p. 492, 496, 500, 568.

C'est en vain que nous avons parcouru les neuf volumes dont cet ouvrage se compose, pour y trouver une définition de la vie mieux appropriée aux habitudes logiques de l'esprit et du langage français.

(1) Il eût pu donner à cette vie le nom de *vie végétative*, pour mieux en distinguer les fonctions de celles de la vie *animale*. Plus tard on appela celle-ci vie de relation, et celle-là vie de nutrition.

24

d'hui encore, malgré ces critiques, règne souverainement dans
l'enseignement classique de la physiologie.

Si, par cette division, Bichat n'avait eu d'autre prétention
que de coordonner les phénomènes de la vie, considérée chez
les animaux, en les rangeant méthodiquement sous des noms
différents, les attaques dont elle a été l'objet ne sauraient
toutes s'expliquer ni se justifier. Mais Bichat a porté sa prétention plus haut : au lieu de se borner à signaler de simples
différences, il a voulu poser d'infranchissables limites ; au lieu
de se borner à déclarer que la vie, tout en ayant ses caractères
essentiels dans les phénomènes généraux de reproduction, de
développement et de nutrition, se complique chez les animaux
de phénomènes particuliers de sensibilité et de mouvement,
il a voulu séparer les uns des autres d'une manière radicale et
absolue. Et la vie, ainsi scindée en deux, perdit aux yeux de
la nouvelle génération médicale ce caractère de force une et
indivisible qui dirige et harmonie toutes les parties de l'organisme, quelles qu'en soient d'ailleurs les fonctions spéciales.
L'encéphale, la moelle épinière, les sens externes, les nerfs
sensitifs et moteurs, les muscles volontaires, etc., qui, comme
toutes les autres parties, subissent les lois de la vie commune,
furent représentés comme les instruments d'une vie nouvelle,
d'une vie qui se distingue de la première non-seulement par
ses phénomènes, mais encore par sa nature.

Ce n'est pas tout : l'erreur se montra sous un autre aspect.
L'homme et les bêtes furent confondus dans le même domaine. Sous le chef de *vie animale* furent compris et les phénomènes propres aux bêtes et les actes propres à l'homme.
Grand fut sans doute l'embarras de Bichat, ainsi que nous le
ferons voir dans une des notes suivantes, lorsque, après avoir
énoncé les fonctions de la vie animale, il eut à y conformer les
actes de la vie humaine. Mais il passa outre, heureux d'éluder
une difficulté qui se montrait insoluble et qui menaçait de l'arrêter.

Ainsi deux erreurs : dans l'une nous voyons une séparation
absolue de deux manifestations d'une même force, et dans
l'autre nous voyons une confusion inextricable de deux ordres
de phénomènes tout à fait distincts. Bichat eût pu éviter la
première en déclarant que sa division était plutôt artificielle
ou nominale que naturelle ou réelle ; il eût pu éviter la se-

conde en ajoutant la vie humaine à ses deux vies organique et animale. Il n'évita ni l'une ni l'autre, se ménageant ainsi l'occasion d'orner son livre des plus ingénieuses explications que l'esprit de système ait jamais inspirées à un physiologiste.

La division de Bichat met donc en péril deux dogmes, le dogme physiologique de l'unité vitale et le dogme psychologique de la dualité humaine. Le dogme de l'unité vitale étant réservé, la division proposée par Bichat devait néanmoins être généralement adoptée; car le dogme de la dualité humaine n'était point ce qui préoccupait ses plus ardents adversaires. Elle le fut, en effet, et il ne pouvait en être autrement. En vertu de quel principe aurait-on pu repousser victorieusement une division qui correspondait parfaitement aux idées et au langage de la plupart des philosophes et des physiologistes antérieurs à Bichat ou ses contemporains, aux yeux desquels l'homme était un animal? Considérée dans l'animal, cette division est, en effet, aussi exacte que celle des deux règnes dont elle contient l'expression. Les transitions ne sont pas plus aisées à déterminer entre le règne animal et le règne végétal qu'entre la vie animale et la vie végétale ou organique. De ce qu'il existe entre ces deux vies des fonctions intermédiaires, telles que la respiration, la mastication, la déglutition, etc., on ne doit pas en conclure que la division proposée, considérée d'une manière générale, ne soit conforme à l'observation, et surtout utile à l'exposition des phénomènes. Considérée dans l'homme, cette division devait être combattue : elle le fut par Buisson, neveu de Bichat. Quant aux autres physiologistes, ils se gardèrent bien de l'attaquer sous ce rapport. Certes, ce n'est pas de la part des savants qui, assimilant la vie de l'homme à la vie des bêtes, confondent la physiologie humaine avec la physiologie animale, que Bichat devait attendre les objections les plus sérieuses. L'opposition véritable devait s'élever dans le rang des médecins qui ne confondent point les actes moraux et intellectuels de l'homme avec les faits d'impressionnabilité et d'innervation animales : ceux-là sont en possession d'un principe en vertu duquel la division de Bichat peut être reconnue inexacte et hardiment proclamée insuffisante et vicieuse. A leurs yeux, cette division n'a pas même la valeur d'une méthode artificielle d'exposition, puisqu'elle laisse dans l'ombre les faits de volonté, d'intelligence et de sentiment qui constituent l'activité, la personnalité et la liberté de l'homme. La vie, considérée en effet dans l'homme, ne présente pas seulement l'aspect végétatif et animal, elle présente encore l'aspect moral et intellectuel; de là la division de la vie humaine en nutritive, sensorio-motrice et spirituelle. Si la méthode scientifique admet les divisions fondées sur la différence des phénomènes les plus saillants, il est exact de dire que la vie est nutritive chez les plantes, nutritive et sensorio-motrice chez les animaux; nutritive, animale et spirituelle chez l'homme.

Buisson (1), ayant pu, à l'aide d'une analyse délicate, apprécier le rôle actif que l'intelligence humaine exerce dans la production des phénomènes regardés comme appartenant à la vie animale, a proposé pour l'homme une division, où celle-ci, entièrement subordonnée à la vie morale et intellectuelle, se confond avec elle sous le nom de *vie active*. Les phénomènes propres à la vie organique de Bichat y sont groupés, à quelques modifications près, sous le nom de *vie nutritive*.

Bichat est aux prises, dans sa division, avec une difficulté relative à la génération. Cette importante fonction, chez l'homme, appartient à la fois à la vie nutritive, à la vie sensorio-motrice et à la vie morale et intellectuelle; elle est d'ailleurs commune aux plantes, aux bêtes et à l'espèce humaine. Il élude la difficulté en faisant observer que « la génération n'entre point dans la série des phénomènes des deux vies qui ont rapport à l'individu, tandis qu'elle ne regarde que l'espèce. » Nous pourrions faire observer, à notre tour, que plusieurs actes propres à l'homme n'entrent pas davantage dans *la série des phénomènes des deux vies qui ont rapport à l'individu*, puisqu'ils ne regardent que la société; mais nous ne rappelons ici ces paroles que pour insister sur l'importance à attacher au phénomène de la génération, dans la définition de la vie, considérée d'une manière générale et abstraite.

NOTE [C]. *Subdivision des deux vies, animale et organique, en deux ordres de fonctions*

Si la vie animale comprend, d'une part, les actes moraux et intellectuels de l'homme, et de l'autre, les phénomènes de

(1) *De la division la plus naturelle des phénomènes physiologiques*, in-8, 1802.

sensibilité et de locomotion propres aux bêtes, il n'est pas aisé de concevoir comment elle se prête à une subdivision aussi simple que celle dont il s'agit ici. Bichat n'hésite pas. Il y a chez les animaux des impressions que les nerfs transmettent des sens au cerveau, et une réaction du cerveau que les nerfs transmettent aux organes locomoteurs. Or ces deux ordres de fonctions sont à la vie animale ce que l'assimilation et la désassimilation sont à la vie organique, en ce sens qu'il y a, dans l'une et dans l'autre, une action réciproque d'une circonférence à un centre et d'un centre à une circonférence. Mais la vie humaine échappe à cet ingénieux arrangement : aussi voyez l'embarras où se trouve notre illustre théoricien. S'agit-il de l'homme ou de la bête quand il trace les lignes suivantes : « L'animal, dit-il, est presque passif dans le premier ordre de fonctions (c'est-à-dire dans les sensations) ; il devient actif dans le second, qui résulte des actions successives du cerveau, où naît la volition à la suite des sensations, des nerfs qui transmettent cette volition, des organes locomoteurs et vocaux, agents de son exécution. Les corps extérieurs agissent sur l'animal par le premier ordre de fonctions ; il réagit sur eux par le second. » On sait très-bien néanmoins que les actes de l'intelligence et les libres déterminations de la volonté, intermédiaires chez l'homme entre les sensations et les mouvements, peuvent être produits sans que la sensation les ait immédiatement précédés, et sans que la contraction musculaire doive nécessairement les suivre. Comment concevoir d'ailleurs cet animal *presque* passif dans les sensations, qui *devient actif* dans la volition, si cette volition est un résultat fatal d'opérations cérébrales déterminées par les sensations ? Bichat semble ne s'être pas douté qu'il est impossible de faire prévaloir en physiologie humaine le langage qui convient à la physiologie animale.

Plus loin, lorsque Bichat parlera du jugement, de la vertu, de la sagesse, etc., lorsqu'il parlera de l'âme intelligente et libre, etc., tiendra-t-il un langage mieux approprié à la physiologie humaine?... C'est ce que nous verrons bientôt ; mais nous pouvons déjà pressentir l'embarras où il va se trouver dans la suite de son exposition, pour avoir voulu embrasser dans une donnée générale des phénomènes tout à fait distincts.

Bichat mentionne le double mouvement qui s'exerce dans

la vie organique : l'un composant l'être vivant, l'autre le dé-
composant sans cesse. Les êtres vivants tourneraient ainsi dans
un cercle continuel, comme le font les corps bruts. La même
loi circulaire présiderait ainsi à la succession des phénomènes
physiologiques et à celle des phénomènes physiques. N'est-ce
pas ici le cas de signaler la force sérielle ou de développement,
en vertu de laquelle la composition l'emporte sur la décomposition, lorsqu'un germe fécondé traverse les types inférieurs,
atteint celui des êtres dont il émane, croît et grandit pour subir les transformations successives que nous nommons les
âges de la vie ? Cette force, qui se renouvelle en quelque sorte
dans la génération, qui porte par excellence le caractère de
vie, Bichat n'en fait point mention. La génération elle-même,
sur laquelle il nous a dit dans le paragraphe précédent qu'il
reviendrait dans le cours de son ouvrage, y sera complétement
passée sous silence.

D'après ce que Bichat nous dit du double mouvement de
composition ou de recomposition de l'animal, il paraîtrait que
tous les tissus qui constituent nos organes se renouvellent au
moyen de l'assimilation et de la désassimilation. Plusieurs physiologistes ont émis cette opinion ; il en est même qui ont cru
pouvoir fixer à sept années la durée nécessaire pour un entier
renouvellement du corps. Mais rien n'est moins certain. La
fameuse expérience de la coloration des os par la garance, reproduite en ces derniers temps avec beaucoup de soin par M. Flourens, a beaucoup servi à la propagation de la théorie du renouvellement complet. Mais cette expérience, comme le fait
observer M. Magendie, prouve seulement que des molécules de
matière colorante peuvent être déposées dans le parenchyme,
et qu'elles y sont reprises après un certain temps. Rien ne
prouve que ce parenchyme lui-même soit changé.

NOTE [D]. *Différences générales des deux vies par rapport aux*
formes extérieures de leurs organes respectifs.

Une fois engagé dans la voie systématique que lui avait faite
la radicale distinction des deux vies, Bichat ne pouvait plus
s'arrêter. Nous verrons dans les notes suivantes où cette voie
l'a conduit. Il s'agit maintenant des formes propres aux organes

des deux vies, formes qu'il prétend être régulières et symétriques dans la vie animale, irrégulière et sans symétrie dans la vie organique.

Si nous nous bornons à examiner superficiellement l'organisme de l'homme adulte et celui des animaux qui s'en rapprochent le plus, l'assertion de Bichat nous paraît exacte, malgré les exceptions que présentent à notre observation certains organes de la vie organique, dont la symétrie et la forme régulière sont incontestables.

Déjà nous venons de voir que Bichat lui-même, au début de l'article où il traite de la symétrie des organes de la vie animale et de l'irrégularité de ceux de la vie organique, reconnaît quelques exceptions, surtout pour la vie animale. A ces exceptions appartiennent, « parmi les poissons, les soles, les turbots, etc., diverses espèces parmi les animaux non vertébrés, etc. » L'exception, de l'aveu même de notre auteur, atteint ainsi un nombre considérable d'espèces. Nous démontrerons d'après M. Flourens que ce nombre est plus grand encore.

« En posant cette loi, dit M. Flourens (1), Bichat n'a considéré que l'homme et les genres voisins de l'homme, et il n'a tenu aucun compte de tous les autres animaux, c'est-à-dire du plus grand nombre, sans aucune comparaison. On verra bientôt, en effet, qu'il n'est pas un organe de la vie organique qui, dans un animal ou dans l'autre, ne se montre parfaitement symétrique, et qu'ainsi la symétrie de ces organes, masquée, dans certaines espèces, par certaines circonstances particulières, reparaît dans l'ensemble de la série, en sorte que leur non-symétrie, qui, dans les animaux voisins de lui, paraît le cas général, n'est, au contraire, à considérer l'ensemble des animaux, que le cas particulier et exceptionnel.

« Passons successivement en revue les principaux organes de la vie organique.

« *Poumon.* Bichat insiste beaucoup sur quelques petites différences qui se trouvent entre le poumon droit et le poumon gauche de l'homme, comme, par exemple, que le droit a trois

_____

(1) Mémoire lu à l'Académie des sciences le 16 juillet 1832, et inséré dans la *Revue encyclopédique*, livraison d'août 1832 ; et reproduit dans le volume récemment publié sous ce titre : *Mémoires d'Anatomie et de Physiologie comparée.*

lobes et que le gauche n'en a que deux, que le volume de l'un l'emporte sur le volume de l'autre, etc. Mais, outre que de pareilles différences, qui ne tiennent qu'au *volume* ou à la *division* d'un organe, ne sont jamais d'un bien grand poids en anatomie comparée, c'est que, dans la classe même des mammifères à laquelle appartient l'homme, ces petites différences ne se montrent pas constantes. A la vérité, dans cette classe, le poumon droit a presque toujours un plus grand nombre de lobes que le gauche ; mais d'abord il est plusieurs mammifères, comme l'*éléphant*, le *rhinocéros*, le *cheval*, le *lama*, le *lamantin*, le *marsouin*, etc., qui n'ont de véritables lobes ni à l'un ni à l'autre poumon, et il en est quelques autres ensuite qui en ont un nombre égal à un poumon et à l'autre, comme le *mone* parmi les singes, le *rat de la baie d'Hudson* parmi les rongeurs, etc. Ainsi donc, dans les mammifères mêmes, où pourtant l'inégalité entre les deux poumons forme le cas le plus général, le poumon droit y ayant presque toujours un plus grand nombre de lobes que le gauche, on voit déjà quelques espèces où se montre l'égalité ou la symétrie entre ces deux organes, soit qu'ils aient l'un et l'autre un *nombre égal* de lobes, soit qu'ils en manquent également l'un et l'autre. — Mais c'est surtout dans les oiseaux que cette symétrie paraît avec évidence. Dans tous les oiseaux, en effet, les deux poumons sont tout à fait ou à peu près tout à fait égaux entre eux, et ils n'ont de lobes ni l'un ni l'autre. Ainsi, à l'inverse des mammifères, où la symétrie paraissait le cas exceptionnel et l'irrégularité le cas général, on voit dans les oiseaux la symétrie former, au contraire, une loi commune, constante et qui ne souffre aucune exception. — Dans la classe des reptiles, il est quelques ordres où règne la symétrie, et il en est quelques autres où l'irrégularité reparaît, et même d'une manière plus tranchée que dans les mammifères. D'abord les *chéloniens*, la plupart des *sauriens*, et surtout les *batraciens*, ont les poumons doubles et égaux ; mais quelques *sauriens* et presque tous les *ophidiens* ont un poumon très-petit par rapport à l'autre ; et même dans quelques *ophidiens* le petit poumon disparaît tout à fait, et par conséquent il n'y a plus qu'un seul poumon dans ces animaux...... C'est dans un ordre des reptiles, celui des *batraciens*, que s'observe pour la première fois, parmi les vertébrés., le passage de la respiration aérienne à la respiration

aquatique, ou de l'appareil pulmonaire à l'appareil branchial...
Or, dans tous ces animaux, ces deux appareils, le pulmonaire
et le branchial, sont toujours symétriques. — La même symétrie règne dans tous les poissons : dans tous, les branchies d'un
côté sont égales ou à peu près égales aux branchies de l'autre ;
et sous les rapports de leur appareil respiratoire, les poissons
offrent la même constance que les oiseaux. — Ainsi, dans le
grand embranchement des vertébrés, c'est l'inégalité des poumons qui donne le *cas général* pour les mammifères, pour plusieurs reptiles ; et c'est, au contraire, l'égalité ou la symétrie
qui donne le *cas général* pour les oiseaux et pour les poissons.
Mais comme, dans les mammifères mêmes, et surtout dans
les reptiles, l'égalité ou la symétrie reparaît souvent, on voit
que cette symétrie donne donc en définitive le cas général ou
dominant de l'appareil respiratoire de cet embranchement. —
Il en est de même pour les invertébrés, du moins pour tous
ceux qui ont un appareil respiratoire bien distinct. D'abord,
parmi les mollusques, ceux qui respirent par les branchies ont
pour la plupart l'appareil symétrique, comme tous les *céphalopodes*, plusieurs *gastéropodes*, plusieurs *acéphales*, etc... .
Comme on devait s'y attendre, c'est surtout dans les articulés,
où tout le corps est si symétrique, que se voit bien toute la
symétrie de l'appareil respiratoire : ainsi les branchies des
crustacés sont complétement symétriques ; rien n'est plus
symétrique que les branchies en éventail des *sabelles*, des *ser-
pules*, etc. Parmi les *annélides*, et jusque dans les *insectes*, où
la respiration ne se fait plus par un appareil circonscrit dans
un lieu déterminé, mais par des *trachées* ou canaux aériens
répandus dans tout le corps, on voit une symétrie parfaite ré-
gner et entre les principaux troncs de ces trachées, et entre
leurs ouvertures extérieures ou *stigmates*.

« Je passe au *cœur*, et je me borne toujours aux seuls faits
principaux. Le premier de ces faits est que, toutes les fois que
les divers *cœurs* sont réunis en une seule masse, cette masse
est toujours placée vers la ligne médiane du corps. Ainsi, dans
l'homme, dans les mammifères, dans les oiseaux, où les deux
cœurs ne sont séparés que par une cloison commune, le cœur
est placé sur la ligne médiane. De plus, dans tous ces animaux, les deux cœurs sont exactement composés de même,
et le volume même des deux ventricules comparés entre eux

est souvent égal. Dans tous les reptiles, soit que leur ventricule toujours unique ait deux oreillettes ou qu'il n'en ait qu'une, comme dans les *batraciens*, cas où il n'y a plus qu'un cœur, comme dans tous les poissons, où il n'y a aussi qu'un cœur, le cœur est toujours sur la ligne médiane. — Mais dans les mollusques, qui ont plusieurs cœurs séparés, comme les *céphalopodes*, on voit aussitôt ceux de ces cœurs séparés qui sont doubles prendre une position latérale. Ainsi, dans les *céphalopodes*, il y a deux cœurs pulmonaires, et ils sont latéraux ; il n'y a qu'un cœur aortique, et il est médian. — Ainsi, dans un autre embranchement encore, celui des *articulés*, les *crustacés décapodes* ont pareillement trois cœurs, et pareillement les deux cœurs pairs et semblables sont latéraux, et le cœur impair est médian ; et dans les autres articulés qui, comme les *squilles* et les *arachnides*, n'ont plus pour cœur qu'un vaisseau, ou qui même, comme les insectes, n'ont plus ce vaisseau qu'en vestige, ce vaisseau, ce vestige de vaisseau, sont toujours situés sur la ligne médiane.

« Le *foie* nous offrira une suite de dispositions à peu près pareilles. Dans l'homme, c'est une seule masse divisée en trois lobes et occupant surtout l'hypochondre droit. C'est toujours ce même côté droit qu'il occupe principalement dans les mammifères ; mais, en général, il s'y divise en lobes plus nombreux, plus séparés, et quelquefois même tout à fait séparés entre eux. — Le foie des oiseaux prend une figure plus uniforme. D'abord il s'y partage toujours en deux lobes ; ensuite ces deux lobes sont rarement très-inégaux entre eux ; et enfin ils sont exactement placés, l'un du côté droit, l'autre du côté gauche. Le foie des oiseaux se compose donc de deux moitiés, et ces deux moitiés sont latérales ou symétriques. — Dans les reptiles et les poissons, le cas général est la *non-symétrie* ; et cependant le foie du crocodile offre presque autant de symétrie que celui des oiseaux. — Les mollusques ont toujours un foie considérable, et il est même assez symétrique dans les *céphalopodes*. — La plupart des articulés n'ont plus de foie proprement dit, c'est-à-dire de foie sous forme de *glande conglomérée* et *compacte*. Mais comme tout est de la symétrie la plus exacte dans ces animaux, le foie, quand il s'y montre, s'y montre aussi exactement symétrique, comme, par exemple, dans les *squilles* ou *mantes de mer*.

« Le *pancréas* disparaît encore plus tôt que le foie dans la série animale ; car il manque dans les mollusques, et même dans les poissons osseux, du moins en tant que glande compacte et conglomérée ; et quoiqu'en général il se soustraie à la symétrie, il n'y échappe pourtant pas toujours. Ainsi, dans plusieurs mammifères, comme le *chien*, le *chat*, etc., il est double. Il est pareillement double dans la plupart des oiseaux, et même dans quelques-uns les deux pancréas sont à peu près égaux.

« La *rate* elle-même n'échappe pas entièrement à la symétrie ; car on connaît le beau fait des rates multiples du *marsouin*, beau fait que l'on doit à Cuvier ; et ce qui est plus important pour la question que je traite ici, c'est que, dans les oiseaux, la rate se montre exactement placée sur la ligne médiane.

« Je me borne à rappeler encore la symétrie connue des *appareils sécréteurs* de l'urine, du lait, des larmes, de l'appareil générateur, de l'appareil salivaire, etc. Je me borne à rappeler encore la symétrie de plusieurs appareils de sécrétions particulières, des appareils sécréteurs de la soie dans les chenilles, des appareils sécréteurs qui règnent le long de la ligne latérale dans les poissons, etc.

« Je me hâte d'arriver aux résultats généraux des faits que je viens de rapporter. — 1° Le premier de ces résultats généraux est que, à considérer l'ensemble des animaux, les organes de la vie organique ne sont pas moins soumis à la symétrie que ceux de la vie animale. — 2° Le deuxième est que les organes de la vie organique se soumettent à la symétrie d'après le même mode que les organes de la vie animale, c'est-à-dire en se montrant doubles, et alors chaque moitié de l'organe occupe chaque moitié du corps, ou en se montrant simples, et alors cet organe simple occupe ou tend de plus en plus à occuper la ligne médiane. — 3° Le troisième est que la vie organique a donc ses deux côtés droit et gauche comme la vie animale. De plus, chacun de ces côtés est complet, par rapport à l'autre, dans la vie organique, non moins que dans la vie animale ; car de même, en effet, que dans la vie animale, chaque côté a ses membres, ses organes des sens, etc., de même, dans la vie organique, à considérer du moins l'ensemble des animaux, chaque côté a son cœur, son foie, son pancréas, son poumon, etc. — 4° La vie se compose donc de deux vies, et chacune de ces vies se compose de deux côtés, de deux moitiés semblables ou symétriques. — 5° Et cette *dualité* de la vie, et cette dualité des appareils de chaque vie, remontent, du moins dans les animaux les plus élevés, jusqu'au système le plus important de l'économie. — 6° Dans tous les animaux vertébrés, en effet, il y a deux systèmes nerveux : l'un, le cérébro-spinal, pour la vie animale ; l'autre, le grand sympathique, pour la vie organique ; et, ce qui n'est pas moins remarquable, c'est que le système nerveux de la vie organique dans tous ces animaux est double comme le système nerveux de la vie animale. — 7° Ainsi deux systèmes nerveux, deux vies, et pour chaque vie un système nerveux double, et aussi pour chaque vie une série complète d'organes ou d'appareils doubles. — 8° Ainsi donc la vie organique n'est pas moins symétrique au fond que la vie animale ; et si quelques-uns de ses organes se montrent plus souvent frappés d'irrégularité que ceux de l'autre vie, il est aisé de voir que cette irrégularité tient toujours à des circonstances purement accidentelles.

« 1° La première de ces circonstances est la forme générale du corps de l'animal ; la deuxième est la sensibilité même des organes dont il s'agit. — 2° Par la forme générale du corps, ces organes ont dû souvent être repoussés de leur vraie position ; et par leur mobilité, car ils sont suspendus dans le corps plutôt qu'ils n'y tiennent essentiellement, ils ont pu se prêter à ce déplacement. — 3° Ce n'est pas seulement, au reste, dans la vie organique que la *disposition générale* du corps change quelquefois la position des organes ; car dans les *pleuronectes*, par exemple, il a suffi d'un simple changement de cette *disposition générale* pour rejeter, comme chacun sait, les deux yeux de l'animal du même côté du corps. — 4° Ainsi donc, toutes les fois que la forme générale du corps ne s'y oppose pas, les organes vitaux ou prennent une position latérale et symétrique, s'ils sont *doubles*, ou une position médiane, et qui n'est pas moins symétrique, s'ils sont *simples*, et le canal digestif est la preuve la plus évidente peut-être de la règle que j'indique ici. — 5° En effet, le canal digestif, en sa qualité d'organe impair ou simple, doit se placer sur la ligne médiane. Dans tous les animaux où il est beaucoup plus long que le corps, il a été contraint de se replier, de se contourner sur lui-même, et il semble manquer aussi à la position médiane ; mais dès qu'il se montre un animal, où il n'est pas plus long que le corps, il prend aussitôt cette position médiane, comme dans la *lamproie*, par exemple.

« En résumé donc, la symétrie des organes de là vie organique tient à des circonstances essentielles, profondes ; et leurs irrégularités, quand il en existe, ne tiennent qu'à des circonstances secondaires et accidentelles. La symétrie même pour les organes de la vie organique forme donc la vie générale de l'économie. »

Certes, voilà de véritables exceptions auxquelles Bichat, tout en en admettant quelques-unes, n'avait pas songé. Reconnaissons toutefois que la doctrine reste approximativement exacte pour l'homme et un grand nombre d'animaux supérieurs, considérés *après* les premières transformations de la vie embryogénique jusqu'à la mort.

Mais ce n'est pas tout. Bichat affirme que le caractère assigné par lui aux formes des organes de la vie organique « est exactement tracé dans l'homme et dans les genres voisins du sien pour la perfection. » Il ajoute que « ce n'est que là où il va l'examiner, et que, pour le saisir, l'inspection seule suffit. » Eh bien, chez l'homme lui-même, si on en croit M. Serres, le caractère, jugé si exactement tracé, serait encore en défaut au point de vue embryogénique, comme il l'a été au point de vue de l'anatomie comparée. Selon M. Serres, tous les organes sont doubles à leur apparition, et se complètent par leur réunion à la ligne médiane. Il a formulé, pour exprimer ces faits contestés par d'autres embryogénistes, une *loi de formation centripète des organes*. Mais, hâtons-nous de le dire, cette loi n'est admise que par son auteur. Il nous est impossible de reproduire ici les ingénieuses explications à l'aide desquelles ce savant anatomiste nous montre les organes de la vie organique, selon lui, si réguliers dans leur formation première, ou si symétriques dans leur position primitive, s'éloignant de ces types harmonieux pour affecter l'irrégularité et le défaut de symétrie qui caractérisent la plupart des organes de la vie nutritive. Ceux de nos lecteurs qui désirent connaître comment ont lieu ces transformations embryogéniques, que M. Serres fait régir par une loi de l'*équilibration des organismes*, en trouveront l'exposé fait par lui-même dans l'article *Organogénie* de l'*Encyclopédie nouvelle*.

25

NOTE [E]. *De l'harmonie d'action dans la vie animale.*

Bichat est entraîné trop loin lorsqu'il conclut de la disposition symétrique que présentent les organes de la vie animale à la nécessité absolue d'une harmonie complète d'action dans les organes symétriques. « Deux parties, dit-il, essentiellement semblables par leur structure, ne sauraient être différentes par leur manière d'agir. » Personne ne conteste que, la *manière d'agir* ne soit la même dans deux organes symétriques d'une même fonction ; mais ce que l'on conteste, c'est qu'ils agissent nécessairement l'un et l'autre avec la même intensité. Des conditions particulières et profondément cachées de structure peuvent permettre à l'un une intensité d'action dont l'autre serait incapable, sans que pour cela ils cessent de nous paraître exactement semblables. Qui peut affirmer que cette ressemblance soit souvent telle que nous la voyons ? N'est-il pas probable, au contraire, qu'il existe toujours entre deux organes ou appareils symétriques une différence anatomique inaccessible aux sens ? Sans nous engager dans les mystères de l'organisation, consultons les phénomènes tels qu'ils s'offrent à notre observation.

L'inégalité de force entre les deux yeux ou les deux oreilles n'est point une cause de trouble dans la vision : aussi Bichat, dans les exemples qu'il cite, semble-t-il avoir moins en vue cette inégalité de force qu'une discordance dans la nature même des impressions. Il est certain que si un homme reçoit par un des yeux l'impression du rouge et par l'autre l'impression du jaune, ainsi que cela arrive dans certaines névroses oculaires, il y aura alors trouble dans la vision, et ce trouble sera dû à la discordance des impressions visuelles. Mais ce n'est pas ce qui est en question. Pourquoi appeler notre attention sur des faits de ce genre, quand il s'agit de l'inégalité dans l'intensité fonctionnelle d'un des organes symétriques ? C'est sur ce terrain que le problème doit rester. Or, il est loin d'être prouvé que les deux yeux, les deux oreilles, etc., fonctionnent à la fois et avec la même intensité dans tous les moments de la sensation visuelle, auditive, etc. Il semble, au contraire, que les organes symétriques d'un sens externe sont destinés en même temps à s'entr'aider et à se suppléer, en prenant alternativement la plus grande part à la fonction commune ; c'est ce qui a lieu surtout pour le toucher, où l'action simultanée des deux mains est rarement nécessaire. Si cela est ainsi, et c'est au reste ce que l'expérience confirme pour la vision, les inconvénients qui résultent, selon Bichat, de l'*inégalité d'action* sont loin d'être aussi grands qu'il nous les représente, d'autant plus que l'action de l'organe plus faible trouve sa compensation dans le surcroît d'énergie propre à l'organe plus fort (1). Cette compensation a lieu suivant des lois que Bichat lui-même a reconnues et proclamées dans un des articles suivants, et en vertu desquelles l'intensité fonctionnelle d'un organe est d'autant plus grande qu'il est soumis à un exercice plus fréquent, et la sensibilité se porte avec d'autant plus d'énergie sur un point qu'elle fait davantage défaut dans un autre.

Mais l'erreur de Bichat, déjà si évidente par ce que nous venons de dire, devient plus évidente encore quand il applique ses idées sur l'inégalité d'action des organes symétriques de la sensation à l'appréciation de l'inégalité d'action qui peut exister entre les deux hémisphères cérébraux. « Le cerveau est à l'âme, dit-il, ce que les sens sont au cerveau : il transmet à l'âme l'ébranlement venu des sens, comme ceux-ci lui envoient les impressions que font sur eux les corps environnants. Or, si le défaut d'harmonie dans le système sensitif extérieur trou-

(1) « Il y a un grand nombre de personnes, dit M. Magendie, chez lesquelles les deux yeux sont de force inégale et chez lesquelles la vision ne s'en exécute pas moins avec netteté et précision. On peut s'assurer de cette différence de force par l'expérience suivante : on place devant les yeux deux verres colorés différemment, en rouge et en vert, par exemple ; si l'œil devant lequel le verre rouge est placé est le plus fort, tous les objets qu'on regarde paraissent teints de cette couleur ; s'il est le plus faible, au contraire, tous les objets sont teints de la couleur du verre placé devant l'autre œil. Enfin, si les deux yeux sont d'une force égale, on ne voit les objets ni verts ni rouges, mais grisâtres, à peu près comme on les verrait si les deux verres superposés étaient appliqués à un seul œil. On peut encore s'assurer de cette inégalité par un autre moyen. On place devant l'objectif d'une lunette un verre coloré dont l'épaisseur va en croissant, disposé de manière à tenir librement dans une coulisse ; cela fait, on observe un objet lumineux (une étoile de première grandeur, par exemple), et on place le verre de manière à voir l'objet bien distinctement, puis on fait glisser la lame colorée de sorte que l'astre devienne de moins en moins lumineux et cesse enfin d'être aperçu ; or, chez les personnes dont les deux yeux sont de force inégale, ce moment arrive plus tôt pour un œil que pour l'autre. Cette expérience n'est pas moins décisive que l'autre, mais elle frappe moins, est plus difficile à bien faire, et exige un appareil plus compliqué ; c'est pourquoi elle a été plus rarement employée. »

ble les perceptions du cerveau, pourquoi l'âme ne percevrait-
elle pas confusément, lorsque les deux hémisphères inégaux
en force ne confondent pas en une seule la double impression
qu'ils reçoivent? » Pour répondre à cette ingénieuse argu-
mentation, il suffirait de répéter que l'inégalité d'action des
organes des sens n'est point une cause de trouble dans la perception; mais nous préférons y répondre en rappelant la prédominance presque constante d'un hémisphère sur l'autre.

Cette inégalité de développement, indiquée comme une cause
ou au moins comme le signe d'une inégalité de force, a été
souvent remarquée. M. le docteur Buchez, qui la regarde comme
étant à peu près constante, pense, avec plusieurs physiologistes,
que les opérations des deux hémisphères cérébraux sont alternatives plutôt que simultanées, et que, par conséquent, chacun
d'eux est disposé de manière à pouvoir fonctionner seul. Des
faits pathologiques viennent d'ailleurs confirmer cette opinion;
M. le docteur Longet en rapporte un grand nombre (1). Ces
faits démontrent que de graves et profondes altérations, surve-
nues graduellement dans la structure d'un hémisphère, n'impliquent point nécessairement le trouble des fonctions intellectuelles. Dans ces cas, on remarque plutôt que les malades
se fatiguent promptement, ce qui s'explique par l'inaction de
l'hémisphère qui a cessé de suppléer l'autre.

Si les fonctions intellectuelles ne sont point nécessairement
troublées par suite de l'altération organique d'un des hémisphères cérébraux, comment le seraient-elles par une simple
inégalité de développement? Étaient-elles troublées chez Bichat, qui, après sa mort, présenta à l'examen pieux de ses
confrères une si grande inégalité de volume entre les deux
hémisphères de son cerveau? L'autopsie de cet illustre physiologiste a donné le démenti le plus éclatant à la théorie qu'il
avait exposée avec tant de prédilection.

Quant aux organes symétriques de la locomotion, nous devons rappeler que, parmi eux, il en est qui sont destinés au
toucher, et que leurs mouvements ont surtout pour but de
favoriser l'exercice de ce sens. Considérées ainsi, les deux
mains peuvent agir avec une parfaite indépendance l'une de

(1) *Anatomie et physiologie du système nerveux de l'homme et des animaux
vertébrés*, t. I, p. 666 et suiv.

l'autre. Ce que Bichat appelle improprement *l'harmonie d'ac-tion* n'est point nécessaire à l'exercice de leurs fonctions sensoriales, ainsi que Buisson l'a parfaitement démontré. ✗

Quant aux organes de la locomotion proprement dits, on sait que chez l'homme ils sont plus développés à droite qu'à gauche. En résulte-t-il une discordance d'action dans les mouvements qu'ils exécutent? Cela devrait être d'après la théorie de Bichat. **Aussi,** pour échapper à l'objection, se hâte-t-il de nous déclarer que « la discordance des organes locomoteurs porte non sur la force, mais sur l'agilité des mouvements. » Il conclut de cette ingénieuse distinction que, si la discordance existe, elle n'est pas dans la nature ; c'est « un résultat de nos habitudes sociales, qui, en multipliant les mouvements d'un côté, augmentent leur adresse sans trop ajouter à leur force... » Ces subtilités sont indignes d'un aussi grand esprit. N'est-il pas certain que l'inégalité de développement entre les membres du côté droit et ceux du côté gauche existe déjà à la naissance, que l'artère destinée au bras droit est plus volumineuse que celle du bras gauche? Bichat admet et conteste tour à tour ces faits fort connus des anatomistes. Quant à ceux qu'il avance à l'appui de son arrangement systématique, ils ne supportent pas l'examen. Plusieurs peuples orientaux écrivent de droite à gauche. Les exercices militaires n'influent point sur les habitudes des masses, qui sont déjà prises lorsque le citoyen atteint l'âge de porter les armes. La marche des quadrupèdes repose sur d'autres conditions que la marche de l'homme, et ces conditions ne se résument point dans l'égalité de développement de leurs organes locomoteurs de l'un et de l'autre côté, etc., etc.

Disons plutôt que l'agilité est une faculté complexe qui appartient autant à l'intelligence et à la sensibilité qu'au mouvement ; qu'elle repose, comme la force, sur des aptitudes congénitales ou naturelles ; et que, si on l'a remarquée plus habituellement dans les membres du côté droit, c'est que ces membres, étant plus forts, sont en même temps ceux que l'on fait tout naturellement agir de préférence. Reconnaissons aussi qu'elle se perfectionne par l'habitude ; mais n'attribuons pas à ce perfectionnement, en quelque sorte artificiel, une inégalité de développement qui apparaît à la naissance, qui précède tout exercice, et que l'exercice doit sans doute contribuer à rendre plus évidente.

Concluons que l'inégalité de force ou de développement, que Bichat regarde comme exceptionnelle ou anormale, est un fait constant et normal. Concluons encore que ce qu'il appelle *harmonie d'action* n'est pas en défaut pour cela ; car l'harmonie existe là où deux organes concourent au même but, soit que les organes symétriques se suppléent et alternent dans leurs opérations, soit qu'ils agissent simultanément. Si la fonction s'accomplit par leur concours, il y a entre eux harmonie d'action. Ce mot, comme l'on voit, n'a pas reçu de Bichat sa véritable signification. Nous verrons dans la note suivante que le mot *discordance* n'est pas plus heureux.

NOTE [F]. *Discordance d'action de là vie organique.*

Pour être fidèle à sa théorie, Bichat s'efforce de démontrer que la discordance d'action est la loi des organes de la vie organique, comme si la loi des balancements, celle des sympathies, ou mieux encore la loi des synergies, qui y règnent souverainement, n'y étaient pas un obstacle constant à cette *discordance*. Ce mot, d'ailleurs, doit être banni du langage des physiologistes, alors même que quelques phénomènes exceptionnels, considérés à un point de vue particulier, pussent s'en accommoder. Or, c'est précisément pour indiquer la merveilleuse disposition en vertu de laquelle un organe ou une portion d'organe supplée les parties congénères frappées de maladie, que Bichat emploie ce malheureux mot. Il importe d'établir cette vérité, à savoir, que, dans la vie organique comme dans la vie animale, quoique dans des conditions et à des degrés différents, les organes symétriques ou congénères se suppléent. Ainsi, un poumon sain supplée dans la respiration son congénère induré ou affecté de tubercules ; un rein supplée de même le rein du côté opposé, comme un hémisphère à l'état normal supplée dans les actes de l'entendement celui qui est frappé de maladie, lorsque celui-ci a subi une lente et graduelle altération dans sa structure. Il y a donc ici analogie évidente entre les organes des deux vies. Bichat n'a voulu y voir que des différences.

Bichat fait ressortir avec soin les variations nombreuses auxquelles sont soumises les fonctions de la vie organique; mais ces variations n'ont-elles pas leur retentissement dans celles de la vie animale? Qui n'a remarqué les vicissitudes de la volonté, de l'entendement, des émotions diverses; que la volonté d'un jour est rarement celle du lendemain; que les facultés intellectuelles s'exercent avec une inégale intensité aux différentes heures de la même journée; que le moral subit à chaque instant une foule de modifications? Toutes ces variations dans l'une et l'autre vie s'enchaînent réciproquement : la circulation étant plus rapide, l'entendement est plus actif; certaines idées se faisant jour, la circulation est accrue. En quoi, d'ailleurs, ces variations peuvent-elles s'opposer à l'harmonie d'action? Cette harmonie n'est-elle pas constante dans tous les phénomènes physiologiques, et ne ressort-elle pas plus évidente encore des changements qui ont lieu pendant la vie?.... Tout ce que Bichat dit à ce sujet ne prouve donc rien en faveur de son arrangement systématique.

NOTE [G]. *L'habitude émousse le sentiment.*

Bichat se trompe souvent dans ses appréciations physiologiques en se laissant entraîner par les mots avant d'en avoir précisé le sens. Il eût été plus exact de dire que l'habitude diminue l'intensité des *émotions* : car on ne saurait appeler *sentiment* ce qui n'est que l'impression du plaisir et de la douleur. Le sentiment est plus que cela : il implique un *désir*; lorsque ce désir est immodéré, il devient une *passion*. Or l'habitude, ou le renouvellement des excitations auquel on donne ce nom, est loin d'affaiblir les désirs et les passions, qu'elle tend, au contraire, à rendre insatiables : l'ambitieux court toujours après des conquêtes plus grandes que celles dont il vient d'être mis en possession; l'avare convoite toujours de plus riches trésors; le vaniteux recherche toujours de plus puérils triomphes; le voluptueux rêve sans cesse des voluptés plus vives, etc. L'insatiabilité est le tourment des hommes habitués à satisfaire tous leurs désirs. Le sentiment satisfait sur un point s'agite plus vivement sur un autre : l'objet change, mais la passion persiste et s'accroît.

L'habitude n'émousse donc point le sentiment; en diminuant l'intensité des émotions, ce qui est inséparable de la satisfaction d'un sentiment, elle nous porte à en rechercher de nouvelles. Une émotion agréable, lorsqu'elle est souvent éprouvée, devient moins vive; de là la satiété qui suit le plaisir. Mais il ne faut pas s'y méprendre : cette satiété n'est point l'épuisement du désir; c'est plutôt le désespoir de la passion réclamant de nouvelles jouissances et n'en apercevant plus. C'est l'insatiabilité aux prises avec le néant.

Mais est-ce toujours l'habitude qui, dans les exemples donnés par Bichat, affaiblit les émotions ?... Il est permis d'en douter : car il suffit souvent, pour qu'une impression agréable ou pénible soit produite avec moins de force, qu'elle ait été éprouvée une seule fois ; il suffit même qu'elle ait été prévue, qu'elle ait été présente à notre pensée, d'après la notion plus ou moins exacte qui nous en a été donnée. Qu'une émotion soit connue, qu'elle soit attendue, que toute soudaineté soit devenue impossible, elle sera désormais acquise à la personnalité de l'homme ; elle y sera toujours présente sous forme d'idée ; elle deviendra par là un obstacle à ce que la modification physiologique dont elle est l'expression se reproduise avec la même intensité. Il ne faut donc pas présenter comme un résultat du renouvellement des émotions ce qui est en réalité le résultat de l'intervention d'une idée ou d'un simple souvenir.

Il est une autre considération qui doit contribuer à amoindrir la part attribuée à l'habitude dans l'affaiblissement des émotions. Cette considération, la voici : une émotion recherchée d'abord avec ardeur, sous l'influence d'un violent désir, ne peut pas être la même lorsque, ayant été éprouvée, le désir est satisfait. Le calme qui succède à une satisfaction obtenue n'a rien de commun avec l'indifférence produite par l'habitude. Cette satisfaction est moins vivement désirée, et partant l'émotion est moins vive; voilà tout. Cela revient à dire que l'objet possédé cesse d'être désiré, ce qui est bien naturel. Il serait assez étrange que l'on persistât à désirer ce que l'on possède.

L'habitude joue donc, dans les pages auxquelles cette note se rapporte, un rôle qui est loin de lui appartenir réellement; et Bichat, après avoir mis sur le compte de l'habitude des effets auxquels elle est parfaitement étrangère, conclut bravement que la constance et la fidélité dans les affections ne sont

pas dans la nature! Heureusement il n'en est pas ainsi, puisque l'habitude fortifie les bons sentiments et les transforme en
besoins ; puisque l'idée toujours présente des premières émotions ajoute encore à la durée des véritables affections qui les
ont fait éprouver.

Si l'habitude produit réellement les effets opposés que lui
attribue Bichat, il faut croire que ce mot un peu vague est
employé indistinctement pour exprimer des choses bien différentes. Il nous est impossible de présenter ici toutes les réflexions que ce doute nous suggère. Ce qui est certain, à nos
yeux du moins, c'est que, considérée comme le renouvellement normal des excitations nerveuses, l'habitude produit le
même effet dans tous les cas, soit qu'il s'agisse des impressions
sensoriales, des opérations intellectuelles et des mouvements
volontaires (1), soit qu'il s'agisse des impressions affectives, des
désirs, des sentiments et des passions. Le renouvellement gradué des excitations perfectionne ceux-là et fortifie ceux-ci.
Lorsque ce renouvellement est porté plus loin, il les surexcite
les uns et les autres. Quant aux émotions, si elles perdent de
leur intensité lorsqu'elles ont été éprouvées une ou plusieurs
fois, cela tient à des causes auxquelles l'habitude doit être regardée comme étant étrangère (2).

Note [H]. *De l'habitude dans la vie organique.*

Bichat reconnaît lui-même que l'habitude exerce son empire sur quelques-uns des organes appartenant à la vie organique ; mais il se hâte d'expliquer cette exception en faisant
observer que ces organes appartiennent à la fois aux deux vies.
L'habitude, néanmoins, en atteignant les organes intermédiaires, tels que les poumons et l'estomac, porte nécessairement
son action au delà, dans le domaine de la vie exclusivement nutritive. Ainsi la faim, qui subit l'influence de l'habi-

(1) Dans l'article où il traite de l'éducation de la vie animale, Bichat reviendra
sur ce sujet et il y démontrera l'influence de l'exercice sur le perfectionnement
de ces fonctions.

(2) Nous avons tâché de déterminer les lois physiologiques qui régissent les
phénomènes de l'habitude, dans le VIe chapitre de notre ouvrage sur les *fonctions
et les maladies nerveuses, considérées dans leurs rapports avec l'éducation
sociale et privée, morale et physique.*

tude, ne peut se manifester sans être précédée ou accompagnée d'une modification dans la sécrétion de la salive, du suc gastrique, de la bile, du suc pancréatique, etc. Ainsi la respiration de gaz méphitiques ne peut subir l'influence de l'habitude sans que cette influence ait atteint la circulation, la nutrition elle-même. Quant à l'appétit vénérien, sur lequel l'habitude exerce un si grand empire, il est en relation étroite avec la circulation de l'appareil génito-urinaire et avec la sécrétion spermatique. La répétition de certains mouvements, les exercices gymnastiques portent leur action sur les organes intérieurs et concourent à en favoriser le développement. Quoi qu'il en soit, il est certain que les poumons, l'estomac, les intestins, le canal de l'urètre, etc., s'habituent à recevoir sans souffrance des impressions qui, au début, étaient douloureuses. La vie organique est donc accessible à l'influence de ce qu'on nomme l'habitude, et cette influence peut jusqu'à un certain point s'expliquer. Ajoutons que l'action des médicaments est d'autant moins vive que les mêmes doses ont été plus souvent répétées. Ajoutons encore que certaines maladies tendent d'autant plus à reparaître qu'elles ont eu lieu plus souvent : telles sont les inflammations, les congestions, certaines fièvres, etc. Quelle est la raison physiologique de tous ces effets remarquables de l'habitude?... Nous l'ignorons complétement.

Mais il est d'autres faits dont la raison est moins obscure, et que Bichat n'a pas mentionnés, et que nous indiquerons sommairement lorsqu'il s'agira du développement de la vie organique après la naissance.

Note [1]. *Tout ce qui est relatif à l'entendement est relatif à la vie animale.*

Remarquez l'inconvénient de la division des deux vies adoptée indifféremment pour l'homme et pour les animaux : avant de commencer ce paragraphe, Bichat est obligé de déclarer qu'il s'agira *surtout* de l'homme. Il est certain qu'il ne peut y être question de l'animal. Mais s'il s'agit *surtout* de l'homme, ainsi qu'il le déclare, il reconnaît donc qu'il y est question aussi des animaux, des animaux supérieurs au moins, et la confusion qu'il eût fallu éviter reparaît nécessairement. D'ailleurs, ne fût-il question que de l'homme seul, la confusion se retrouverait encore dans le langage dont il se sert, et qui est toujours le même, soit qu'il s'agisse de la vie humaine, soit qu'il s'agisse de la vie animale. Mais ce n'est réellement pas de l'homme seul qu'il va parler, puisqu'il mentionne les actes de l'intelligence et de la volonté comme étant dans l'homme « à leur plus haut point de perfection. » Là est l'erreur. Il est inexact de dire qu'ils sont plus parfaits chez l'homme, puisque seul il est capable de les produire. Si les actes de l'intelligence et de la volonté étaient les conséquences nécessaires des impressions extérieures et des impulsions internes, cette gradation pourrait être établie des animaux à l'homme. Mais cela n'est pas. L'activité est le caractère de l'intelligence et de la volonté dans l'homme ; la passiveté est le caractère des opérations cérébrales de l'animal. Il est inexact d'assimiler l'acte de l'homme qui se rappelle, imagine, réfléchit, compare, juge et se détermine, à l'opération de l'animal, dans lequel se reproduisent les impressions reçues, et dont le premier mouvement correspond à ces impressions. Chez le premier, il y a liberté ; il peut renouveler et modifier à son gré les impressions ; il peut en prévenir les conséquences. Chez le second, il y a fatalité : les impressions arrivent, se succèdent et entraînent leurs conséquences. D'après cela, nous devons déplorer cette violence systématiquement faite à la logique par la plupart des physiologistes qui, comme Bichat, rapportent à la vie animale non-seulement « la méditation, la réflexion, le jugement, tout ce qui tient, en un mot, à l'association des idées, » mais encore les énergiques aspirations du sentiment, les luttes douloureuses de la vertu et les libres déterminations de la volonté.

Quel est dans l'homme l'élément de cette active et intelligente liberté qui transforme les opérations de son cerveau en actes de raison et de volonté? C'est l'idée. En possédant l'idée, l'homme dispose d'une force à l'aide de laquelle il imprime le mouvement de son cerveau, en contrôle les opérations et en caractérise les impressions diverses. Cette force prend, chez lui, une forme déterminée dans le langage, qui est l'expression exclusivement humaine des *conceptions* ou des idées, comme le geste, l'attitude, la physionomie, etc., sont l'expression commune aux animaux et à l'homme, des *émotions* ou des affections. Par le langage, l'idée multiplie et étend ses rapports avec l'organisme cérébral ; elle devient de plus, en échappant à la sphère de l'individu, un puissant moyen d'action sur l'organisme des générations qui se pressent loin de nous dans le temps et dans l'espace. Comment Bichat a-t-il pu méconnaître cet élément caractéristique de la raison et de la volonté, et ne pas s'apercevoir que sur cet élément, inconnu chez les animaux, repose tout l'homme moral et intellectuel ? Comment se fait-il qu'aux yeux de la plupart des médecins les actes de la vie humaine ne diffèrent des opérations de la vie animale que par un plus haut degré de perfection ? N'est-ce pas un élément tout nouveau ; et cet élément, qui brille dans tous les actes moraux et intellectuels de l'homme, qui intervient dans ses sentiments, dans ses appétits, jusque dans ses instincts, pour les transformer en déterminations raisonnées et libres, ne doit-il pas être proclamé par les médecins comme une force physiologique toujours présente, toujours active ; et cette force, dont les effets sur l'organisme humain sont si nombreux, comme l'a démontré Buisson, ne doit-elle pas servir à distinguer la vie humaine de la vie animale ?

Nous ferons remarquer, en terminant cette note, que la vie animale, aux yeux de Bichat, comprend les sensations, les perceptions, les diverses opérations classiques de l'entendement, la locomotion et la voix. Quant aux sentiments, aux passions et aux déterminations volontaires non manifestées par des mouvements, il n'en est point fait mention comme appartenant à la vie animale, qui se trouve ainsi réduite à de bien étroites limites.

NOTE [J]. *Tout ce qui est relatif aux passions appartient à la vie organique.*

Préoccupé des limites à établir entre les deux vies, Bichat n'hésite pas, après avoir placé l'entendement et la locomotion dans le domaine de la vie animale, à placer les passions et les expressions sentimentales dans le domaine de la vie organique. Il ne fit toutefois qu'adopter à ce sujet la doctrine que Cabanis avait développée dans ses mémoires sur les *Rapports du physique et du moral.* Cette doctrine a déjà été ailleurs, de notre part, l'objet d'une discussion étendue (1). Nous nous bornerons,

___

(1) Voyez notre mémoire intitulé : *Que faut-il entendre, en physiologie et en*

dans cette note et dans les deux suivantes, à poser nettement
les questions soulevées par Bichat ; aller plus loin, ce serait
entreprendre d'écrire un livre à propos d'une note.

« *Tout ce qui est relatif aux passions appartient à la vie
organique,*» telle est la proposition que Bichat veut démontrer.
Conçue en ces termes, cette proposition a toujours paru inexacte
et erronée, et les preuves qu'il a produites à l'appui n'ont
point conquis l'assentiment des physiologistes contemporains.
Ceux-ci opposent à la doctrine de Cabanis et de Bichat une
proposition, à notre avis, tout aussi inexacte et tout aussi
erronée, qui peut être énoncée ainsi : *Tout ce qui est relatif
aux passions appartient à la vie animale.* Cabanis et Bichat
avaient fixé dans les viscères thoraciques et abdominaux le
siége des passions ; les physiologistes contemporains le fixèrent
dans le cerveau . ainsi la vie affective, qui avait été radicale-
ment isolée de la vie intellectuelle, fut bientôt entièrement
confondue avec elle. Séparation trop absolue d'une part, et de
l'autre confusion trop évidente.

Quels sont les éléments physiologiques de la passion chez
l'homme ? Telle est la première question à laquelle il faut
répondre. Il sera aisé ensuite d'en déterminer, au moins d'une
manière générale, les éléments anatomiques. Mais auparavant
il faut s'entendre sur les mots . car là est toujours la première
difficulté dans les discussions psycho-physiologiques.

Les passions ont été confondues avec les émotions : ainsi
Bichat appelle passions la joie, la tristesse, la colère, etc., au
lieu de réserver ce nom aux sentiments et aux désirs plus ou
moins impérieux qui ont pour objet une satisfaction déterminée, comme l'amour, la haine, l'ambition, la vanité, etc.
Confondues ainsi avec les émotions, les passions appartiennent
incontestablement à la vie organique, et Bichat semble avoir
voulu consacrer cette confusion quand il déclare que « l'effet
de toute espèce de passion, constamment étranger à la vie
animale, est de faire naître un changement quelconque dans
la vie organique. » Ce changement est précisément ce qui
constitue l'émotion ; celle-ci peut donc être regardée, d'après
les paroles mêmes de Bichat, plutôt comme un effet de la

*pathologie, par ces mots : Influence du physique sur le moral et influence du
moral sur le physique?* ANNALES MÉDICO-PSYCHOLOGIQUES, t. 1, p. 1.

26

passion que comme la passion elle-même. Un homme recherche avec ardeur une satisfaction : si cette satisfaction paraît prochaine ou probable, il y a espérance, joie, contentement; si elle paraît éloignée et douteuse, il y a crainte, tristesse, inquiétude. L'émotion est inséparable des passions; elle n'existe en général que par les désirs ; mais elle ne doit pas être confondue avec eux. Les Latins distinguaient parfaitement ces deux ordres de faits : ils appelaient les émotions *animi pathemata*, et les passions *cupiditates*. Tout ce que dit Bichat du siége des passions doit être regardé comme s'appliquant parfaitement aux émotions.

Si nous avions maintenant à déterminer les éléments physiologiques de la passion, nous dirions que ces éléments consistent dans l'idée d'une satisfaction à rechercher dans l'émotion qui s'associe à cette idée. Phénomène appartenant à la vie intellectuelle et à la vie affective, ou, pour parler le langage de Bichat, à la vie animale et à la vie organique, la passion réclame le concours de l'idée, acte à la fois spirituel et organique ou psycho-cérébral, et de l'émotion, trouble entièrement organique, ou viscéral. Quant aux éléments anatomiques, ils consistent évidemment dans le cerveau, représenté par l'intervention de l'idée, et dans le système nerveux ganglionnaire, représenté par l'émotion.

Note [K]. *Comment les passions modifient les actes de la vie animale, quoiqu'elles aient leur siége dans la vie organique.*

Bichat, nous venons de le dire, a confondu les passions avec les émotions, qui en sont un élément sans doute et souvent un effet, mais qui ne suffisent point pour les constituer. Or, les émotions ont leur siége dans la vie organique. D'où vient alors cette active intervention de la vie cérébrale, qui, dans les émotions tristes, gaies ou violentes, se manifeste par des idées, des discours et des mouvements correspondants? Bichat, qui s'est posé cette question, répond ainsi : « Dans la colère, dans la joie, c'est le cœur qui fait affluer le sang au cerveau, et en accroît ainsi l'énergie fonctionnelle; dans la crainte, dans la terreur, c'est le cœur qui suspend en quelque sorte son énergie, et qui envoie au cerveau une quantité moindre de sang. Dans d'autres affections, c'est l'estomac, le foie, etc., qui, plus ou moins profondément affectés, réagissent sympathiquement sur l'encéphale. » Le cerveau intervient donc dans les passions, telles que les conçoit notre illustre auteur ; mais il y intervient après avoir été sollicité par la double voie de la circulation et des sympathies. D'après cette manière de voir, c'est l'émotion viscérale qui, dans la passion, remue le flot des idées dont elle s'accompagne, et multiplie les expressions qui la trahissent ; ce n'est jamais l'idée sentimentale qui provoque les émotions. Non-seulement le cerveau, mais encore l'esprit de l'homme, seraient constamment passifs dans les passions. Les viscères de la vie de nutrition seraient seuls doués d'une permanente activité ; comment expliquer alors l'influence des idées sur l'organisme, celle, par exemple, des idées voluptueuses qui font éclore certaines passions à un âge où l'organisme ne s'en accommode point encore ?

Nul doute que l'émotion n'agisse sur le cerveau. Ce fait ne peut être mis en question. On sait qu'une émotion pénible, oppressive, alors même qu'aucune cause morale ne l'aurait produite, entraîne après elle des idées tristes, de douloureux souvenirs, d'inquiets pressentiments. On sait aussi qu'une émotion gaie, expansive, alors même qu'elle tiendrait uniquement à un état de bien-être physique, fait surgir des idées agréables, des images riantes, de douces et heureuses pensées. Mais cette influence de l'émotion sur le cerveau peut-elle être attribuée à l'action plus ou moins énergique du cœur, ou à une simple irradiation sympathique ? Si c'est le sang qui dans les affections pénibles afflue moins vivement au cerveau, pourquoi ce flot d'idées tristes et d'images lugubres, pourquoi ces désolantes conceptions qui assiégent l'esprit et qu'il ne peut fuir ? En recevant moins de sang, le cerveau devrait être soustrait à cette activité dévorante d'une imagination qui veille sans cesse. Pour être en proie à de douloureuses préoccupations, l'esprit n'en est pas moins fécond en pensées de toutes sortes ; et le cerveau, son docile instrument, n'intervient pas moins énergiquement. La diminution dans l'afflux du sang ne saurait se manifester par ce surcroît d'activité cérébrale. Si ce sont les sympathies, si ce sont les irradiations obscures appelées de ce nom, qui font intervenir le cerveau dans les passions, pourquoi l'émotion est-elle accessible à la fois à la conscience et à la volonté ? Appelle-t-on sympathies, nous ne disons pas seulement les impressions transmises au cerveau par les sens externes, mais encore celles qui y sont transmises par les sens internes, tels que la faim, la soif, l'appétit vénérien, l'anxiété respiratoire, etc.? Réservons ce nom aux irradiations nerveuses qui se produisent dans un domaine inaccessible à la conscience et à la volonté. L'émotion est un fait de sensibilité qui nous donne la mesure de nos propres penchants; elle est le moyen par lequel se révèlent à nous les dispositions dites morales qui se confondent, comme on le sait, avec le tempérament, ou en d'autres termes avec les conditions générales de notre organisme; elle constitue, en un mot, une impression destinée à mettre nos plus secrets instincts en rapport avec notre intelligence et avec les influences du monde extérieur. Pour échapper à la dénomination de *sympathie* qui nous semble inexacte, quand il s'agit de la transmission qui a lieu d'un sens au cerveau et du cerveau à un sens ou à un muscle, nous appelons *impression ganglio-cérébrale* l'irradiation en vertu de laquelle l'émotion agit sur les idées, et *innervation cérébro-ganglionnaire* l'irradiation en vertu de laquelle l'idée agit sur les émotions.

L'intervention du cerveau à la suite ou sous l'empire des émotions est donc incontestable; mais cette intervention ne doit pas être confondue avec la part qui, dans les passions, est réservée à cet organe important. La passion ne se borne pas à réagir sur le cerveau, ou mieux à l'impressionner, comme le fait l'émotion simple; elle fait plus, elle réclame, pour exister, le concours actif de l'intelligence, et partant le concours de son organe immédiat. C'est par l'idée de la satisfaction désirée que la passion se rattache à la vie psycho-cérébrale, comme elle se rattache à la vie nutritive par l'émotion. Le moral de l'homme se distingue des actes purement intellectuels en ce que l'ensemble des idées qui le constituent se complique de phénomènes affectifs ou d'émotions. Isolez ces deux éléments: vous verrez, d'une part, une conception calme et indifférente; vous aurez, de l'autre, un trouble vague et une agitation sans but déterminé. Réunissez ces deux éléments, c'est-à-dire l'idée de la satisfaction recherchée et l'émotion sentimentale correspondante, vous aurez le désir, le sentiment et la passion. Buisson a donc été trop loin lorsque, dépouillant la vie nutritive de l'élément affectif, il en a doté la vie active, la vie intellectuelle et volontaire, à laquelle il n'appartient pas.

Bichat soulève, dans ce paragraphe, la question importante des expressions sentimentales. Ces expressions involontaires qui sont fournies par la physionomie, par le regard, par l'accent, par le geste, réclament-elles pour se produire l'action intermédiaire du cerveau? Bichat, en parlant de l'influence des passions sur le cerveau par le cœur et les réactions sympathiques, semble d'abord répondre affirmativement à cette question ; puis, quelques lignes plus loin, il formule son doute en termes fort précis. « Peut-être les organes internes, dit-il, n'agissent-ils pas sur les muscles volontaires par l'excitation intermédiaire du cerveau, mais par des communications nerveuses, directes ; n'importe le comment. Ce n'est pas de la question tant agitée du mode des communications sympathiques qu'il s'agit ici. » Ce doute aujourd'hui est à peine possible. D'après de nombreuses recherches sur les faits de sensibilité et de mouvement qui persistent dans de jeunes animaux après l'ablation des hémisphères cérébraux, il est permis d'affirmer que les expressions sentimentales qui trahissent les émotions se produisent indépendamment du cerveau par la seule intervention de la centralité mésocéphalo-rachidienne et des nerfs qui y prennent leur origine, du nerf facial, par exemple. L'expression sentimentale se rapporte à l'émotion, lorsqu'elle est involontaire ; l'idée, isolée de l'émotion, ne saurait en être la source. Même lorsque l'expression sentimentale est simulée, lorsqu'elle est soumise à la volonté, comme chez les acteurs et les orateurs, elle prend encore sa source dans l'émotion. Les artistes qui n'ont pas la puissance de faire surgir en eux-mêmes les émotions qu'ils doivent exprimer ressemblent beaucoup à ces hommes, très-nombreux sur la scène du monde, dont les paroles et les expressions sentimentales ne s'accordent point. L'hypocrite le plus habile est toujours celui qui, possédant à quelques degrés le talent de l'artiste, fait surgir à volonté de passagères, mais réelles émotions.

Rappelons ici que les expressions sentimentales ne consistent pas seulement dans les mouvements ; elles consistent encore dans des faits de circulation et de sécrétion, d'où les palpitations, la rougeur ou la pâleur de la face, les larmes, l'œil terne ou brillant, la sueur, le frisson, etc. Ces faits nous prouvent jusqu'à quel point les expressions sentimentales se confondent avec les modifications apportées par les passions dans les profondeurs de la vie organique.

D'après tout ce que nous venons de dire, il ne s'agit plus de savoir *comment les passions modifient les actes de la vie animale ;* il s'agit plutôt de savoir 1° comment l'émotion influence l'entendement et produit les expressions sentimentales ; 2° comment les idées influencent les émotions et en déterminent les expressions. Il s'agit, en d'autres termes, de savoir comment l'appareil psycho-cérébral et le système nerveux ganglionnaire s'influencent dans les passions. C'est, en effet, dans ces termes que doit être énoncée désormais la question posée par Bichat en tête de ce paragraphe.

NOTE [L]. *Du centre épigastrique ; il n'existe point dans le sens que les auteurs ont entendu.*

Voici une question souvent agitée. Le centre épigastrique est-il le siége des désirs, des sentiments et des passions ? Nous répondrons : Non, il n'est point le siége des désirs, des sentiments et des passions ; mais il est le foyer auquel viennent retentir sous forme d'émotions sentimentales, d'une part, les diverses conditions générales de l'organisme désignées sous le nom de penchants, et, de l'autre, les impressions et les idées affectives. Mais ce foyer n'est pas aisé à circonscrire anatomiquement, puisqu'il ne constitue point à proprement parler un appareil déterminé, spécial ; il semble plutôt ne constituer qu'un appareil indéterminé et commun, de telle sorte que le retentissement émotif qui y a lieu n'offre aucun caractère bien distinct, si l'*idée* de la cause ou du but de l'émotion n'y apporte la précision qui y manque. On peut dire qu'un appareil émotif commun est affecté aux sentiments comme des appareils spéciaux sont affectés aux appétits, à la faim, à la soif, à l'anxiété respiratoire, à l'appétit vénérien, etc. Si les sentiments manquent d'un sens particulier propre à chacun d'eux, c'est parce que la plus grande part dans l'émotion sentimentale appartient à l'intelligence, qui doit y suppléer. Il n'en est pas de même des appétits. Ceux-ci ont un sens propre à chacun d'eux, parce que la plus grande part dans l'émotion sensuelle appartient à l'organisme, dont cette émotion révèle les besoins généraux.

Le centre épigastrique ne saurait donc point être circonscrit d'une manière précise. L'émotion y est d'ailleurs très-obscure, au moins pour le plus grand nombre des hommes. Mais cette obscurité même doit nous avertir qu'elle a lieu dans un foyer ganglionnaire communiquant avec un ou plusieurs nerfs sensitifs et moteurs. Comme l'émotion sentimentale est en quelque sorte le phénomène intermédiaire entre les penchants dont elle révèle l'intensité et les idées dont elle constitue le caractère affectif, de même le foyer ganglionnaire, siége de l'émotion sentimentale, est l'appareil intermédiaire entre les conditions générales de l'organisme, source des penchants, et l'appareil psycho-cérébral, instrument de conception et d'élaboration des idées (1). Le plexus solaire du grand sympathique

(1) Le plexus solaire doit être regardé comme un foyer général auquel viennent se rendre, en même temps que des filets sensitifs et moteurs, des filets de communication émanés de tous les petits plexus ou foyers partiels, hiérarchiquement disposés en série, communiquant entre eux et avec les diverses parties de la vie organique. Voici sur ce plexus, et en général sur le nerf grand sympathique, une note de Bichat qui a été omise dans le texte, et dont la véritable place est à la fin de la page 30.

« Cet entrelacement nerveux, émané principalement du ganglion semi-lunaire, appartient à presque tout le système vasculaire abdominal, dont il suit les diverses ramifications. Il est, dans la manière de voir ordinaire, une des divisions du grand sympathique; mais il me semble que les idées des anatomistes sur ce nerf important sont très-peu conformes à ce qu'il est dans la nature.

« Tout le monde se le représente comme un cordon médullaire étendu depuis la tête jusque dans la région sacrée, envoyant dans ce trajet diverses ramifications au cou, à la poitrine et au bas-ventre, suivant dans ses distributions une marche analogue à celle des nerfs de l'épine, et tirant son origine de ces nerf selon les uns, de ceux du cerveau suivant les autres. Quel que soit le nom sous lequel on le désigne, sympathique, intercostal, trisplanchnique, etc., la manière de l'envisager est toujours la même.

« Je crois que cette manière est entièrement fausse, qu'il n'existe réellement aucun nerf analogue à celui qu'on désigne par ces mots, que ce qu'on prend pour un nerf n'est qu'une suite de communications entre divers centres nerveux placés à différentes distances les unes des autres.

« Ces centres nerveux sont les ganglions. Disséminés dans les différentes régions, ils ont tous une action indépendante et isolée. Chacun est un foyer particulier qui envoie en divers sens une foule de ramifications, lesquelles portent dans leurs organes respectifs les irradiations de ce foyer dont elles s'échappent. Parmi ces ramifications, quelques-unes vont d'un ganglion à l'autre ; et comme ces branches qui unissent les ganglions forment par leur ensemble une espèce de cordon continu, on a considéré ce cordon comme un nerf isolé ; mais ces branches ne sont que des communications, de simples anastomoses, et non un nerf analogue aux autres.

représente parfaitement toutes les conditions propres à ce foyer intermédiaire entre la vie dite animale et la vie dite organique. Si le retentissement émotif a lieu dans la région épigastrique, c'est donc à ce plexus qu'il faut le rapporter.

« Cela est si vrai, que souvent ces communications sont interrompues. Il est des sujets, par exemple, où l'on trouve un intervalle très-distinct entre les portions pectorale et lombaire de ce que l'on appelle grand sympathique, qui semble coupé en cet endroit. J'ai vu aussi ce prétendu nerf cesser et renaître ensuite, soit aux lombes, soit dans la région sacrée. Qui ne sait que tantôt une seule branche, tantôt plusieurs passent d'un ganglion à l'autre, surtout entre le dernier cervical et le premier dorsal ; que le volume de ces branches varie singulièrement ; qu'après avoir fourni une foule de divisions le sympathique est plus gros qu'avant d'en avoir distribué aucune ?

« Ces diverses considérations prouvent évidemment que les branches communicantes des ganglions ne supposent pas plus un nerf continu que les rameaux qui passent de chacune des paires cervicales, lombaires ou sacrées, aux deux paires qui lui sont supérieures et inférieures. En effet, malgré ces communications, on considère chaque paire d'une manière séparée, on ne fait point un nerf de leur ensemble.

« Il faut de même envisager isolément chaque ganglion, et décrire les rameaux qui en naissent.

« D'après cela, je diviserai désormais dans mes descriptions, où j'ai jusqu'ici suivi la marche ordinaire, les nerfs en deux grands systèmes, l'un émané du cerveau, l'autre des ganglions ; le premier est à centre unique, le second en a un grand nombre.

« J'examinerai d'abord les divisions du système cérébral ; je traiterai ensuite du système des ganglions, qu'on peut subdiviser en ceux de la tête, du cou, du thorax, de l'abdomen et du bassin.

« A la tête on trouve le lenticulaire, celui de Meckel, celui de la glande sublinguale, etc. Quoique aucune communication ne lie ces divers centres, soit entre eux, soit avec le prétendu grand sympathique, leur description appartient cependant à celle des nerfs dont celui-ci est l'ensemble, puisque les communications ne sont que des dispositions accessoires à ce système de nerfs.

« Au cou les trois ganglions cervicaux, quelquefois un autre sur le côté de la trachée artère, dans la poitrine les douze thorachiques, dans l'abdomen le semilunaire les lombaires, etc., dans le bassin les sacrés : voilà les divers centres dont il faut isolément examiner les ramifications, comme on considère celle du centre cérébral.

« Par exemple, je décrirai d'abord le ganglion semi-lunaire, comme on fait pour le cerveau. Puis j'examinerai ses branches, parmi lesquelles se place celle par laquelle il communique avec les ganglions thorachiques, c'est-à-dire le grand splanchnique, car c'est une expression très-impropre que celle qui désigne ce nerf comme donnant naissance au ganglion. De même, dans le cou et la tête, chaque ganglion sera d'abord décrit ; puis je traiterai de ces branches, parmi lesquelles se trouvent celles de communication, la disposition étant à peu près commune pour les ganglions de la poitrine, du bassin et des lombes, etc., la description deviendra à peu près générale pour chaque région.

« Cette manière d'envisager les nerfs, en plaçant une démarcation sensible entre

La disposition du plexus solaire, ses relations avec les viscères thoraciques et abdominaux, expliquent parfaitement
comment, ainsi que le dit Bichat, « le foie, le poumon, la rate,
l'estomac, etc., tour à tour affectés, forment tour à tour ce
foyer épigastrique si célèbre dans les ouvrages modernes. »
Cette disposition et ces relations expliquent, en d'autres
termes, comment de nombreuses irradiations, disséminant

les deux grands systèmes, présente ces systèmes tels qu'ils sont réellement dans
la nature.

« Quel anatomiste n'a pas été frappé, en effet, des différences qui se trouvent
entre les nerfs de l'un et de l'autre ? Ceux du cerveau sont plus gros, moins nombreux, plus denses dans leur tissu, exposés à des variétés assez peu fréquentes. Au
contraire, ténuité extrême, nombre très-considérable surtout vers le plexus, couleur grisâtre, mollesse de tissu remarquable, variétés extrêmement communes :
voilà les caractères des nerfs venant des ganglions, si vous en exceptez ceux de
communication avec les nerfs cérébraux et quelques-uns de ceux qui unissent entre
eux ces petits centres nerveux.

« D'ailleurs, cette division du système général des nerfs en deux autres secondaires s'accorde très-bien avec celle de la vie. On sait, en effet, que les fonctions
externes, les sensations, la locomotion, la voix, sont sous la dépendance du système nerveux cérébral ; qu'au contraire la plupart des organes servant aux fonctions internes tirent des ganglions leurs nerfs, et avec eux le principe de leur action.
On sait que la sensibilité et la contractilité animales naissent des premiers ; que
là où les seconds se trouvent seuls il n'y a que la sensibilité et la contractilité
organiques.

« J'ai dit ailleurs que le terme de cette espèce de sensibilité et l'origine de la
contractilité correspondante, sont dans l'organe même où on les observe ; mais
peut-être ce terme et cette origine sont-ils plus éloignés, et existent-ils dans le
ganglion dont l'organe reçoit ses nerfs, comme le terme de la sensibilité animale
et l'origine de la contractilité de même espèce se trouvent toujours dans le cerveau. Si cela est ainsi, comme les ganglions sont très-multipliés, on conçoit pourquoi les forces de la vie organique ne se rapportent point, ainsi que celles de la
vie animale, à un centre commun.

« Il est manifeste, d'après ces considérations, qu'il n'existe point de nerf grand
sympathique ; que ce qu'on désigne par ce mot n'est qu'un assemblage de petits
systèmes nerveux à fonctions isolées, mais à branches communicantes.

« On conçoit donc ce qu'il faut penser des disputes des anatomistes sur l'origine
de ce prétendu nerf fixé dans la sixième, la cinquième paires, etc., celles du cou,
du dos, etc...

« Plusieurs physiologistes ont eu sur les ganglions des idées analogues à celles
que je viens de présenter, en considérant ces corps comme de petits cerveaux ;
mais il est essentiel de réaliser ces vues dans la description, qui, telle qu'on la
présente, donne une idée très-inexacte et de ces centres nerveux et des nerfs
qui en sortent.

« L'expression de *branches nerveuses donnant naissance à tel ou tel ganglion*, etc, ressemble à celle par laquelle on désignerait le cerveau comme naissant des nerfs dont il est lui-même l'origine. »

l'impression ganglionnaire, portent le retentissement émotif aux différents viscères de la vie organique, et comment « ce sont tantôt les organes digestifs, tantôt le système circulatoire, quelquefois les viscères appartenant aux sécrétions, qui éprouvent un changement, un trouble dans nos affections morales. »

Nous avons dit et répété, dans les deux notes précédentes et dans celle-ci, que l'émotion et non la passion a son siége dans la vie organique. Le moment est venu de faire observer que cela ne doit point être entendu d'une manière absolue. Malgré l'obscurité dans laquelle l'émotion se produit, elle est accessible néanmoins à la conscience, à ce point que la volonté peut quelquefois la prévenir, la combattre et en arrêter les effets. C'est par elle que nous sommes avertis de l'intensité de nos penchants et de la nature de notre caractère, lequel, dit Bichat, appartient, comme le tempérament, à la vie organique ; c'est par elle que nous sommes avertis de la portée sentimentale de nos idées et de nos impressions. Elles se rapportent donc à cette série de phénomènes physiologiques qui, tout en se produisant dans les organes de la vie de nutrition, comme le besoin de respirer, la faim, la soif, etc., appartiennent néanmoins à la vie dite animale par la conscience et par la volonté dont ils subissent l'empire.

NOTE [M]. *Différence des forces vitales d'avec les lois physiques.*

Dans ce paragraphe, Bichat n'a pas eu l'intention d'énumérer toutes les différences qui existent entre les corps vivants et les corps bruts (1), puisqu'il mentionne ce seul ca-

---

(1) Ces différences sont énumérées par Bichat dans les considérations qui précèdent son *Anatomie générale*. Nous croyons devoir reproduire ici le paragraphe deuxième consacré à cette énumération.

« Lorsqu'on met d'un côté les phénomènes dont les sciences physiques sont l'objet, que, de l'autre, on place ceux dont s'occupent les sciences physiologiques, on voit qu'un espace presque immense en sépare la nature et l'essence. Or, cet intervalle naît de celui qui existe entre les lois des uns et des autres.

« Les lois physiques sont constantes, invariables ; elles ne sont sujettes ni à augmenter ni à diminuer. Dans aucun cas, une pierre ne gravite avec plus de force vers la terre qu'à l'ordinaire ; dans aucun cas, le marbre n'a plus d'élasticité, etc. Au contraire, à chaque instant la sensibilité, la contractilité s'exaltent, s'abaissent et s'altèrent ; elles ne sont presque jamais les mêmes.

ractère distinctif, à savoir, que, dans les premiers, les
phénomènes sont irréguliers et variables, tandis que, dans les
seconds, ils sont réguliers et constants. Quoique l'harmonie
des fonctions soit une des lois les plus incontestées de la vie,

« Il suit de là que tous .es phénomènes physiques sont constamment invariables, qu'à toutes les époques, sous toutes les influences ils sont les mêmes ; que
l'on peut, par conséquent, les prévoir, les prédire, les calculer. On calcule la
chute d'un grave, le mouvement des planètes, le cours d'un fleuve, l'ascension
d'un projectile, etc. ; la formule étant une fois trouvée, il ne s'agit que d'en
faire l'application à tous les cas. Ainsi, les graves tombent toujours selon la suite
des nombres impairs ; l'attraction a lieu constamment en raison inverse du carré
des distances, etc. Au contraire, toutes les fonctions vitales sont susceptibles
d'une foule de variétés Elles sortent fréquemment de leur degré naturel ; elles
échappent à toute espèce de calcul ; il faudrait presque autant de formules que
de cas qui se présentent. On ne peut rien prévoir, rien prédire, rien calculer
dans leurs phénomènes : nous n'avons sur eux que des approximations, le plus
souvent même incertaines.

« Il y a deux choses dans les phénomènes de la vie, 1° l'état de santé, 2° celui
de maladie : de là, deux sciences distinctes : la physiologie, qui s'occupe des phénomènes du premier état ; la pathologie, qui a pour objet ceux du second. L'histoire des phénomènes dans lesquels les forces vitales ont leur type naturel nous
mène comme conséquence à celle des phénomènes où ces forces sont altérées.
Or, dans les sciences physiques il n'y a que la première histoire : jamais la seconde ne se trouve. La physiologie est aux mouvements des corps vivants ce que
l'astronomie, la dynamique, l'hydraulique, l'hydrostatique, etc., sont à ceux des
corps inertes : or, ces dernières n'ont point de sciences qui leur correspondent
comme la pathologie correspond à la première. Par la même raison, toute idée
de médicament répugne dans les sciences physiques. Un médicament a pour but
de ramener les propriétés à leur type naturel : or, les propriétés physiques ne
perdent jamais ce type, n'ont pas besoin d'y être ramenées. Rien dans les sciences
physiques ne correspond à ce qu'est la thérapeutique dans les physiologiques. On
voit donc comment le caractère particulier d'instabilité des propriétés vitales est
la source d'une immense série de phénomènes qui nécessitent un ordre tout particulier de sciences. Que deviendrait le monde, si les lois physiques étaient sujettes aux mêmes agitations, aux mêmes variations que les lois vitales ? On a parlé
beaucoup des révolutions du globe, des changements qu'a éprouvés la terre, de
ces bouleversements que les siècles ont lentement amenés, et sur lesquels ils
s'accumulent sans en présenter d'autres : or, vous verriez à chaque instant ces
bouleversements, ces troubles généraux dans la nature, si les propriétés physiques portaient le même caractère que les vitales.

« Par là même que les phénomènes et les lois sont si différents dans les sciences physiques et physiologiques, ces sciences elles-mêmes doivent essentiellement
différer La manière de présenter les faits et de rechercher leurs causes, l'art
expérimental, etc., tout doit porter une empreinte différente ; c'est un contre-sens
dans ces sciences, que de les entremêler. Comme les sciences physiques ont été
perfectionnées avant les physiologiques, on a cru éclaircir celles-ci en y associant
les autres : on les a embrouillées. C'était inévitable ; car, appliquer les sciences
physiques à la physiologie, c'est expliquer par les lois des corps inertes les phé-

il est certain que la manière dont ces fonctions s'exécutent échappe à cette uniformité, qui permet les explications physico-chimiques et les formules mathématiques. « Cette instabilité des *forces* vitales, dit-il (pourquoi ne pas dire plutôt cette

nomènes des corps vivants. Or, voilà un principe faux : donc toutes ses consé-quences doivent être marquées au même coin. Laissons à la chimie son affinité, à la physique son élasticité, sa gravité. N'employons pour la physiologie que la sensibilité et la contractilité : j'en excepte cependant les cas où le même organe devient le siège des phénomènes vitaux et physiques, comme l'œil et l'oreille, par exemple. C'est sous ce rapport que l'empreinte générale de cet ouvrage est toute différente de ceux de physiologie, de celui même du célèbre Haller. Les ouvrages de Stahl offrent bien l'avantage réel de négliger tous ces prétendus se-cours accessoires, qui écrasent la science en voulant la soutenir; mais comme ce grand médecin n'avait point analysé les propriétés vitales, il n'a pu présenter les phénomènes sous leur véritable aspect. Rien n'est plus vague, plus incertain que ces mots, *vitalité, action vitale, influx vital*, etc., quand on n'en précise pas ri-goureusement le sens. Supposez qu'on crée ainsi, dans les sciences physiques, quelques mots généraux, vagues, qui correspondent eux seuls à toutes les pro-priétés non vitales, qui n'offrent que des idées générales et nullement précises : si vous placez partout ces mots, si vous ne fixez pas ce qui appartient à la gravité, ce qui dépend de l'affinité, ce qui est un résultat de l'élasticité, etc., vous ne vous entendrez jamais. Disons-en autant dans les sciences physiologiques. L'art doit beaucoup à plusieurs médecins de Montpellier pour avoir laissé les théories bœr-haaviennes, et avoir plutôt suivi l'impulsion donnée par Stahl. Mais en s'écartant du mauvais chemin, ils en ont pris de si tortueux, que je doute qu'ils y trouvent un aboutissant.

« Les esprits ordinaires s'arrêtent, dans les livres, aux faits isolés qu'ils pré-sentent ; ils n'embrassent pas d'un seul coup d'œil l'ensemble des principes suivant lesquels ils sont écrits. Souvent l'auteur lui-même suit, sans y prendre garde, l'impulsion donnée à la science à l'époque où il écrit. Mais c'est à cette impulsion que s'arrête surtout l'homme de génie; or, elle doit être désormais absolument différente dans les livres physiologiques et dans les livres physiques. Il faudrait pour ainsi dire un langage différent ; car la plupart des mots que nous transportons des seconds dans les premiers nous rappellent sans cesse des idées qui ne s'allient nullement avec les phénomènes dont traitent ceux-là. Voyez les solides vivants, sans cesse composés et décomposés, prendre et rejeter à chaque instant des sub-stances nouvelles ; les solides inertes rester au contraire constamment les mêmes, conserver les mêmes éléments jusqu'à ce que le frottement ou d'autres causes les détruisent. De même, voyez dans les éléments des fluides inertes une uniformité invariable, une identité constante dans leurs principes, qui sont connus dès qu'on les a analysés une fois ; tandis que ces principes, sans cesse variables dans les fluides des corps vivants, nécessitent une foule d'analyses faites dans toutes les circonstances possibles. Nous verrons les glandes et les surfaces exhalantes ver-ser, suivant le degré où se trouvent leurs forces vitales, une foule de modifica-tions différentes du même fluide ; que dis-je? elles versent une foule de fluides réellement différents : car ne sont-ce pas deux fluides, que la sueur et l'urine rendues en une circonstance, et la sueur et l'urine versées dans une autre? Mille exemples pourraient ici invariablement établir cette assertion.

instabilité des *phénomènes* vitaux), cette facilité qu'elles ont de varier à chaque instant en plus ou en moins, impriment à tous les phénomènes vitaux un caractère d'irrégularité qui les distingue des phénomènes physiques remarquables par leur uni-

« Il est de la nature des propriétés vitales de s'épuiser ; le temps les use dans le même corps. Exaltées dans le premier âge, restées comme stationnaires dans l'âge adulte, elles s'affaiblissent et deviennent nulles dans les derniers temps. On dit que Prométhée, ayant formé quelques statues d'hommes, déroba le feu du ciel pour les animer. Ce feu est l'emblème des propriétés vitales : tant qu'il brûle, la vie se soutient ; elle s'anéantit quand il s'éteint. Il est donc de l'essence de ces propriétés de n'animer la matière que pendant un temps déterminé ; de là les limites nécessaires de la vie. Au contraire, constamment inhérentes à la matière, les propriétés physiques ne l'abandonnent jamais : aussi les corps inertes n'ont-ils de limites à leur existence que celles que le hasard leur assigne.

« La nutrition faisant passer sans cesse les molécules de matière des corps bruts aux corps vivants, et réciproquement, on peut évidemment concevoir la matière comme constamment pénétrée, dans l'immense série des siècles, des propriétés physiques. Ces propriétés s'en emparèrent à la création, si je puis m'exprimer ainsi ; elles ne la quitteront que quand le monde cessera d'exister. Eh bien, en passant de temps à autre par les corps vivants, pendant l'espace qui sépare ces deux époques, espace que l'immensité mesure, en passant, dis-je, par les corps vivants, la matière s'y pénètre, par intervalles, des propriétés vitales qui se trouvent alors unies aux propriétés physiques. Voilà donc une grande différence dans la matière, par rapport à ces deux espèces de propriétés : elle ne jouit des unes que par intermittence ; elle possède les autres d'une manière continue.

« Je pourrais grossir ces considérations d'une foule d'autres, qui établiraient de plus en plus et la différence des lois physiques d'avec les lois vitales, et la différence des phénomènes physiques d'avec les phénomènes vitaux, qui est une conséquence de la première, et la différence de l'empreinte générale et des méthodes des sciences physiques et des physiologiques, qui est une conséquence des deux autres. Je pourrais montrer les corps inertes se formant au hasard, par la juxtaposition ou par la combinaison de leurs molécules ; les corps vivants naissent au contraire par une fonction déterminée, par la génération ; les uns croissant comme ils se sont formés, par juxtaposition ou par combinaison de molécules nouvelles, les autres par un mouvement intérieur d'assimilation qui exige diverses fonctions préliminaires ; ceux-ci être, tant qu'ils existent, le siège habituel d'un mouvement de composition et de décomposition ; ceux-là rester toujours dans le même état intérieur, n'éprouver d'autres modifications que celles que les lois physiques président et que le hasard amène ; les premiers cesser d'être comme ils ont commencé à être, par les lois mécaniques, par le frottement ou par des combinaisons nouvelles ; les seconds offrir dans leur destruction naturelle un phénomène aussi constant que dans leur production ; les derniers passer tout de suite à un état nouveau quand la vie les a abandonnés, éprouver la putréfaction, la dessiccation, etc., qui étaient nulles auparavant, parce que, enchaînées par les propriétés vitales, les propriétés physiques étaient sans cesse retenues dans les phénomènes qu'elles tendaient à produire ; les autres, au contraire, conserver toujours les mêmes modifications. Qu'une pierre, un métal, etc., en se rompant, en se dissolvant, cessent d'exister, leurs molécules resteront toujours dans

27

formité. » Bichat semble avoir été amené à mentionner tout particulièrement cette différence pour combattre les prétentions que les matérialistes de son temps affectaient si orgueilleusement de subordonner la science de la vie aux lois physiques et aux formules mathématiques. Nous reconnaissons volontiers que, dans cette légitime attaque, Bichat a été, dans l'expression, plus loin que sa pensée. Celle-ci était trop supérieure pour repousser le concours que les expériences physico-chimiques, contenues dans de justes limites, peuvent apporter à la doctrine vitaliste. Ce concours doit être recherché, malgré l'étrange abus qui en a été fait par des physiologistes éminents de notre époque. Le calcul lui-même, auquel les phénomènes vitaux échappent si complétement, ne saurait en être banni sans condition, malgré les singulières applications à la statistique médicale qui en ont été faites par des praticiens d'un grand mérite. Ce ne sont point les recherches physico-chimiques ou mathématiques, mais ce sont les principes qui dominent cet ordre inférieur de recherches, qu'il faut repousser du domaine de la physiologie. La science de la vie reconnaît d'autres lois : ce sont ces lois qu'il faut réserver. Les phénomènes vitaux sont complexes, et les forces physiques, tout en y prenant une part difficile à mesurer, mais incontestable, sont

---

le même état. Mais quelques auteurs ont déjà présenté en grande partie ce parallèle : contentons-nous d'en tirer la conséquence déjà souvent déduite des autres faits : je veux dire la différence des lois qui président à l'une et à l'autre classe de phénomènes.

« Mais je dois indiquer ici une différence essentielle entre les propriétés vitales et physiques : je veux parler des sympathies.

« Tout corps inerte n'offre aucune communication dans ses diverses parties. Qu'une extrémité d'un bloc de pierre, de métal, soit altérée d'une manière quelconque, par les dissolutions chimiques, par les agents mécaniques, etc., les autres parties ne s'en ressentent nullement ; il faut pour les atteindre une action directe. Au contraire, tout est tellement lié et enchaîné dans les corps vivants, qu'une partie quelconque ne peut être troublée dans ses fonctions sans que les autres s'en ressentent aussitôt. Tous les médecins ont connu le *consensus* singulier qui existe entre tous nos organes : il a lieu et dans l'état de santé, et dans celui de maladie, mais principalement dans ce dernier. Combien les maladies seraient faciles à étudier, si elles étaient dépouillées de tout accident sympathique! Mais qui ne sait que souvent ceux-ci prédominent sur ceux qui tiennent immédiatement à la lésion de l'organe malade? Qui ne sait que la cause du sommeil, des exhalations, des absorptions, des sécrétions, des vomissements et dévoiements, des rétentions d'urine, des convulsions, etc., est souvent bien loin du cerveau, des exhalants, des absorbants, des glandes, de l'estomac, des intestins, de la vessie, des muscles volontaires, etc. ? »

soumises à l'empire d'une force supérieure qui les régit en les
faisant servir à ses fins. Reconnaissons l'empire initial de
la force de formation en vertu de laquelle les êtres vivants
naissent d'un germe, s'accroissent, subissent les transformations des âges ; après cela montrons-nous empressés à
appeler sur notre science les lumières de la physique et de
la chimie.

« Les êtres organisés, dit Burdach, diffèrent des choses
inorganiques en ce qu'ils sont astreints à une progression continuelle, c'est-à-dire que leur existence suit un cours déterminé, qu'ils sont soumis à une métamorphose régulière, ayant
sa cause en eux-mêmes, et qu'ils ont un but déterminé, indépendant des causes extérieures. Leur caractère est donc d'a-
voir en eux un type de changement qui peut bien être modifié
par les choses du dehors, mais ne saurait être donné par elles,
puisque, loin de là, il résiste jusqu'à un certain point à leur
influence (1). »

Bichat n'a point fixé son attention sur cette force une et
indivisible de formation progressive, qui est la *vie*, distrait,
comme il l'était, par la conception de ses *deux vies* et de ses
deux propriétés vitales : aussi semble-t-il n'avoir pas assez
compris que la vie se distingue surtout par la subordination
complète des phénomènes qui, au dehors d'elle, dans le monde
inorganique, se régissent en vertu de lois propres, et affectent
une si complète indépendance.

NOTE [N]. *Des deux espèces de sensibilité animale et organique.*

Bichat emploie indifféremment les mots *forces*, *lois*, *propriétés*, pour coordonner ou pour expliquer les phénomènes de
la vie. Une plus grande exactitude dans les idées générales se
fût manifestée par une plus grande précision. Les propriétés
d'un corps ne sont point les forces qui président à un ordre
déterminé de phénomènes ; elles ne sont pas davantage les lois
en vertu desquelles plusieurs ordres de phénomènes se compliquent, s'engendrent ou se succèdent les uns les autres.

Nous ne répéterons point ici toutes les objections qui ont
été faites à la doctrine des propriétés vitales enseignée par
Bichat. Rappelons seulement que les phénomènes les plus

(1) *Traité de physiologie*, trad. par M. Jourdan, t. 1, p 5.

généraux de la vie, ceux qui sont communs à tous les êtres vivants, tels que le développement des germes, la transformation des âges et la nutrition proprement dite n'y sont point représentés. La force de formation, en d'autres termes, qui est la force initiale, la force vitale par excellence, n'y est pas même supposée. Ce sont les phénomènes propres à une classe supérieure d'êtres vivants qui deviennent les types des propriétés vitales communes à tous : c'est à des aptitudes spéciales que les propriétés générales empruntent leurs caractères, leurs formules et jusqu'à leurs noms. « Il est facile de voir, dit Bichat, que les propriétés vitales se réduisent à sentir ou à se mouvoir. » Dans ces mots, l'illustre physiologiste a résumé toute sa doctrine. La sensibilité et la locomotion, observées seulement à un des degrés élevés de la hiérarchie des êtres organisés, descendront de leur rang, non-seulement pour devenir des propriétés communes à tous les tissus vivants, mais encore des forces et des lois communes à tous les phénomènes vitaux. Jamais, sous des apparences aussi séduisantes, la physiologie ne s'était engagée dans une plus dangereuse voie. Je me trompe ; car Brown, à Édimbourg, venait d'enseigner la même doctrine en un langage un peu différent sans doute, mais avec un talent également remarquable. On sait que Bichat, Broussais, et leur école, en France, Brera, Rasori, et leur école, en Italie, ont adopté, tout en en tirant pour la thérapeutique des conséquences opposées, les errements du célèbre théoricien écossais. La sensibilité et la contractilité organiques de Bichat représentent parfaitement l'excitabilité de Brown, reproduite par Broussais sous le nom d'irritabilité (1). Ce qui distingue les propriétés vitales de Bichat, c'est l'analogie qu'il a prétendu établir entre elles et les aptitudes sensorio-motrices de la vie animale. Cette analogie est condamnée par la logique ; car, dans la vie de nutrition, les faits prétendus de sensibilité et de contractilité se confondent dans un seul et même phénomène, tandis qu'ils

---

(1) L'analogie entre la doctrine de Bichat et celle de Brown est si réelle, que le physiologiste français n'a pu s'empêcher, en parlant de l'action du sang artériel sur l'organisme, de recourir aux formules que le physiologiste écossais avait employées. « Il y a toujours ces trois choses, dit-il, dans l'exercice des forces vitales : la faculté qui est inhérente à l'organe (l'excitabilité de Brown), l'excitant qui lui est étranger, et l'excitation (l'excitant de Brown et de Tommasini) qui résulte de leur contact mutuel. » P. 253.

sont complétement distincts dans la vie de relation. Que signifient d'ailleurs cette *sensibilité* qui est insensible et cette *contractilité* qui est invisible? En supposant que ces propriétés de l'organisme soient réelles, peut-on les considérer autrement que comme des manifestations secondaires de la force vitale ou de formation? Et Bichat les transforme en forces et en lois! Heureux, s'il s'était borné à les présenter comme de simples formules, à l'aide desquelles les phénomènes se coordonnent et ne s'expliquent point. A ce titre, elles n'eussent point eu le danger, signalé par M. Hip. Royer-Collard, d'arrêter et d'emprisonner la science dans des bornes trop restreintes, car les formules laissent le champ libre aux recherches et aux explications nouvelles.

En confondant sous un nom commun les faits de sensibilité ou de contractilité accessibles à la conscience et les faits d'excitabilité qui ont lieu à notre insu, Bichat a subi les tendances de l'époque où il écrivait. Au commencement de ce siècle, tous les phénomènes de la vie, les actes moraux, intellectuels, comme les fonctions sensorio-motrices et nutritives, étaient le résultat d'une propriété générale de l'organisme: la *sensibilité*. La sensibilité est distribuée à des degrés différents dans les parties; ici elle est obscure absorption ou obscure sécrétion; là elle est impression et mouvement; plus loin elle devient intelligence et volonté. Telle est la doctrine des sensualistes et en particulier de Cabanis, exposée dans son ouvrage sur les rapports du physique et du moral de l'homme. « Cette sensibilité, disent à la fois Bichat et Cabanis, est commune à tous les organes... elle est plus ou moins abondamment répartie dans chacun... elle a mille degrés divers. Dans ces variétés il est une mesure au-dessus de laquelle le cerveau en est le terme, et au-dessous de laquelle l'organe seul excité reçoit et *perçoit* la sensation sans la transmettre. » Quelle confusion! Des organes sécréteurs, tels que le rein, le foie, les glandes salivaires, etc,, qui *perçoivent la sensation!*

Que devient, dans ce langage barbare, l'intelligence humaine? Elle est le maximum de cette sensibilité animale qui elle-même est le maximum de la sensibilité organique. Elle se confond avec la sensibilité sous le nom de perception, de mémoire, d'imagination, de jugement, etc., et elle se confond avec la contractilité sous le nom de volonté. N'est-ce pas dire que

27.

tous les phénomènes de la vie se réduisent à sentir et à se mouvoir!! Une pareille physiologie, nous l'avons dit, ne saurait s'appliquer à l'homme.

NOTE [O]. *Des deux espèces de contractilités, animale et organique.*

Bichat, dans le paragraphe qui précède celui-ci, a largement usé des moyens d'explication que lui fournissait la propriété vitale désignée sous le nom de *sensibilité.* Les lecteurs ont pu admirer avec quelle facilité, au moyen de cette flexible propriété, tout s'explique dans la physiologie; mais ce qu'ils n'ont peut-être pas remarqué, c'est combien peu les fonctions vitales *résistent* aux causes extérieures, sans lesquelles elles ne s'accompliraient point, et combien, au contraire, elles les réclament avec énergie, ce dont on ne se serait pas douté d'après l'antagonisme que Bichat, dans sa définition de la vie, a établi entre les êtres vivants et le monde physique.

Il s'agit, dans ce paragraphe, de la contractilité organique et animale. Ainsi que Bichat le reconnaît, il n'y a dans la vie organique aucun intermédiaire dans l'exercice des deux facultés, le même organe étant le terme où aboutit la sensation et le principe d'où part la contraction. « Dans la vie animale, au contraire, il y a entre ces deux actes des fonctions moyennes, celles des nerfs et du cerveau, fonctions qui peuvent, en s'interrompant, interrompre le rapport. » Nous demandons alors à quelles propriétés vitales appartiennent ces fonctions intermédiaires qui ne relèvent plus de la sensibilité et qui ne relèvent pas encore de la contractilité. A cette question, nulle réponse.

NOTE [P]. *Subdivision de la contractilité organique en deux variétés.*

Nous ne voulons pas abandonner l'importante question des propriétés vitales sans parler des rapports qui existent entre elles et le système nerveux, rapports dont Bichat ne parle point dans ce livre, où il se borne à mentionner le cerveau comme le foyer de la sensibilité et de la contractilité animales. Le lecteur se demande naturellement comment la sensibilité obscure devient accessible à la conscience, comment la contractilité involontaire devient volontaire. A la première de ces questions

Bichat répond : La sensibilité est organique, parce qu'étant en plus petite quantité elle ne saurait s'irradier au cerveau. Quant à la seconde, il avoue ne savoir que répondre. Nous concevons cet embarras pour ce qui concerne la contractilité ; mais nous concevons moins encore qu'il ait pu se contenter, pour ce qui concerne la sensibilité, de l'explication qu'il nous a donnée.

Il importe de sortir de cette sphère un peu nuageuse où l'illustre physiologiste semble avoir voulu se renfermer. D'après cela, posons d'abord deux questions : 1° A quelles parties du système nerveux se rapportent les faits de sensibilité et de contractilité dites animales? 2° A quelles parties du système nerveux se rapportent les faits de sensibilité et de contractilité dites organiques? Nous agiterons ensuite cette question, qui se rattache plus particulièrement au sujet de ce paragraphe : A quelles parties du système nerveux se rapportent les faits de contractilité organique, non musculaire et insensible?

Avant de répondre à ces questions, il est peut-être nécessaire de présenter quelques réflexions sur la division du système nerveux en système cérébro-spinal et en système ganglionnaire. On sait que le premier de ces deux systèmes est regardé comme l'instrument immédiat des fonctions de la vie dite animale, et que le second est regardé comme *présidant* aux opérations de la vie dite organique. Bichat regardait le système ganglionnaire (le nerf grand sympathique ou trisplanchnique) comme un ensemble de petits centres, ou cerveaux, ayant des fonctions propres et tout à fait distinctes de celles du système cérébrospinal (encéphalo-rachidien). A cette disposition indépendante se rattachèrent, dans la pensée du physiologiste, les faits de sensibilité et de contractilité qui sont inaccessibles à la conscience et à la volonté. Winslow, Johnston, Reil, Wutzer, et un grand nombre de physiologistes, ont émis une opinion analogue. M. Brachet, qui a publié un très-remarquable travail sur ce sujet, a beaucoup insisté sur l'action spéciale indépendante exercée par ce système sur les fonctions de la vie de nutrition. M. Longet, qui, dans son *Anatomie et physiologie du système nerveux*, a réuni tous les documents propres à nous éclairer sur cette importante question, ne conteste point la spécialité du rôle réservé au système ganglionnaire dans les fonctions de la vie organique; mais il en conteste positivement l'indépendance, parce que les ganglions du grand sympathique reçoivent des filets nerveux du système cérébro-spinal, et que la section de ces filets les rend incapables de remplir complétement les fonctions qui leur sont attribuées. Cette opinion de M. le docteur Longet est résumée par lui en ces termes : « Les faits sont loin de confirmer l'opinion dans laquelle chaque ganglion sympathique est regardé comme un petit centre qui agit *indépendamment* de toute influence de l'axe cérébro-spinal. Si on ne peut nier aux renflements ganglionnaires une coopération active comme centre d'innervation, on est au moins forcé de reconnaître que leur action propre est insuffisante à l'entretien fonctionnel du grand sympathique (1). » C'est sans doute à cette incomplète séparation que sont dues les relations étroites qui existent entre les phénomènes de la vie dite organique et ceux de la vie dite animale, relations en vertu desquelles la douleur est perçue dans les organes de la vie de nutrition, en vertu desquelles des troubles sont apportés dans ces organes sous l'influence de causes morales, etc.

Nous pouvons répondre maintenant aux trois questions que nous nous sommes posées.

1° Les faits de sensibilité et de contractilité dites animales se rapportent au système nerveux encéphalo-rachidien. Ils s'exécutent au moyen de nerfs sensitifs et moteurs parfaitement distincts à leur origine cérébro-spinale, et qui atteignent les parties directement, c'est-à-dire sans traverser les ganglions du grand sympathique. Mais, ainsi que nous l'avons dit plus haut, tout ne se borne pas, dans la vie dite animale, à des faits de sensibilité et de contractilité. Il y a d'une part les faits d'entendement et de volonté, et de l'autre les faits de sentiment. Les premiers ont pour instruments immédiats les hémisphères cérébraux ; les seconds ont à la fois pour instruments immédiats les hémisphères cérébraux et le système ganglionnaire. Quant aux faits de sensibilité et de contractilité qui sont intermédiaires entre la vie animale et la vie organique, tels que la faim, la soif, le besoin de respirer, les mouvements instinctifs, ceux de la déglutition, de la respiration, etc., ils appartiennent entièrement, par les nerfs qui en sont les organes, au système encéphalo-rachidien. La vie dite animale, considérée dans les fonctions du système nerveux encéphalo-rachidien, comprend

(1) Ouvrage cité, t. II, p. 630.

donc non-seulement les faits de sensibilité avec conscience et les faits de contractilité avec volition, mais encore les faits d'entendement, de volonté, les sens et les mouvements intermédiaires entre les deux vies. Les sentiments lui appartiennent par les idées, qui sont un élément indispensable. .

2° Les faits de sensibilité et de contractilité dites organiques se rapportent exclusivement, selon Bichat, au système nerveux ganglionnaire. Ce qui est certain, c'est qu'ils s'exécutent dans les parties auxquelles parviennent seulement les nerfs du grand sympathique. Mais ces nerfs sont-ils tous d'origine ganglionnaire ? Ne sont-ils pas, en partie au moins, originaires du centre cérébro-spinal ? Pour avoir traversé les ganglions du grand sympathique, les nerfs émanés de ce centre doivent-ils être considérés comme n'ayant plus une action propre ? En d'autres termes, les centres nerveux en général, et la moelle épinière en particulier, doivent-ils être regardés comme complétement étrangers à la production des phénomènes de sensibilité et de contractilité dites organiques ? Telle n'est point l'opinion de MM. Muller et Marshall-Hall. Nous venons de voir ce qu'en pense M. Longet. Ce physiologiste a prouvé par de nombreuses expériences : 1° que les faits de sensibilité et de contractilité dites organiques ne se manifestent que très-imparfaitement lorsque les nerfs de l'axe cérébro-spinal qui convergent vers les ganglions ont été coupés ; 2° que les mouvements imparfaits qui persistent pendant un certain temps ont lieu même après la section des nerfs qui émanent des ganglions pour se rendre aux viscères. Les mouvements du cœur et des intestins sont dans ce dernier cas, et durent jusqu'à l'entier épuisement de la force nerveuse répandue dans les derniers filets nerveux. D'après ces mêmes physiologistes, il est des mouvements instinctifs et protecteurs des sensations externes, ceux de l'iris pour la vision, ceux du voile du palais pour l'olfaction, ceux du muscle extenseur du tympan pour l'audition, qui ont lieu au moyen de nerfs ganglionnaires ayant leur évidente origine dans les racines sensitives et motrices de l'axe cérébro-spinal. La vie dite organique, considérée dans les fonctions du système nerveux ganglionnaire, comprend donc tous les faits dits de sensibilité produits sans conscience, mais susceptibles d'être aperçus par les mouvements qui les accompagnent, et les faits de contractilité produits sans volonté, mais visibles et évidemment musculaires, à la condition toutefois, selon les physiologistes cités plus haut, que les nerfs sensitifs et moteurs de la vie animale interviennent dans les fonctions des ganglions.

3° Quant aux faits de contractilité non musculaire et insensible, comme ceux que Bichat suppose exister dans la trame cellulo-vasculaire, où s'accomplissent la circulation capillaire, la nutrition interstitielle, l'absorption, l'exhalation, etc., dépendent-ils du système ganglionnaire exclusivement, comme le prétend Bichat, ou sont-ils indépendants de toute influence nerveuse, comme quelques faits semblent le faire croire?... Cette question sera mieux placée dans la note [Z^b], où il s'agira de l'influence de la mort du cerveau sur celle de tous les organes.

Note [Q]. *De l'éducation des organes de la vie animale.*

Tout ce qui constitue le sentiment et le caractère étant placé par Bichat en dehors de la vie animale, il ne saurait en être question dans les paragraphes où il traite de l'éducation des organes de relation. L'éducation de ces organes n'a donc rien de commun avec l'éducation proprement dite, qui consiste précisément à diriger le moral de l'homme, c'est-à-dire ses sentiments, et, en dirigeant ses sentiments, à agir sur sa volonté et sur ses conceptions. Remarquez que Bichat ne mentionne pas même la volonté parmi les actes de la vie dite animale. Sensation, entendement et locomotion, voilà à quoi se réduisent les actes de cette vie. Exercer ces trois facultés, voilà à quoi se réduit pour Bichat le rôle de l'éducation. Si recevoir les impressions sensoriales, les percevoir, s'en souvenir, rappeler les images, les comparer, et se mouvoir, constitue tout l'homme *moral* et intellectuel, nous demanderons où est le *moral* de l'homme ainsi mutilé. Jamais tableau ne fut calqué plus fidèlement sur la statue de Condillac. Où sont les sentiments, les désirs, les passions qui occupent le premier rang parmi les faits de sensibilité humaine? où sont les vives excitations ou les amers reproches de la conscience, les pieuses aspirations, les salutaires inquiétudes, etc.? Tout cela se confond avec le caractère, et se meut obscurément avec lui dans les profondeurs inaccessibles de la vie végétative. Les pensées elles-mêmes qui atteignent une sphère étrangère aux impressions sensoriales, les rêves du poëte, les préoccupations du citoyen, les méditations du philosophe, les contemplations du mystique, etc., tout cela est encore enfoui dans les ténèbres de la vie de nutrition. Et les idées qui se répandent dans le monde à l'aide du langage parlé ou figuré, qui ne reconnaissent ni les limites du temps ni celles de l'espace, et qui interviennent dans l'éducation des générations, où les placerez-vous? Dans la vie animale, où toute opération de l'entendement est un résultat des impressions sensoriales? Dans la vie organique, où tout est aveuglement et fatalité? Reconnaissez que les phrénologistes sont, dans leur système des prétendus organes de la vie animale, moins oublieux de ce qui constitue l'homme moral et intellectuel!

Mais, dira-t-on, il s'agit de la vie animale, de celle qui est commune aux hommes et aux animaux, et conséquemment Bichat ne peut mentionner que les facultés communes à ces deux ordres d'êtres vivants. A cela je répondrai que la confusion devait être évitée en traitant séparément de l'homme et des animaux; que d'ailleurs il n'est pas question de ceux-ci quand il s'agit de l'éducation appliquée au jugement, à la parole, à la peinture, à la prestidigitation, à la danse, etc.

L'éducation n'est-elle pas la direction morale des hommes au moyen des idées qui, s'associant à des émotions et y puisant une force sentimentale, deviennent assez fortes pour créer des habitudes et diriger la volonté?

N'oublions pas toutefois que, dans la pensée de Bichat, il s'agit de l'éducation des organes et non de celle de l'homme; et que, au point de vue circonscrit où il s'est placé, avec la méthode qu'il avait adoptée, cette pensée devait être vraie sous certains rapports, inexacte et incomplète à plusieurs égards.

Laissons donc de côté les considérations générales que semble réclamer un sujet aussi vaste que celui de l'éducation, pour nous arrêter à quelques faits spéciaux mentionnés par Bichat.

Il dit qu'une somme déterminée de force a été répartie en général à la vie animale, et que cette somme doit rester toujours la même; il en tire cette conséquence, que l'activité d'un organe suppose nécessairement l'inaction dans un autre. Est-il donc vrai que l'entendement, dont la source est placée par Bichat dans les sensations, ne peut se développer en même temps que ces dernières, et que toute la dextérité manuelle du chirurgien, laquelle suppose toujours l'intervention de l'intelligence, soit très-incompatible avec l'entendement et les sensations ?

Et si une somme déterminée de force a été répartie à la vie animale, comment se fait-il que cette somme se distribue à la vie organique, comme Bichat le dit quelques lignes plus loin, lorsqu'il compare l'ensemble des fonctions à une espèce de cercle dont une moitié appartient à la vie organique et dont l'autre appartient à la vie animale ?

Cette contradiction tient à un abus trop fréquent qui consiste à formuler des lois générales pour expliquer les faits spéciaux sur lesquels notre attention est un moment fixée.

Plus loin, Bichat pose les bases de la doctrine de l'*irritation*, quand il semble croire que, dans toutes les maladies, l'activité d'un organe s'accroît aux dépens des autres, comme si un surcroît d'intensité fonctionnelle dans un organe en était la maladie la plus ordinaire.

Bichat nous dit que la perfection d'action s'accompagne, dans l'organe plus exercé, d'un excès de nutrition. Ceci n'est pas tout à fait exact. Ce n'est pas la *perfection* dans les actes qui accroît la nutrition, c'est l'énergie ou le *fréquent renouvellement* d'une même excitation. La perfection ou l'adresse des mouvements tient à un fait d'association plutôt qu'à un fait de nutrition. D'ailleurs, l'excès de nutrition est à la fois cause et effet de l'énergie de l'action.

NOTE [R]. *Développement de la vie organique après la naissance.*

Le tempérament physique et le caractère moral se confondent dans la pensée de Bichat avec les conditions de la texture intime des organes ; ils sont l'un et l'autre inaccessibles à l'influence de la société. « Ils ne sont point, dit-il, susceptibles de changer par l'éducation qui modifie si prodigieusement les actes de la vie animale, car tous deux appartiennent à la vie organique (1). »

(1) Il est des professions, des conditions sociales et des exercices gymnastiques qui ont une influence bien marquée non-seulement sur les organes de la vie de nutrition pris individuellement, mais encore sur le tempérament; en général, ce point de vue a complètement échappé à Bichat. Cabanis, qui a à peine mentionné l'influence du moral sur le physique, n'a pas négligé celle des professions, des

Malgré cette formelle déclaration, qu'il reproduit à la fin du paragraphe en des termes plus positifs encore, Bichat reconnaît pourtant que « l'éducation peut modérer l'influence du caractère et perfectionner assez le jugement et la réflexion pour rendre leur empire supérieur au sien, fortifier la vie animale, afin qu'elle résiste à l'impulsion de l'organique. » Ceci demande explication.

Si l'éducation, pour Bichat, se réduit, ainsi que nous venons de le voir, à exercer les sensations, la mémoire, l'imagination, le jugement et la locomotion, comment peut-elle modérer l'influence du caractère ? La sensation la plus exercée, l'entendement le plus développé, la locomotion la plus active, ne peuvent-ils pas être mis au service des plus détestables senti-ments et du plus déplorable caractère ? Nous ne voyons pas comment l'exercice habituel des organes des sens, du cerveau et des muscles peut agir sur le moral de l'homme ? Les grands scélérats ont-ils toujours manqué d'habiles et fortes conceptions ? Perfectionnez autant que vous le pourrez les actes de votre vie animale, telle que vous l'entendez, il n'en résultera point que vous les rendiez hostiles aux secrètes impulsions de votre vie organique. Si l'antagonisme existe, et vous l'admettez, n'est-ce pas à la condition de faire prévaloir dans l'esprit un ordre d'idées propres à combattre les émotions dangereuses, à favoriser les émotions salutaires et à agir ainsi sur le caractère, dont les émotions sont l'expression accessible à notre propre conscience ? Or, faire prévaloir dans l'esprit un ordre déterminé d'idées, ce n'est point seulement exercer l'entendement. Celui-ci peut être médiocrement développé et rechercher néanmoins les pensées qui engendrent les plus nobles émotions, comme il peut être énergiquement développé et se complaire précisément dans les pensées qui engendrent les plus misérables agitations.

D'après le rôle assigné par Bichat à l'éducation, les sentiments et le caractère doivent donc être considérés comme échappant complétement à cette influence. C'est aussi ce qu'il affirme en termes positifs. S'il accorde après cela qu'elle peut modérer les tendances du caractère, en *perfectionnant le juge-*

travaux, des exercices sur les tempéraments acquis, etc., sont remarquables sous ce rapport.

ment et la réflexion, nous devons voir dans cette contradiction la conviction de l'honnête homme, qui cherche à se faire jour à travers l'arrangement systématique du physiologiste.

L'erreur du physiologiste consiste à avoir réduit toute l'éducation morale et intellectuelle à l'exercice fonctionnel de quelques organes ou appareils de la vie animale, tandis qu'elle consiste à faire prédominer un ensemble d'idées propres à produire les phénomènes d'innervation cérébro-ganglionnaire, qui, dans les émotions sentimentales, remuent les profondeurs de l'organisme, et finissent par en modifier puissamment les conditions générales désignées sous le nom de tempéraments. Nous avons traité ce sujet dans un autre travail. Dans la crainte de donner à ces notes une étendue trop grande, nous y renvoyons nos lecteurs (1).

Disons seulement que l'éducation trouve dans l'enseignement et dans les idées sentimentales un levier à l'aide duquel elle agit sur les émotions, et par les émotions sur le caractère et sur le tempérament lui-même. L'histoire des sociétés où prédominent les institutions guerrières, celle des peuples où règnent les enseignements mystiques, etc., en offrent des exemples remarquables.

Note [S]. *La vie animale cesse la première dans la mort naturelle.*

Si le vieillard jugeait le présent d'après les impressions du passé, il serait plus indulgent pour ce qui se passe sous ses yeux affaiblis. Bichat accorde une trop grande part aux sensations dans les actes de l'intelligence propres aux différents âges. Il y a, pour produire l'état moral et intellectuel du vieillard et celui de l'enfant, un ensemble de causes qui ne saurait se résumer dans la simple intensité des impressions sensoriales.

La vie animale cesse la première dans la mort naturelle; cela doit être, puisque ce n'est pas dans l'ensemble des fonctions dont elle se compose que se révèle la vie proprement dite. Cet ensemble de fonctions est en quelque sorte superposé aux fonctions essentiellement vitales de nutrition et de repro-

(1) *Essai sur les principes et les limites de la science des rapports du physique et du moral*; in-8, Victor Masson, 1845.

duction, lorsque celles-ci se compliquent davantage. Bichat, en donnant le nom de *vie* aux faits de sensibilité et de contractilité animales, se trouve entraîné à établir entre les deux vies des analogies et des différences qui sont tout à la fois subtiles, imaginaires et inexactes. Comment, d'ailleurs, l'activité des organes de la vie animale, qui se reposent si souvent et si longtemps, dont les fonctions sont essentiellement intermittentes, s'épuiserait-elle plus promptement que celle des organes de la vie organique, de ceux surtout dont les fonctions sont continues et remontent aux premiers instants de l'existence embryonnaire elle-même (1)?

NOTE [T]. *La vie organique ne finit pas dans la mort naturelle, comme dans la mort accidentelle.*

Bichat, dans ce paragraphe, distingue avec sa sagacité ordinaire les phénomènes propres à la mort naturelle des phénomènes propres à la mort accidentelle. Il importe néanmoins de faire observer qu'il appelle mort naturelle la mort lente et progressive du vieillard, la *mort sénile*; tandis qu'il appelle mort accidentelle la mort violente et subite par cause interne ou externe. Il resterait à mentionner les phénomènes propres à la mort, qui est le résultat d'une maladie plus ou moins longue. De celle-ci, Bichat ne fait pas mention. Or les expériences faites sur l'irritabilité musculaire, à l'aide des moyens irritants et galvaniques, sur les cadavres, ont montré que les phénomènes propres à la mort amenée par les maladies sont à peu près les mêmes que ceux de la mort amenée par la vieillesse. En effet, comme dans la mort sénile, « l'ensemble des « fonctions ne cesse que parce que chacune s'est successive-« ment éteinte. Les forces abandonnent peu à peu chaque or-« gane; la digestion languit; les sécrétions et l'absorption « finissent; la circulation capillaire s'embarrasse; dépérisse-« ment des forces qui y président habituellement; elle s'ar-« rête. Enfin la mort vient aussi suspendre dans les gros vais-« seaux la circulation générale. C'est le cœur qui finit le

---

(1) Nous parlons des organes de la circulation, de l'absorption, de l'exhalation et de quelques sécrétions. Bichat avait surtout en vue ceux-ci, lorsqu'il voulut caractériser la vie organique par l'absence d'intermittence dans les fonctions. Les fonctions digestives et quelques fonctions sécrétoires sont réellement intermittentes.

« dernier ses contractions ; il est, comme l'on dit, l'*ultimum*
« *morineus.* »

Le même ordre de phénomènes s'observe dans la mort
qu'amènent les maladies. Les expériences sur l'irritabilité
musculaire, dont nous parlions tout à l'heure, démontrent que
plus la maladie a été longue, moins l'irritabilité persiste dans
les muscles des cadavres, et que, entre toutes les maladies,
celles qui ont le caractère typhoïde se distinguent par cette
disparition de toute irritabilité. On sait qu'elle persiste à un
très-haut degré, et pendant plusieurs heures, chez les hommes
morts de mort violente, chez les décapités, par exemple, et
qu'elle est nulle dans le cadavre des vieillards.

NOTE [U]. *Déterminer comment la cessation des fonctions du*
cœur à sang rouge interrompt celle du cerveau.

Une grande erreur physiologique a été émise par Bichat,
quand il a prétendu que le mouvement du sang, en se communiquant au cerveau, en entretient l'action et la vie. Cette
erreur émise dans ce paragraphe sera souvent reproduite dans
les paragraphes suivants, où il s'agit de l'action de la circulation, non-seulement sur le cerveau, mais encore sur les autres
organes. Ce mouvement n'existe point, et, alors même qu'il
existerait, on ne comprend point comment il servirait à l'accomplissement des fonctions. Quant au cerveau, il est vrai
qu'un mouvement alternatif d'élévation et d'abaissement s'y
fait remarquer lorsque le crâne est mis à nu, ou que les sutures en sont mal soudées ; mais ce fait, qui a donné lieu à de
grands débats parmi les physiologistes, est aujourd'hui réduit
à sa juste valeur. L'exposé de ces débats et des faits qui y ont
donné lieu se trouve dans l'ouvrage de M. Longet (1). Quant à
la solution définitive du problème, il nous suffira, pour la
faire connaître à nos lecteurs, de reproduire les propositions
dans lesquelles ce physiologiste l'a résumée.

« 1° Le cerveau ne se meut pas chez l'adulte tant que le
crâne est intact ; il augmente de *masse* dans l'expiration ; il
diminue de *masse* dans l'inspiration ; mais son volume ne varie jamais.

(1) Ouvrage cité, t. I, p. 770. — 800. Article intitulé : *Mouvement de l'axe*
cérébro-spinal.

« 2° Il se meut chez les enfants tant que les sutures du crâne ne sont pas soudées ; il se meut également lorsque les parois du crâne ont été détruites dans une plus ou moins grande étendue par des causes pathologiques ou des opérations.

« 3° Dans tous les cas, ces mouvements sont dus à des alternatives de turgescence et de déplétion des vaisseaux du cerveau, et non à une locomotion de cet organe : la locomotion du cerveau est impossible.

« 4° Ces mouvements sont de deux sortes ; il est facile de s'en assurer sur les enfants : les uns correspondent aux contractions du cœur ; les autres aux mouvements respiratoires : ces derniers sont les plus étendus

« 5° La turgescence ou élévation du cerveau correspond à l'expiration ; elle est produite par la stase du sang veineux dans les veines encéphaliques et par l'affluence plus considérable du sang artériel. L'abaissement du cerveau correspond à l'inspiration ; il est produit par l'afflux du sang veineux encéphalique vers les organes thoraciques et par le ralentissement concomitant de la circulation artérielle. »

Le cœur à sang rouge n'agit donc point de deux manières, comme le prétend Bichat, sur les fonctions cérébrales. La *secousse générale*, *née*, selon lui, *de l'abord du sang au cerveau*, ne se produisant réellement point, toute la théorie qu'il a imaginée, toutes les expériences ingénieuses qu'il a tentées à cet égard, doivent être regardées comme non avenues. L'action vivifiante du sang artériel reste seule pour témoigner de l'influence du cœur à sang rouge sur le cerveau. Cette action vivifiante est démontrée par l'expérience. L'interruption de la circulation artérielle dans l'encéphale par la ligature simultanée des carotides internes et des vertébrales entraîne *presque toujours* subitement la mort (1). On se demande comment la mort est produite aussi instantanément, quand on devait s'attendre d'abord à un simple affaiblissement des fonctions propres du cerveau. C'est ce qui aurait lieu, en effet, si la ligature

---

(1) Je dis *presque toujours*, car cette expérience, quand elle est faite sur des chiens, ne donne pas toujours le même résultat. Il en est qui au lieu de succomber ont guéri, ainsi que le rapporte sir A. Cooper. Quant aux lapins, la mort arrive infailliblement. Cette différence tient à des anastomoses qui peuvent avoir lieu entre les vaisseaux encéphaliques et d'autres artères que les carotides internes et les vertébrales. Voy. Longet, ouvrage cité. t. I, p. 800.

ne portait que sur les carotides internes; car la circulation ca-
rotidienne est plus particulièrement en rapport avec les hémisphères cérébraux, et par conséquent avec les perceptions,
l'entendement et les volitions. Il n'est plus de même lorsque la
ligature porte sur les vertébrales, dont la circulation est plus
particulièrement en rapport avec le mésocéphale, le cervelet,
et surtout le bulbe rachidien qui exerce une influence si directe sur les mouvements de conservation en général, et en
particulier sur les mouvements respiratoires. Si la ligature ne
portait point à la fois sur les quatre artères, les résultats de
l'expérience seraient fort incertains, car ces artères se suppléent aisément les unes les autres, grâce à la disposition particulière d'une artère intermédiaire, dite *communicante de
Willis*, qui leur sert de réservoir commun.

Il resterait maintenant à savoir de quelle manière s'exerce
l'action vivifiante du sang rouge sur l'encéphale et sur le système nerveux en général. S'agit-il uniquement d'un simple fait
de nutrition ou d'assimilation réparatrice? Dans ce cas, on ne
comprendrait pas comment la mort est si subitement produite
par l'interruption de la circulation artérielle. S'agit-il, outre
cela, d'une *excitation* spéciale, pour nous servir de l'expression
souvent employée par Bichat et quelques physiologistes modernes, ou d'une sorte de *sécrétion* qui correspondrait à la production des esprits animaux et vitaux de l'ancienne physiologie
et à la production des fluides nerveux de la physiologie con-
temporaine? On pourrait croire, dans l'une ou l'autre de ces
deux dernières hypothèses, que la circulation artérielle des
centres nerveux étant interrompue tout à coup, la vie entière
serait gravement compromise; mais ces questions, dans l'état
actuel de la science, sont insolubles par les expériences directes.
Il faut s'en tenir à l'observation des faits et aux inductions rigoureuses que cette observation nous fournit.

Selon Bichat, le sang artériel agit sur les organes de la vie
animale, et en particulier sur le cerveau, en les excitant seulement, tandis qu'il agirait sur les organes de la vie organique,
non-seulement en les excitant, mais encore en y appelant les
matériaux nécessaires aux fonctions qu'ils accomplissent (1).
A quoi tient cette différence? Pourquoi l'excitation artérielle

(1) Voyez la note [X].

suffirait-elle aux premiers et ne suffirait-elle pas aux seconds? Ne doivent-ils pas, les uns et les autres, puiser dans le sang rouge et les éléments de leur nutrition et les éléments de leur fonction? L'excitation seule rend-elle raison de cette quantité considérable de sang rouge que reçoit le système nerveux, le cerveau surtout, qui en dépense, toutes choses égales d'ailleurs, beaucoup plus que les autres organes, malgré les intervalles prolongés et répétés de repos dont il jouit et dont ceux-ci sont privés? Évidemment, une aussi énorme déperdition artérielle ne saurait être l'effet d'une simple excitation, à moins que sous ce mot on ne comprenne toutes les opérations mystérieuses de nutrition et de sécrétion qui doivent s'accomplir dans la profondeur des organes nerveux.

M. le docteur Buchez a publié, il y a plusieurs années, un mémoire fort remarquable sur les rapports de la circulation artérielle avec les phénomènes propres au système nerveux (1). Des faits nombreux qui y sont exposés, et que nous ne pouvons reproduire, il s'est élevé aux inductions suivantes, qui résument son travail :

« 1° La *névrosité* (2), ou capacité de produire des phénomènes d'impressionnabilité et d'innervation, est en rapport direct avec l'intensité de la circulation dans le système de nerfs où l'on examine celle-ci. Elle augmente lorsque la circulation devient plus active ; elle diminue lorsque l'état inverse existe.

(1) *Essai d'une coördination ou théorie des phénomènes du système nerveux*, journal des progrès, des doctrines et institutions médicales, volume VIII. — Ce mémoire a été reproduit à la suite de son *Traité complet de philosophie*. Adoptant pour point de départ la formule énoncée dans ce travail, nous avons nous-même traité longuement le même sujet au point de vue physiologique, hygiénique et pathogénique, dans notre ouvrage intitulé : *Des fonctions et des maladies nerveuses*, etc., chap. II, V et VI. Nous avons tâché d'y démontrer que l'excitation nerveuse consiste dans le contact de l'élément médullaire et de l'élément artériel, et que du contact de ces deux éléments naît la force inconnue dans son essence, mais fort connue dans ses effets, à laquelle on a donné le nom de fluide nerveux et que M. Buchez appelle *névrosité*. D'après cette théorie, chaque excitation donnerait lieu à la fois à une déperdition médullaire et à une déperdition artérielle.

2) « Il faut remarquer, dit M. Buchez, que ce que nous désignons ici par le mot de *névrosité* est ce que les anatomistes et les physiologistes appellent du nom de *fluide nerveux*. Lorsque je créai ce mot *névrosité*, je le choisis parce qu'il indiquait une *faculté*, une force, une quantité et non une *nature*. La science peut varier sur la nature des éléments fonctionnels des nerfs, mais elle ne peut varier sur la faculté dont ils sont doués. »

« 2° La névrosité diminue ou disparaît au fur et à mesure qu'il se produit des phénomènes d'impressionnabilité et d'innervation, quelle qu'en soit la cause.

« Soit que la circulation continue, soit qu'elle ait été supprimée, la névrosité disparaît de la même manière ; mais si la circulation continue, la névrosité s'épuise moins vite, et elle est reproduite au bout d'un espace de temps appréciable ; si la circulation est supprimée, la névrosité s'épuise plus vite, et une fois épuisée elle ne reparaît plus.

« 3° Les phénomènes de la névrosité peuvent apparaître sous l'influence de certaines circonstances de nutrition, savoir : une accumulation de névrosité sur certains points, et un excès de circulation tendant à pousser cette accumulation au delà de la quantité normale.

« 4° La destruction de la névrosité est toujours locale, ainsi que la reproduction. Autant une excitation amène de phénomènes synergiques, autant il y a d'abolitions successives de névrosité, en tant qu'il y a de nécessités répétées de reproduction.

« 5° La sensation ordinaire et la douleur ont pour origine les mêmes nerfs. (Il est des nerfs dont les impressions ne parviennent au cerveau que lorsqu'elles sont douloureuses.)

« L'impression simple, comme le mouvement ordinaire, amène une très-petite déperdition de névrosité. La douleur amène une très-grande et très-rapide déperdition de névrosité.

« 6° Lorsqu'il y a suractivité locale de la circulation, la névrosité locale s'accroît au point qu'une impression qui, dans l'état ordinaire, eût causé une impression simple, devient l'origine d'une douleur.

« Tous les phénomènes nerveux sont intermittents, parce qu'ils nous représentent une succession de périodes de déperditions et de reproductions de névrosité.

« Plus la déperdition est grande, dans un instant donné, plus le besoin de réparation se fait rapidement sentir.

« La fatigue est le sentiment du besoin de réparation partielle ou générale. Le sommeil est l'expression du besoin et en même temps l'époque de la réparation générale. »

M. Buchez a compris ces inductions diverses dans la formule suivante :

« *Les phénomènes d'impressionnabilité et d'innervation se com-*

portent comme s'ils avaient lieu dans chaque division spéciale du système nerveux, par la déperdition successive d'une quantité accumulée dans les nerfs, déperdition dont la durée est en raison inverse de l'intensité des phénomènes, et en raison directe de l'activité de la circulation locale, c'est-à-dire dont la durée est d'autant plus courte que les phénomènes sont plus intenses, et d'autant plus longue que la circulation locale est plus active.

Cette loi, qui résume la théorie la plus générale des phénomènes nerveux, est l'expression rigoureuse des faits observés. En appliquant à ces phénomènes les idées de quantité et de durée, elle donne sur leur ordre de succession des notions exactes et indépendantes des explications sur la nature des forces qui les produisent.

NOTE [V]. *De l'influence que la mort du cœur à sang rouge exerce sur la mort générale.*

Jusqu'ici Bichat ne s'est réellement occupé, relativement à l'action du sang rouge sur la vie des organes, que du prétendu mouvement attribué par lui à l'abord de ce sang ; il a fait abstraction, comme il le dit lui-même, de l'*excitation qui naît en eux de la nature de ce fluide,* du contact des principes qui le rendent rouge ou noir. Il s'agira maintenant de cette *excitation* elle-même.

Bichat, après avoir décrit la mort successive des organes par l'inaction du cœur à sang rouge, se demande : « Pourquoi les forces vitales sont-elles encore quelque temps permanentes dans la vie interne, tandis que, dans la vie externe, celles qui leur correspondent, savoir, l'espèce de sensibilité et de contractilité appartenant à cette vie, se trouvent subitement éteintes ? C'est que, dit-il, l'action de sentir et de se mouvoir organiquement ne suppose point l'existence d'un centre commun : qu'au contraire, pour se mouvoir et agir animalement, l'influence cérébrale est nécessaire. Or, l'énergie du cerveau étant éteinte dès que le cœur n'agit plus, tout sentiment et tout mouvement externes doivent cesser à l'instant même. » On voit par cette réponse que Bichat est toujours dominé par cette idée de *vie* qu'il attache aux fonctions sensorio-motrices. On voit aussi qu'il regarde toujours le cerveau comme le foyer indispensable de la sensibilité et de la contractilité animales. Il est démontré aujourd'hui que des mouvements parfaitement coordonnés de protection, d'expression et de conservation, et par conséquent les faits de sensibilité auxquels ces mouvements succèdent, peuvent avoir lieu après l'altération des hémisphères qui constituent le cerveau proprement dit. Des expériences nombreuses, faites sur les vertébrés inférieurs ou sur de très-jeunes mammifères, par Legallois, MM. Magendie, Desmoulins, Flourens, Bouillaud, Longet, etc., rendent ces faits incontestables.

La doctrine de Bichat relativement au rôle du cerveau dans les faits de sensibilité et de contractilité animales est donc inexacte. Quant aux faits de sensibilité et de contractilité organiques, est-ce bien à l'absence d'un centre commun qu'ils doivent leur tardive extinction dans la mort générale? S'il s'agit, par exemple, des faits de contractilité organique sensible ou musculaire, leurs relations avec la moelle épinière sont aujourd'hui admises par les physiologistes. Quant aux faits de contractilité insensible, ou de simple *tonicité*, existent-ils réellement, et les faits désignés sous ce nom ne seraient-ils pas régis par des lois tout-à-fait différentes? On a pu attribuer la tardive extinction de ces phénomènes vitaux à ce que, s'accomplissant lentement dans la trame cellulo-vasculeuse, ils épuisent moins promptement la force nerveuse qui a été répartie; mais quelle explication pourra donner la raison de ces phénomènes de nutrition, de calorification même, qui ont lieu après la mort, lorsque la barbe et les ongles croissent et qu'une chaleur nouvelle semble revenir, et les formes affaissées par la maladie reprendre leur première expansion, ainsi que nous l'avons vu dans les individus frappés du choléra-morbus?

Bichat revient dans ce paragraphe sur le rôle du cœur dans les passions pour expliquer la mort qui survient à la suite d'une violente émotion. La mort, dans ce cas, est due à la syncope. Or, la syncope reconnaît deux causes d'origines diverses : ou elle dépend du cerveau ou du cœur lui-même. En général, la syncope produite par les émotions est regardée comme d'origine cérébrale; il serait difficile d'adopter une autre manière de voir. Bichat tombe ici dans une exagération inévitable pour n'avoir pas distingué dans les passions l'élément psycho-cérébral, ou intellectuel, et l'élément ganglionnaire, ou affectif. Celui-ci seul appartient à la vie organique, sans toutefois appartenir à un viscère déterminé, pas plus au cœur qu'à un des organes abdominaux. En parlant de la *syncope qui succède aux passions*, Bichat semble d'ailleurs reconnaître que les préoccupations propres aux passions interviennent comme causes antérieures à l'émotion syncopale. Toutes ces émotions qui tuent (elles sont plus rares qu'on ne le croirait d'après Bichat) ne se produisent jamais dans l'enfance ni chez les animaux. Pour qu'elles se produisent, il faut que la pensée ait entrevu des conquêtes agréables, des satisfactions nécessaires; il faut que l'imagination ait été mise en jeu par des désirs plus ou moins vifs; il faut, enfin, que les idées sentimentales se soient fait jour. Or, dans les affections violentes dont il s'agit, l'idée intervient toujours; rapide et soudaine, elle agit tout à coup sur le cœur au moyen de l'innervation cérébro-ganglionnaire qui en résulte. Dans l'émotion, la modification fonctionnelle a bien lieu dans le cœur ou dans les autres organes de la vie de nutrition ; mais la cause de cette modification a presque toujours son origine dans le cerveau. Ce n'est pas à dire pour cela que celui-ci soit toujours primitivement altéré. Il peut ne l'être que secondairement, lorsque l'émotion réagit sur les idées, ou bien lorsque les viscères troublés dans leurs opérations réagissent sur les fonctions encéphaliques. L'action dont Bichat n'a pas parlé dans ce paragraphe, nous devons la rappeler ici : c'est celle qui est exercée par les émotions pénibles et oppressives sur la prédominance des idées tristes et désespérantes. Cette action ne doit pas être confondue avec le trouble mécanique des contractions du cœur. Elle s'exerce sans doute au moyen d'une irradiation nerveuse à laquelle nous avons donné le nom d'impression *ganglio-cérébrale*.

NOTE [X]. *De l'influence que la mort du poumon exerce sur celle du cerveau.*

Bichat, dans des paragraphes précédents, en parlant de la mort des organes par celle du cœur, a résumé sa pensée en ces termes :

« Voici donc, en général, comment l'anéantissement de toutes les fonctions succède à l'interruption de celle du cœur.

« Dans la vie animale, c'est 1° parce que tous ses organes cessent d'être excités au dedans par le sang et au dehors par les mouvements des parties voisines (toujours ce prétendu mouvement dont nous avons parlé dans une note précédente) ;

2° parce que le cerveau, manquant également de causes excitantes, ne peut communiquer avec aucun de ces organes.

« Dans la vie organique, la cause de l'interruption de ses
phénomènes est alors, 1° comme dans l'animale le défaut
d'excitation interne et externe des différents viscères (encore
ce prétendu mouvement représenté par l'excitation externe):
2° l'absence des matériaux nécessaires aux diverses fonctions
de cette vie toutes étrangères à l'influence du cerveau. »

Il résulterait de cette explication que le sang artériel faisant
défaut dans les organes de la vie animale et en particulier dans
le cerveau, ces organes cesseraient d'agir uniquement parce
qu'ils seraient privés d'*excitation*; tandis que ceux de la vie
organique, placés dans les mêmes conditions, cesseraient
d'agir, non-seulement parce qu'ils seraient privés de l'excitation artérielle, mais encore parce qu'ils manqueraient des matériaux nécessaires à leurs fonctions.

Néanmoins le cœur appartient à la vie organique, et Bichat
démontre dans le paragraphe auquel se rapporte cette note,
que l'interruption du phénomène chimique de la respiration
suspend l'action du cœur en privant les fibres qui le composent du sang rouge propre à les exciter et en les pénétrant du
sang noir propre à les paralyser. Il ajoute qu'il serait assez
porté à considérer la mort par asphyxie comme un effet généralement produit par le sang noir sur les nerfs qui accompagnent toutes les parties où circule cette espèce de fluide. »
D'après cette hypothèse, les extrémités nerveuses qui se répandent aux organes seraient elles-mêmes une source d'innervation à ajouter à celle qui a son siége dans l'axe cérébro-
spinal et dans les ganglions du nerf trisplanchnique. Dès lors,
l'action du sang noir sur les organes de la vie de nutrition
serait absolument la même que celle qu'il exerce dans le cerveau lui-même, et la différence exprimée par Bichat dans les
lignes reproduites plus haut n'existerait réellement pas. La seule
différence à laquelle il faudrait s'arrêter consisterait dans la
durée de l'une et de l'autre vie après l'intoxication veineuse (1).

_____

(1) Les phénomènes de la vie animale peuvent être suspendus sans que pour
cela les agents de cette vie soient frappés de mort, puisqu'ils peuvent reconquérir
leur énergie fonctionnelle. En tenant compte de ce fait la différence que nous
signalons n'existerait point.

A quoi tient cette différence? Pourquoi l'influence du sang noir s'exerce-t-elle beaucoup plus promptement sur le cerveau et les autres organes de la vie animale que sur le cœur et les autres organes de la vie animale, que sur le cœur et les autres organes de la vie de nutrition? C'est comme si nous demandions pourquoi les fonctions de ces derniers organes sont toujours en exercice, tandis que celles de la vie animale ont besoin de sommeiller périodiquement, en réclamant des intermittences si fréquentes. De pareilles questions, dans l'état actuel de la science, doivent rester sans réponse. Pouvons-nous attribuer les phénomènes en quelque sorte posthumes de la vie organique à cette innervation partielle produite dans les extrémités nerveuses dont nous venons de parler tout-à-l'heure, innervation partielle dont le système encéphalo-rachidien, foyer de l'innervation générale, serait lui-même dépourvu ?... Pour admettre cette explication, il faudrait d'abord que la nécessité d'une innervation quelconque pour la production des phénomènes vitaux les plus simples, tels que la tonicité capillaire et la nutrition interstitielle, fût parfaitement démontrée. Or cette démonstration n'est pas encore faite, malgré les ingénieuses expériences de M. Brachet sur le système ganglionnaire des végétaux, et malgré les savantes recherches de M. de Blainville sur la matière nerveuse diffuse des animaux sans nerfs.

L'action du sang noir sur le cerveau et sur les autres organes est-elle due à la nature délétère de ce sang ou à la simple privation des éléments propres au sang rouge? Bichat reste dans le doute; « il ne peut dire si c'est négativement ou positivement que s'exerce son influence. Tout ce qu'il croit, c'est que les fonctions du cerveau sont suspendues par elle. » La question n'en est guère plus avancée aujourd'hui, même après les expériences de M. Kay, qui est allé jusqu'à affirmer que le sang veineux, loin d'affaiblir la contractilité musculaire, l'accroît, au contraire, d'une manière sensible. Ce qui est certain, c'est que, par la privation du sang rouge, l'extinction des forces cérébrales est plus prompte et plus complète que par l'afflux du sang noir. On sait que l'aspect des cholériques, frappés d'asphyxie et conservant néanmoins leur faculté de perception jusqu'à la mort, a été pour les physiologistes un sujet d'étonnement, et que l'un des plus célèbres d'entre eux,

29

M. Magendie, ébranlé par l'observation de ce point exceptionnel, a cru pouvoir mettre en doute l'influence du sang veineux sur le cerveau, telle que Bichat l'avait caractérisée. Quoi qu'il en soit, l'observation et l'expérience semblent démontrer que le sang veineux est plutôt insuffisant que délétère.

L'instantanéité de la mort dans la guillotine, que Bichat mentionne, nous ne savons pourquoi, à la fin de ce paragraphe, dépend moins de la présence du sang noir que de la subite et complète interruption de la circulation artérielle. La pendaison, qui, lorsqu'elle laisse intacte la moelle cervicale, fait périr par asphyxie, est moins promptement mortelle. C'est cette considération qui a fait prévaloir l'instrument de Guillotin. La forme de décapitation imaginée par ce philanthrope fut accueillie comme le plus expéditif et partant le moins douloureux des supplices de mort. Des discussions, toutefois, eurent lieu, et des physiologistes prétendirent que la sensibilité survivait à l'exécution. Serres, professeur à l'École de médecine de Paris, et Sœmmering, célèbre anatomiste de Munich, furent de ce nombre. Cabanis, médecin et législateur, descendit dans la lice pour prouver l'insensibilité du guillotiné. On alla jusqu'à prétendre que non seulement la douleur, mais encore le sentiment du *moi* et la volonté elle-même, persistaient quelques instants dans la tête séparée du tronc. Voici, au reste, un singulier et dernier écho de cette polémique demeurée close depuis la fin du siècle et plus intéressante pour l'histoire que pour la science. Nous l'empruntons à une note de M. le docteur Bardinat, insérée dans son édition des *Recherches physiologiques sur la vie et la mort*, publiée en 1824.

« Les résultats de quelques expériences, auxquelles je coopérai en 1798, sous les auspices de feu M. Leclerc, professeur de l'école de santé de Paris, viennent à l'appui de cette conclusion. Nous poursuivîmes un jour, sur plusieurs animaux, ce *moi* jusque dans ses derniers retranchements. L'ablation des quatre membres fut successivement faite sur un chien ; la section de la colonne vertébrale fut ensuite pratiquée avec un couperet bien tranchant, au-dessus du bassin, et bientôt après au-dessus du diaphragme ; bien entendu que ces deux sections ne furent faites qu'après avoir convenablement lié l'aorte. Pendant toutes ces opérations, qui se succédèrent avec rapidité, l'animal avait constamment crié. Nous nous hâtâmes de terminer son mar-

tyre en lui tranchant la tête. Après ce coup de grâce, la mâ-
choire continuait à se mouvoir, comme elle le faisait auparavant à chaque cri, *d'où nous concluons qu'il y avait encore volonté de crier*. (Singulière conclusion, en vérité!)

« Depuis cette époque, j'ai toujours conservé le désir de
faire une autre expérience, pendant laquelle on prolongerait
peut-être pendant quelque temps la vie dans la tête séparée du
tronc. Elle consisterait d'abord à transfuser le sang de l'une
des carotides d'un chien dans l'une des mêmes artères d'un
autre chien, selon le procédé indiqué par Bichat dans ce chapitre, et de manière que la carotide de ce dernier n'apportât
au cerveau que le sang projeté par le cœur du premier, ce qui
n'occasionne, comme on le sait, aucune altération notable de
la santé; à faire la même opération sur l'autre carotide, qui
recevrait le sang d'un nouveau chien, et à procéder de la même
manière en se servant de deux autres chiens sur chacune des
vertébrales avant leur entrée dans le canal de ce nom. Je ne
doute point que l'animal ne vécût fort longtemps dans cet état
(s'il était possible de remplacer par d'autres ceux qui fourni-
raient le sang à mesure qu'il s'épuiserait), puisque le sang des
quatre chiens, reçu par le cerveau du cinquième, serait rapporté au cœur, comme le sien l'était auparavant. On serait alors
bien convaincu que la vie du cerveau de ce dernier serait parfaitement indépendante des mouvements de son propre cœur.
Cette preuve une fois bien établie, on trancherait la tête au-
dessous des vaisseaux en question, qui, malgré cette opération,
n'en continueraient pas moins à porter au cerveau le sang des
autres animaux, et je *présume que la vie se prolongerait assez
longtemps dans la tête, pour fixer définitivement nos idées sur
ce point.* »

Pourquoi un si beau programme est-il resté sans exécution!

NOTE [Y]. *De l'influence de la mort du cerveau sur celle du
poumon.*

Après s'être demandé si c'est directement ou indirectement
que le poumon cesse d'agir par la mort du cerveau, Bichat
s'est livré à des recherches, dont il a exprimé le résultat en ces
termes : « C'est indirectement que la mort du cerveau occasionne celle du poumon. » En d'autres termes, l'innervation

cérébrale n'influe sur la transformation du sang noir en sang
rouge que par l'intervention d'une fonction intermédiaire.
Quelle est cette fonction? c'est celle des muscles respirateurs,
sur lesquels le cerveau agit directement, selon Bichat, au
moyen des nerfs phréniques. La mort du cerveau entraîne donc
celle du poumon en déterminant la paralysie des nerfs phréniques.

Rappelons ici ce que nous avons dit souvent, à savoir, que
Bichat ne paraît pas attacher au mot *cerveau* une signification
bien précise. Il en a parlé souvent comme de l'organe central
de la vie animale; il en a parlé quelquefois comme de l'appareil spécial de l'entendement et de la volonté, et il le mentionne dans ce paragraphe comme la source de l'innervation
du nerf phrénique et des muscles respirateurs. Tant qu'il en-
visageait le cerveau comme l'organe central de la vie animale
ou comme l'appareil spécial de l'entendement et de la volonté,
il proclamait que la vie organique en était en quelque sorte
indépendante; c'est ce qu'il a dit et répété sous différentes
formes. Il n'en est plus de même, lorsqu'il le représente comme
renfermant le principe d'action des nerfs propres aux mouvements respiratoires. Empêchez l'afflux du sang rouge au cerveau ou faites-y parvenir du sang noir, la vie y sera suspendue,
et cette suspension entraînera la mort par la paralysie des
muscles respirateurs et par l'asphyxie qui en est la suite.

Le cerveau n'est donc pas seulement le foyer de la vie animale; il n'est pas seulement l'appareil de l'entendement et de
la volonté, puisqu'il tient sous son empire la fonction vivifiante
par excellence, la respiration. Bichat croit échapper à ce reproche d'inconséquence en disant ici ce qu'il n'a point dit dans
la première partie de son ouvrage, à savoir, que les muscles
de la respiration sont volontaires, et que par conséquent ils
appartiennent à la vie animale. Alors même que l'action de
ces muscles serait complètement soumise à la volonté, ce qui
n'est pas exact, puisque aucun homme décidé à se suicider n'a
pu encore la suspendre pour s'asphyxier sans le secours d'un
instrument étranger, il n'en résulterait point que la vie organique ne fût immédiatement liée par l'acte respiratoire à l'influence cérébrale.

Il importe donc, avant d'aller plus loin, que nos lecteurs
distinguent le cerveau proprement dit qui se compose des deux

hémisphères, et dont les opérations sont en relation spéciale avec l'entendement et les déterminations volontaires, du cervelet, du mésocéphale et de la moelle allongée, qui sont placés au-dessous des hémisphères cérébraux, et auxquels sont réparties des fonctions distinctes, quoique très-difficiles à préciser par l'expérience. Tous ces organes, réunis aux tubercules quadrijumeaux, constituent un ensemble appelé *encéphale*. Or, c'est à cet ensemble d'organes, regardés assez longtemps comme une masse indistincte, qu'on a longtemps donné le nom commun du cerveau. On s'aperçoit que Bichat n'était point parvenu encore à éviter cette confusion. Il n'est donc pas surprenant qu'elle se montre dans son langage. Elle se fait encore jour parmi les physiologistes modernes, au moyen des mots *centres nerveux, centre cérébro-spinal, encéphale, cerveau* même, employés indifféremment par eux en vue de plusieurs phénomènes, en vue surtout d'un ordre de phénomènes complexes, dont le principe, vaguement rattaché au système encéphalo-rachidien, reste encore indéterminé quant aux diverses parties de ce système. Disons toutefois qu'il est certain et positif aujourd'hui que les nerfs sensitifs et moteurs n'ont point leurs racines dans le cerveau proprement dit, mais bien dans la moelle allongée et la moelle épinière, et que ces origines sont parfaitement distinctes.

Abordons maintenant la question soulevée par Bichat sur le rôle des nerfs propres à la respiration, et sur celui du cerveau relativement à ces nerfs.

Plusieurs expériences ont été tentées sur les nerfs pneumogastriques ou nerfs vagues par un grand nombre de physiologistes (1), et le plus grand nombre de ces expériences a eu pour objet l'appréciation de l'influence exercée sur la respiration par ces nerfs seuls ou réunis aux accessoires de Willis. Nous ne pouvons les rappeler ici; qu'il nous suffise d'en énoncer les résultats. La ligature ou la section des nerfs vagues produit divers troubles, qui à leur tour déterminent lentement l'asphyxie. Ces troubles sont : 1° la paralysie incomplète de la glotte ; 2° l'exsudation qui s'opère dans les poumons; 3° l'altération des phénomènes chimiques du poumon ; 4° suivant

(1) Voy. *Anatomie et physiologie du système nerveux*, par le docteur Longet, t. II, p. 262, 376. *Fonctions des nerfs pneumo-gastriques et spinal.*

29.

Mayer, de Bonn, la coagulation du sang des vaisseaux pulmonaires (1). ·

Les nerfs vagues, qui proviennent, non du cerveau, mais
de la moelle allongée, sont donc étrangers à l'excitation des
muscles de la respiration. La section ou la ligature de ces nerfs
n'amène donc point la paralysie de ces muscles, et n'anéantit
pas directement les fonctions respiratoires. Bichat ne s'était
point trompé à cet égard; mais le rôle qu'il refusait avec
raison aux nerfs vagues appartient-il réellement aux nerfs
phréniques ou diaphragmatiques? Ces nerfs, qui proviennent
de la quatrième et en partie de la cinquième paire cervicale,
et qui sont évidemment sous l'influence de la moelle allongée,
foyer commun de tous les mouvements essentiels à la vie, n'entrent que pour une faible part dans le système des nerfs respirateurs. Ces nerfs sont : 1° le nerf *facial*, appelé par Ch. Bell
nerf respiratoire de la face, qui agit sur les ailes du nez, sur
l'orbiculaire des lèvres, le buccinateur, etc.; 2° le rameau *ré-
current* ou *laryngé inférieur* des nerfs vague et spinal, qui agit
sur la dilatation et sur la contraction de la glotte (2); 3° le nerf
phrénique, appelé par Ch. Bell nerf respiratoire interne du
tronc, et qui détermine les contractions du diaphragme ; 4° le
nerf *spinal* ou accessoire de Willis, appelé par Ch. Bell nerf
respiratoire supérieur du tronc (3); 5° le nerf du muscle
grand dentelé, appelé par Ch. Bell nerf respiratoire externe du
tronc ; 6° les nerfs *intercostaux*, qui agissent sur la dilatation latérale de la poitrine; 7° les rameaux provenant de la première
branche collatérale du plexus lombaire, et qui avec les intercostaux agissent sur les muscles abdominaux dans l'expiration.

Or, chacun de ces nerfs a une origine distincte, et lorsque
les nerfs phréniques sont paralysés par la section de la moelle
épinière au-dessus de leur origine, ceux qui prennent leur origine au-dessus, dans la moelle allongée, continuent d'accomplir leurs fonctions. ·

Ce n'est donc point en suspendant l'action des nerfs phréniques que la mort du cerveau amène la mort du poumon, et

(1) Muller, *Physiologie*, livr. III, sect. I^e, chap. VI.
(2) Voy., sur ce sujet longtemps débattu, l'ouvrage cité de M. Longet, t. 1, p. 280.
(3) Cette fonction du nerf spinal vient d'être contestée par M. le docteur Ber-
nard, qui le regarde comme destiné à la *phonation* (*Archives générales de médecine*, numéro d'avril 1844.)

par elle l'asphyxie. Il est donc dans la moelle allongée une partie où tous les nerfs respirateurs puisent l'innervation qui leur est nécessaire : or, cette partie, nous le répétons, n'est point le cerveau proprement dit.

En effet, malgré l'indépendance relative de l'action de ces différents nerfs, il existe une source commune d'où découle l'influence nerveuse qui régit tous les mouvements respiratoires. Cette source réside dans la moelle allongée, au bulbe rachidien. La lésion du bulbe met fin immédiatement à tous les mouvements respiratoires, non seulement à ceux qui sont sous la dépendance de nerfs vagues, mais encore à ceux qui sont soumis à l'influence de tous les nerfs spinaux.

C'est pour cela que ces nerfs cessent alors bientôt de répondre à l'action des stimulants. Le bulbe seul doit donc être considéré comme le foyer central et l'organe régulateur des mouvements respiratoires, et la moelle épinière n'en est que le conducteur. C'est à Legallois que nous devons la découverte de ce fait capital dans la physiologie. Par une série d'expériences nombreuses et variées, il a démontré que la source des mouvements respiratoires ne réside dans aucune autre partie de l'encéphale; que l'on peut extraire d'un animal, par portions successives et d'avant en arrière, en le coupant par tranches, le cerveau, le cervelet, et même une partie de la moelle allongée, mais que la respiration se suspend subitement aussitôt que l'on opère la section du bulbe au point qui correspond à l'origine du nerf vague : d'où résulte cette conséquence incontestable, c'est que, de tout le système nerveux et de tout l'organisme, c'est le bulbe qui est la partie la plus mortelle, pour nous servir de l'expression de Muller. M. Flourens, qui s'est efforcé de déterminer d'une manière plus précise encore que Legallois l'endroit de la moelle allongée dont la lésion est fatale, résume ainsi les données de ses expériences sur ce sujet : « La limite du point central et premier moteur du système nerveux se trouve donc immédiatement au-dessus de l'origine de la huitième paire, et sa limite inférieure, trois lignes à peu près au-dessous de cette origine. Ce point n'a donc en tout que quelques lignes d'étendue dans les lapins; il en a moins encore dans les animaux plus petits que ceux-ci : il en a un peu plus dans les animaux plus grands, l'étendue particulière de ce point variant comme varie l'étendue totale de l'encéphale ; mais, en définitive, c'est toujours d'un point, et d'un point unique, et d'un point qui a quelques lignes à peine, que dépendent la respiration, l'exercice de l'action nerveuse, l'unité de cette action, en un mot, la vie entière de l'animal. » Dans une communication récente faite à l'Académie des Sciences, (janvier 1852), M. Flourens à cru pouvoir préciser davantage, en le circonscrivant dans un espace d'une ligne à peine, ce point vital, cette partie importante de la moëlle allongée qui semble avoir sous sa dépendance toutes les fonctions respiratrices, et toutes les excitations nerveuses.

Nous avons vu que la division des deux nerfs vagues n'entraîne pas une mort subite, et que l'animal peut quelquefois survivre cinq ou six jours à cette lésion. Ce n'est donc pas seulement parce qu'il donne naissance à ces nerfs que la lésion du bulbe cause immédiatement la mort : c'est que la moelle allongée est réellement, comme l'exprime M. Flourens, le *nœud vital* du système nerveux.

« Enlevez successivement, dit M. Longet, sur un jeune chien, par exemple, les lobes cérébraux, les corps striés, les couches optiques, les tubercules quadrijumeaux, le cervelet et la protubérance annulaire, videz, en un mot, à peu près complètement la cavité crânienne, et vous verrez (le bulbe rachidien et la moelle demeurant intacts) les mouvements respiratoires continuer avec une grande régularité. Mais, lorsqu'à l'aide de deux sections transversales du bulbe, vous aurez intercepté un segment ou une rondelle renfermant l'origine de la huitième paire avec quelques filets radiculaires du nerf spinal, aussitôt tous les mouvements respiratoires, notamment les contractions du diaphragme, des muscles grand dentelé et intercostaux, s'arrêteront d'une manière brusque, l'animal périra asphyxié, et pourtant les nerfs diaphragmatiques, respiratoire externe du tronc (Ch. Bell) et intercostaux, auront été épargnés à leur origine. »

Il est donc évident que Bichat a commis une erreur en indiquant l'origine des nerfs phréniques comme le point où la lésion de la moelle entraîne nécessairement et subitement la mort par interruption de la respiration.

Il s'est également trompé quand, faisant tardivement entrer les mouvements respiratoires dans la sphère de la vie animale, il les regarde comme dépendant directement de l'influence cérébrale ou du cerveau proprement dit.

NOTE [Z ª]. *De l'influence que la mort du cerveau exerce sur celle du cœur.*

A l'exemple de Haller, Bichat a refusé au cerveau, à la moelle épinière et aux nerfs qui en proviennent toute influence sur les mouvements du cœur. Postérieurement à Bichat, de nombreuses expériences ont démontré que cette indépendance n'existait pas ; mais on n'a pas encore déterminé d'un manière précise et incontestable les limites de la connexion qui a lieu entre l'organe central de la circulation et le système nerveux cérébro-spinal. Nous allons donc faire simplement un bref historique des recherches qui ont eu pour objet la solution de ce problème. Legallois a voulu établir contre Bichat que le principe de l'action du cœur réside exclusivement dans la moelle épinière. Il détruisit sur des lapins tantôt la portion dorsale, tantôt la portion lombaire de la moelle épinière. Dans tous ces cas, la mort arrivait au bout de deux à quatre minutes, lorsqu'il opérait sur des lapins âgés de vingt jours, malgré le soin qu'il prenait de pratiquer l'insufflation pulmonaire. Ensuite il expérimenta sur des lapins plus jeunes. Chez ceux-ci la vie se prolongeait plus longtemps après la destruction de la portion dorsale et surtout de la portion lombaire de la moelle ; mais, dans le premier cas, le secours de l'insufflation était nécessaire au maintien de la vie. Toutes les fois qu'il opérait sur la moelle cervicale, la destruction de cette portion anéantissait presque immédiatement la vie chez les lapins âgés, et fort promptement chez les plus jeunes. Cependant, comme cette lésion suspendait immédiatement tous les mouvements inspiratoires du thorax, Legallois s'était efforcé d'y suppléer par la respiration artificielle. La désorganisation de la moelle tout entière au moyen d'une tige de fer faisait périr subitement l'animal, quel que fût son âge.

Legallois conclut de ses expériences : 1° que le principe nerveux qui régit les mouvements du cœur a sa source dans la moelle épinière, non pas dans une portion déterminée de cette moelle, mais dans sa totalité ; 2° que le grand sympathique n'est pas un nerf indépendant, mais qu'il a ses racines dans la moelle même, et qu'il a pour caractère propre de placer toutes les parties auxquelles il se distribue, et par conséquent le cœur, sous l'influence motrice de la moelle épinière ; 3° que la destruction de la moelle, en tout ou en partie, anéantit les contractions du cœur, ou du moins les affaiblit au point qu'elles deviennent insuffisantes à entretenir la circulation et à chasser le sang jusque dans le cerveau et la moelle épinière ; 4° que, la vie étant due à l'impression du sang artériel sur le système cérébro-spinal, c'est la cessation de cette impression qui cause la mort ; 5° que si le cœur pouvait encore, après avoir été complétement isolé du système nerveux, se contracter assez énergiquement pour pousser le sang artériel jusque dans le centre cérébro-spinal, on verrait la vie persister, et que même on réussirait à *opérer par là une résurrection véritable et dans toute la force de l'expression.*

Il restait à vérifier la légitimité de ces dernières conclusions. Alors Legallois fit le raisonnement suivant : si, après avoir opéré une destruction partielle de la moelle épinière, on lie certains vaisseaux pour diminuer l'étendue du système vasculaire perméable au sang, les contractions du cœur devront alors être encore assez fortes pour entretenir la circulation dans cet espace réduit. Ainsi, plus on aura placé la ligature près du cœur, plus on aura de cette manière limité l'étendue du champ circulatoire, et plus devra être considérable la portion de moelle épinière que l'on pourra détruire sans interrompre la circulation. En conséquence, Legallois pratiqua sur des lapins la ligature de l'aorte à la région lombaire, puis il détruisit la portion lombaire de la moelle épinière. Chez d'autres, après avoir décapité l'animal, il lia les carotides et les veines jugulaires, et détruisit ensuite la portion cervicale de la moelle, toujours en ayant soin d'entretenir artificiellement la respiration. Enfin, dans une dernière expérimentation, il retrancha toute la moitié postérieure du corps de l'animal, après avoir pratiqué la ligature des grands vaisseaux au-dessus de la division. Dans toutes ces expériences, selon Legallois, la circulation entre le cœur et les ligatures persista plus ou moins longtemps, et même, dans quelques cas, pendant plus de trois quarts d'heure.

Mais bientôt un nouvel observateur vint contredire Legallois et le combattre également par des expériences. Selon Wilson Philip, quand, par un coup asséné sur l'occiput, on étourdit un animal, la respiration se suspend, mais l'action du cœur persiste, et peut durer longtemps si on emploie la respiration artificielle. Si on enlève complétement le cerveau et la moelle épinière d'un animal, les contractions du cœur continuent encore, mais elles sont plus faibles. En général, elles ne sont pas non plus anéanties par la destruction du cerveau et de la moelle au moyen d'une tige de fer rougie au feu : aussi Wilson Philip conclut, comme Haller, que l'action du cœur est essentiellement indépendante du cerveau et de la moelle.

Néanmoins, suivant les expériences du même physiologiste, l'irritation directe du cerveau ou de la moelle produit un effet marqué sur le cœur : ainsi il a vu les contractions cardiaques devenir plus rapides chez des animaux, sur le cerveau et la moelle épinière desquels il faisait tomber goutte à goutte de l'alcool. L'accélération était plus considérable quand il le versait sur la portion cervicale de la moelle que dans le cas où il agissait sur la portion lombaire.

Le docteur Wilson Philip a en outre reconnu que l'effet produit sur le cœur par la destruction du cerveau et de la moelle dépend jusqu'à un certain point du procédé employé pour opérer cette désorganisation. Si on enlève complétement le cerveau en le coupant par tranches successives ; si on détruit lentement la moelle épinière au moyen d'un stylet rougi au feu, le cœur continue de battre encore longtemps, quoique plus faiblement qu'à l'état normal. Mais si on opère brusquement cette destruction au moyen de l'écrasement, par exemple, les mouvements du cœur s'arrêtent immédiatement.

Le docteur Marshall a constaté que chez les poissons la circulation persiste fort longtemps après la destruction de la moelle allongée. M. Flourens est parvenu, en expérimentant sur des oiseaux et des mammifères, chez lesquels il avait détruit la moelle épinière et même tout l'axe cérébro-spinal, à entretenir la circulation beaucoup plus longtemps que n'avait pu le faire Legallois : ainsi, chez les lapins auxquels il avait enlevé le cerveau et la moelle épinière, il a vu les pulsations des carotides durer plus d'une heure ; mais il avait soin de pratiquer l'insufflation pulmonaire. Ces deux physiologistes cependant n'en admettent pas moins que le cœur est jusqu'à un certain point sous la dépendance du cerveau et de la moelle épinière.

« Si nous prenons en considération, dit J. Muller, les expé-

riences des divers observateurs ; si nous les réunissons aux
faits déjà connus, savoir, que le cœur arraché de la poitrine
continue encore longtemps de se contracter, principalement
le cœur des reptiles, des amphibies et des poissons ; que les
affections déprimantes du système nerveux diminuent l'énergie de ses battements ; que l'affaiblissement de la circulation
suit l'affaiblissement de l'activité nerveuse, nous pouvons tirer
les conclusions suivantes : 1° le cerveau et la moelle épinière
exercent une grande influence sur les mouvements du cœur ;
ses contractions peuvent, par leur intermédiaire, s'accélérer
ou se ralentir, diminuer ou augmenter d'énergie ; 2° l'action
du cœur néanmoins persiste encore quelque temps après l'a-
blation de la moelle épinière et du cerveau ; mais ses mouvements sont beaucoup plus faibles, et la circulation ne s'exécute
pas régulièrement, du moins pendant longtemps ; 3° le cœur,
lorsqu'il est arraché de la poitrine, et par conséquent n'est
plus en rapport avec la plus grande partie du nerf sympathique, continue encore de se contracter quelques instants. »

M. le docteur Brachet fait dépendre cette contractilité du
ganglion cardiaque sur lequel il serait parvenu à expérimen-
ter directement.

Les filets nerveux du cœur viennent de la paire vague et du
nerf dit grand sympathique. Ces filets pénètrent presque dans
la substance musculaire de cet organe. Il restait à déterminer
quelle est, dans le résultat commun, la part due à chacun de
ces deux ordres de nerfs cardiaques. La difficulté de cette détermination est extrême.

Malgré les tentatives expérimentales des physiologistes sur
le rôle des nerfs vagues et des nerfs ganglionnaires dans les
contractions du cœur, il est sage de reconnaître que tout est
encore confus sur ce sujet important, car l'excitabilité du cœur
doit éprouver, dans les expériences mentionnées, des troubles
variés qui interdisent une appréciation exacte des origines auxquelles on doit la rapporter.

Plusieurs physiologistes pensent que, dans les passions, c'est
par l'entremise des nerfs vagues que le cerveau modifie le
rhythme et l'énergie des contractions du cœur. Cette opinion
est aussi la nôtre ; mais il est possible que cette influence
s'exerce également par l'intermédiaire de la moelle épinière.

Note {Z b}. *Déterminer si l'interruption des fonctions de la vie organique est un effet direct ou indirect de la mort du cerveau.*

Avant d'aborder cette question, il est utile de rappeler que sous le nom de cerveau, Bichat désigne vaguement l'appareil central de la vie dite animale, qui comprend à la fois les phénomènes d'entendement et de volonté, et les phénomènes de sensibilité et de locomotion. Or, ce rôle multiple que Bichat assigne au cerveau seul n'appartient point exclusivement à cet organe ; c'est la centralité encéphalo-rachidienne tout entière qui est le véritable appareil central de la vie animale. Quant au cerveau proprement dit, on sait qu'il n'influence point directement les fonctions de la vie organique ; que la respiration et la circulation n'en dépendent point immédiatement ; que des faits de sensibilité et de contractilité dites animales par Bichat se produisent sans son intervention, et que la plupart de ces effets sont sous l'empire immédiat de la moelle allongée (1).

D'après les considérations qui ont été présentées dans les notes précédentes, il ne s'agissait donc pas ici de déterminer la part d'action, directe ou indirecte, exercée par la mort du cerveau sur la mort des autres organes, mais il s'agissait plutôt de déterminer la part d'action exercée sur ceux-ci par la centralité encéphalo-rachidienne.

Mais avant d'agiter la question posée en ces termes, rappelons la solution apportée par Bichat.

(1) Il est démontré aujourd'hui qu'il est des faits de sensibilité et de contractilité dites animales par Bichat auxquels le cerveau proprement dit peut rester complétement étranger, grâce au *pouvoir réflexe* de la moelle, pouvoir en vertu duquel les nerfs moteurs excitent des mouvements coordonnés et correspondants aux impressions reçues et apportées par les nerfs sensitifs, alors même que les lobes cérébraux ont été enlevés ou que toute communication de la moelle avec le cerveau a été détruite. C'est par ce *pouvoir réflexe* que s'expliquent plusieurs mouvements instinctifs, et surtout les expressions sentimentales involontaires dont nous avons parlé dans la note [K]. On ignorait, au temps de Bichat, ce pouvoir de la moelle, regardée alors comme un simple cordon nerveux chargé de transmettre l'innervation cérébrale ; on ignorait aussi l'origine distincte, dans les cordons antérieurs et postérieurs de cette moelle, des nerfs moteurs et des nerfs sensitifs ; cela suffit pour expliquer la dénomination vague de cerveau donnée indistinctement par cet illustre physiologiste à l'appareil central de la vie sensorio-motrice et à l'agent spécial de l'entendement et de la volonté.

30

D'après ce physiologiste, *l'interruption des fonctions de la vie organique est un effet* indirect *de la cessation de l'action cérébrale.* En d'autres termes, la mort du cerveau entraîne la mort de tous les autres organes au moyen d'agents intermédiaires qui sont les organes mécaniques de la respiration. Les nerfs phréniques n'étant plus excités par l'action cérébrale, et le mécanisme de la respiration étant par là interrompu, tous les troubles propres à l'asphyxie déterminent la mort générale. Voici la série des phénomènes qui, selon Bichat, arrivent alors : 1° anéantissement de l'action cérébrale ; 2° cessation subite des sensations et de la locomotion volontaire ; 3° paralysie simultanée du diaphragme et des intercostaux ; 4° interruption des phénomènes mécaniques de la respiration ; 5° annihilation des phénomènes chimiques ; 6° passage du sang noir dans le système à sang rouge ; 7° ralentissement de la circulation par le contact du sang par le cœur et les artères, et par l'immobilité absolue où se trouvent toutes les parties, la poitrine en particulier ; 8° mort du cœur et cessation de la circulation générale ; 9° interruption simultanée de la vie organique, surtout dans les parties où pénètre habituellement le sang rouge ; 10° abolition de la chaleur animale, qui est le produit de toutes les fonctions ; 11° terminaison consécutive de l'action des organes blancs, qui sont plus lents à mourir que toutes les autres parties, parce que les sens qui les nourrissent sont plus indépendants de la grande circulation.

La mort de tous les organes étant ainsi expliquée par l'interruption des fonctions pulmonaires, la question se réduit pour Bichat à revenir sur la théorie émise par lui, quelques pages plus haut, sur la mort du poumon par celle du cerveau. Or, cette théorie a été discutée dans la note [Y] ; nous n'y reviendrons point.

Abordons la question telle que nous l'avons posée nous-même.

Il s'agit de savoir si les phénomènes de la vie de nutrition sont influencés directement ou indirectement par la centralité encéphalo-rachidienne.

Ne restons point dans le vague ; soyons clair et précis ; pour cela distinguons dans la vie organique divers ordres de phénomènes.

Au premier ordre appartient le mécanisme de la respiration.

Ainsi que nous l'avons établi dans la note [Y], les muscles respiratoires sont placés immédiatement sous l'influence de l'innervation encéphalo-rachidienne. Nous avons rappelé en même temps que le bulbe rachidien semble présider à l'ensemble des fonctions vitales. Est-ce uniquement en paralysant les nerfs de la respiration que la lésion du bulbe amène instantanément la mort générale? Nous ne pouvons nous engager ici dans la discussion de ce problème, qui, du reste, a été résolu affirmativement, quoique avec des explications différentes, par la plupart des physiologistes contemporains. M. Flourens, toutefois, semble être moins affirmatif lorsqu'il fait dépendre de la lésion d'un point déterminé de ce bulbe, non-seulement la respiration, mais encore *l'exercice de l'action nerveuse*, *l'unité de cette action* et la *vie entière de l'animal*.

Au second ordre appartiennent les faits de contractilité dite organique et sensible qui se produisent sans conscience dans les fibres musculaires du cœur, des intestins, de la vessie, etc. Ainsi que nous l'avons rappelé dans les notes [P] et [Q], ces phénomènes sont moins immédiatement soumis à l'innervation encéphalo-rachidienne. L'influence du système nerveux ganglionnaire y prend une part très-grande selon quelques physiologistes, exclusive selon quelques autres. Ceux-là, et M. Longet est de ce nombre, font intervenir dans l'action du système ganglionnaire l'influence de la substance grise de la moelle; ceux-ci, M. Brachet surtout, regardent l'action du système ganglionnaire comme étant douée d'une force d'innervation propre et suffisante. Selon nous, l'influence de la centralité encéphalo-rachidienne sur la production des phénomènes de contractilité dite organique et sensible, s'exerce incontestablement, mais d'une manière indirecte et médiate; elle peut jusqu'à un certain point être déterminée par l'expérience et par l'observation clinique.

Au troisième ordre appartiennent les sécrétions. Comme il est des organes sécréteurs auxquels le système ganglionnaire seul fournit des nerfs, il semblait naturel d'en tirer cette induction, que les sécrétions sont exclusivement soumises à l'influence de ce système. Mais cette induction n'a pas paru rigoureuse à tous les physiologistes, dont les objections sont fondées sur ce que le système nerveux ganglionnaire n'étant point isolé de la centralité encéphalo-rachidienne avec laquelle il a des relations nombreuses, doit nécessairement ajouter à sa force propre celle qu'il reçoit de cette centralité. Trois éléments de démonstration sont produits à l'appui de cette doctrine, relativement aux sécrétions : l'observation des effets déterminés par les impressions affectives dans les sécrétions lacrymale, gastrique, bilieuse, salivaire, urinaire, mammaire, spermatique, cutanée, etc., sécrétions qui peuvent être suspendues, augmentées ou altérées par ces impressions; 2° l'examen des résultats de l'expérimentation et surtout des vivisections dirigées sur divers points de la centralité encéphalo-rachidienne; 3° l'appréciation clinique des troubles qui succèdent aux lésions pathologiques de cette centralité. Mais, de ce que les sécrétions sont modifiées par ces diverses causes, il n'en résulte point que la question soit résolue. On ne conteste point l'influence exercée par les idées sur les phénomènes de la vie organique, au moyen du système nerveux ganglionnaire; on ne conteste pas davantage que l'intégrité de la centralité encéphalo-rachidienne ne soit nécessaire à l'intégrité des fonctions de sécrétion. Quand on a la prétention de *localiser* les diverses actions nerveuses, il faut se garder de confondre ce qui appartient à un foyer présumé d'innervation spéciale avec ce qui appartient à l'unité vitale et aux relations générales des organes entre eux. Il ne s'agit donc pas de rechercher si la centralité encéphalo-rachidienne exerce quelque influence sur les sécrétions, il s'agit de savoir si elle exerce sur elles une action propre au moyen d'une innervation spéciale et indispensable. Posée ainsi, la question doit être, à notre avis, résolue négativement. Les sécrétions ne subissent, en général, à la suite des impressions affectives et des lésions de la centralité encéphalo-rachidienne, d'autres altérations que celles qu'y déterminent les troubles de la respiration, de la circulation et de l'innervation ganglionnaire provoquées par ces impressions et par ces lésions.

Au quatrième ordre de phénomènes appartient la calorification. Des expériences ont été tentées pour apprécier l'influence exercée sur la température du corps par la centralité encéphalo-rachidienne. A l'occasion de ces expériences, qui ne prouvent absolument rien, nous répéterons avec M. Longet : « Assurément il est bien permis de penser que les animaux mis en expérience se sont refroidis parce qu'ils étaient mourants. » En

troublant la circulation, la respiration, l'innervation ganglionnaire, de pareilles expériences doivent nécessairement modifier
la chaleur vitale ; il serait absurde d'en conclure que la moelle
épinière renferme le *principe de calorification*.

Au cinquième ordre appartiendrait la circulation capillaire,
l'absorption, l'exhalation et la nutrition, qui sont les opérations vitales par excellence, celles qui sont communes à tous
les organes et à tous les êtres vivants, et qui semblent être le
foyer véritable de la calorification. Selon Rachetti et Fray, la
moelle épinière serait principalement chargée de présider à la
nutrition. La plupart des physiologistes réservent ce rôle au
système nerveux ganglionnaire. M. Longet ne peut se décider à
dépouiller tout à fait la substance grise de la moelle épinière,
qui y participerait, selon lui, avec le système des ganglions.
Quoi qu'il en soit, il est certain que la centralité encéphalo-
rachidienne n'exerce qu'une influence fort indirecte sur les
opérations vitales dites communes, à l'exception toutefois du
bulbe rachidien, dont nous n'avons pas besoin de rappeler ici
le rôle éminemment vivificateur.

S'il était permis de résumer, au moyen de formules générales, des faits si difficiles à apprécier expérimentalement, nous
dirions : 1° les phénomènes de la vie organique sont d'autant
moins dépendants de la centralité encéphalo-rachidienne qu'ils
ont un caractère plus général, qu'ils exigent un mécanisme
moins compliqué, et qu'ils s'identifient davantage avec les
fonctions dites communes, avec celles qui ont pour agent le
tissu cellulaire ; 2° à mesure que décroît l'empire de la centralité encéphalo-rachidienne, on voit s'élever celui du système
nerveux ganglionnaire.

A l'action de ce système sont rattachés, par la plupart des
physiologistes, tous les phénomènes de la vie organique. D'a-
près Muller, un certain nombre de fibres grises et distinctes
des autres s'en détacheraient pour répandre dans tout l'organisme l'élément excitateur de la nutrition. C'est encore à l'action vivifiante de ce système que M. Brachet et d'autres savants expliquent la persistance de la vie intra-utérine et même
extra-utérine chez les fœtus amyencéphales, c'est-à-dire entièrement privés de centralité encéphalo-rachidienne.

Qu'il nous soit permis de poser ici une simple question : S'il
est des êtres vivants ne présentant aucune trace de système

nerveux et chez lesquels s'accomplissent pourtant les opérations
vitales communes, la nutrition, la calorification, etc., ces opérations doivent-elles être considérées, dans les animaux doués
d'un système nerveux, comme étant nécessairement et directement dépendantes de l'innervation, soit encéphalo-rachidienne, soit ganglionnaire ?

M. le docteur Pidoux est, à notre connaissance, le seul physiologiste qui ait résolu négativement cette question. Mais nous
nous garderons bien de la discuter ici.

NOTE COMPLÉMENTAIRE.

De l'action des artères dans la circulation (1). — Bichat assure
que la contractilité organique sensible préside, dans le cœur et
les gros vaisseaux, à la circulation. — On pourrait croire, dit
M. Magendie, qu'il supposait que les grosses artères influaient
sur le cours du sang par une contraction active, analogue à la
contraction musculaire ; mais cette opinion n'est point la
sienne. Il a voulu dire seulement que le sang continuait à se
mouvoir dans les grosses artères uniquement sous l'influence
du cœur. Cette contraction des gros troncs artériels a été, au
reste, soutenue par plusieurs anatomistes, et l'est même encore à présent par quelques-uns. Il existe donc aujourd'hui
trois théories principales relativement à la circulation.

Dans la première, on soutient que toutes les parties du système artériel sont irritables, et qu'elles se contractent à la
manière des tissus musculaires ; plusieurs même ajoutent
qu'elles peuvent se dilater spontanément, comme cela arrive
à chaque instant au cœur. Dans cette supposition, les artères
pourraient au besoin suffire seules pour entretenir le cours du
sang.

Dans la seconde opinion, qui est celle d'Harvey, et qui est

_____

(1) Note de M. Magendie.

encore adoptée aujourd'hui, plus particulièrement, par les physiologistes anglais, on affirme, au contraire, que les artères ne
sont contractiles en aucun point ; que si elles se resserrent dans
certains cas, c'est en vertu de cette propriété commune à tous
les solides, par laquelle ils reviennent sur eux-mêmes quand
la cause qui les a distendus cesse d'agir. Les partisans de cette
opinion en concluent que les artères n'ont et ne peuvent avoir
aucune influence sur le mouvement du sang qui les parcourt,
et que le cœur est le principal et, pour ainsi dire, le seul
agent de la circulation.

La troisième opinion enfin, celle qui règne maintenant le
plus généralement en France, consiste dans la réunion des
deux précédentes : on y considère les troncs et les principales
branches artérielles comme incapables d'agir sur le sang ;
mais on attribue cette propriété aux petites artères, et l'on
pense qu'elle est très-développée dans les dernières divisions
de ces vaisseaux. Ainsi, dans cette opinion mixte, le sang se
meut, par l'unique influence du cœur, dans toutes les artères
d'un calibre un peu considérable ; il se meut en partie sous
l'influence du cœur, et en partie sous celle des parois dans les
artères les plus petites, et enfin il est mû par la seule action
des parois dans les dernières divisions artérielles. Cette action
des petits vaisseaux est aussi envisagée comme la cause principale du cours du sang dans les veines.

Dans une question de cette nature, les expériences seules
peuvent fixer notre opinion. Celle-ci offre plusieurs points à
éclaircir.

Le premier et le plus facile à décider est de déterminer si
les artères sont ou ne sont pas irritables. Le problème était en
quelque sorte résolu relativement aux grosses artères par les
expériences de Haller et de ses disciples, de Bichat lui-même,
et par celles que M. Nysten a faites sur l'homme. Afin d'avoir
une conviction encore plus intime, j'ai cherché, par tous les
moyens connus, à développer l'irritabilité des parois artérielles ; je les ai successivement soumises à l'action des instruments piquants, des caustiques et du galvanisme, et je n'ai jamais rien aperçu qui ressemblât à un phénomène d'irritabilité ; et comme ceux qui soutiennent l'irritabilité des artères
prétendent que si l'on n'aperçoit pas les contractions, c'est
qu'on agit sur des animaux trop petits, et chez lesquels les

effets sont peu apparents en raison du petit diamètre de ces canaux, j'ai répété l'expérience sur de grands animaux, des chevaux, des ânes, et je n'ai jamais observé d'autres mouvements que les mouvements communiqués.

Les grosses artères ne présentant pas de contraction, on devait croire que les petites n'en auraient pas présenté davantage; mais comme parmi les physiologistes qui rejettent l'irritabilité des troncs artériels, les uns, comme Haller, ne parlent pas des branches, les autres leur accordent la contractilité, il fallait soumettre cette question à l'expérience : or, ces petits vaisseaux, comme les vaisseaux plus grands, sont restés parfaitement immobiles sous l'action du scalpel, des caustiques et du courant galvanique.

L'irritabilité n'existe donc ni dans les grosses ni dans les petites artères. Quant aux dernières divisions artérielles, comme les vaisseaux qui les forment sont si petits qu'ils ne tombent point sous les sens, au moins dans l'état de santé, personne ne peut affirmer ni nier qu'ils soient irritables. Cependant, si on s'en rapporte à l'analogie, on doit croire qu'elles n'ont aucun mouvement sensible. Dans les animaux à sang froid, en effet, il est facile de voir le sang circuler dans ces vaisseaux, et même passer dans les veines : or, ces vaisseaux eux-mêmes n'offrent aucun indice de contraction.

De ce que les artères ne peuvent agir sur le sang en se contractant à la manière des muscles, faut-il en conclure qu'elles n'ont aucune action sur ce liquide, et qu'elles se comportent à peu près sous ce rapport comme des canaux inflexibles ? Je suis bien éloigné de le croire. Si, en effet, les artères n'avaient aucune influence sur le sang, ce liquide, mû par la seule impulsion du cœur, devrait, en vertu de son incompressibilité, être alternativement en mouvement et en repos. C'est, en effet, ce que pensait Bichat, et ce qu'il a avancé dans d'autres ouvrages; c'est ce qu'a soutenu depuis, de la manière la plus formelle, M. le docteur Johnson, de Londres. Il est cependant très-facile de prouver que ce n'est point ainsi que le sang se meut dans ces vaisseaux. Ouvrez une grosse artère sur un animal vivant, le sang s'échappera en formant un jet saccadé, il est vrai, mais continu ; ouvrez une petite artère, le sang, en sortant, forme un jet uniforme. Les mêmes phénomènes ont lieu chez l'homme si les artères sont ouvertes, soit par accident, soit dans les opérations de chirurgie. Le cœur ne pouvant occasionner un écoulement continu, puisque son action est intermittente, il faut donc que les artères agissent sur le sang ; cette action ne peut être que la disposition qu'elles ont à se resserrer, et même à s'oblitérer entièrement. Bichat pense que cette tendance à se rétrécir n'est pas assez marquée dans les artères pour expulser le sang contenu dans leur cavité. Il avance que le vaisseau ne revient sur lui-même que quand le sang a cessé de le distendre. S'il en était ainsi, les artères équivaudraient à des canaux inflexibles, et le cours du sang artériel ne serait point continu ; mais on peut aisément démontrer que la force par laquelle se resserrent les artères est plus que suffisante pour chasser le sang qu'elles contiennent.

Quand deux ligatures sont appliquées en même temps et à quelques centimètres de distance sur deux points d'une artère qui ne fournit pas de branches, on a une longueur d'artère dans laquelle le sang n'est plus soumis qu'à la seule influence des parois. Si l'on fait à cette portion du vaisseau une petite ouverture, presque tout le sang qu'elle contenait est aussitôt lancé au dehors, et l'artère se rétrécit beaucoup. Cette expérience, connue depuis longtemps, réussit constamment. En voici une autre qui m'est propre, et qui peut, ce me semble, mettre le phénomène dans tout son jour : j'ai mis à découvert l'artère et la veine crurales d'un chien dans une certaine étendue ; j'ai passé au-dessous de ces vaisseaux, près du bassin, un lien, que j'ai ensuite serré fortement à la partie postérieure de la cuisse, de manière que tout le sang artériel arrivât au membre par l'artère crurale, et que tout le sang veineux retournât au tronc par la veine crurale ; j'ai appliqué alors une ligature sur l'artère crurale, et en quelques instants ce vaisseau s'est vidé complétement dans la partie placée au-dessous de la ligature.

Il est donc bien prouvé que la force avec laquelle les artères reviennent sur elles-mêmes est suffisante pour expulser le sang qu'elles contiennent. Mais de quelle nature est ce resserrement ? Nous avons prouvé qu'il ne peut être attribué à l'irritabilité. Tout porte à croire qu'on doit le rapporter à l'élasticité très-grande dont jouissent les parois artérielles, élasticité qui est mise en jeu dès que le cœur pousse une certaine quantité de sang dans la cavité de ces vaisseaux. Cette propriété des artères étant connue, il est aisé de concevoir comment, l'agent principal du mouvement artériel étant alternatif, le cours du liquide est cependant continu. L'élasticité des parois artérielles représente celle du réservoir d'air dans certaines pompes à jeu alternatif, et qui pourtant fournissent le liquide d'une manière continue.

Il ne suffit pas de reconnaître l'espèce d'influence qu'a le resserrement des artères sur le mouvement du sang artériel : il faut savoir si ce resserrement n'influe pas d'une manière sensible sur le cours du sang dans les veines. C'est ce qu'éclaircit l'expérience suivante : mettez à nu, comme dans l'expérience précédente, l'artère et la veine crurales d'un chien ; liez fortement le membre, en ayant le soin de n'y pas comprendre ces vaisseaux ; liez ensuite la veine crurale, et faites-y, au-dessous de la ligature, une petite ouverture d'une ligne ou deux de longueur ; le sang coule en formant un jet continu. Si l'on comprime l'artère de manière à y intercepter le cours du sang, le jet continue encore quelques instants ; mais on le voit diminuer sensiblement, à mesure que l'artère se vide. Il cesse enfin tout à fait dès que l'artère est entièrement vide ; et quoique la veine reste distendue par le sang dans toute sa longueur, le liquide ne sort plus par la petite plaie. Si on cesse alors de comprimer l'artère, le sang s'y précipite avec force, et presque au même instant il recommence à couler par l'ouverture de la veine, et le jet se rétablit comme auparavant. Si l'on gêne le cours du sang dans l'artère, on n'a qu'un faible jet par la veine ; il en est de même si l'on intercepte et permet alternativement le passage de ce liquide.

Je rends le même phénomène évident d'une autre manière ; j'introduis dans l'artère crurale l'extrémité d'une seringue remplie d'eau à 30 degrés ; je pousse lentement le piston, et bientôt le sang sort par l'ouverture de la veine, d'abord seul et ensuite mêlé à l'eau, et il forme un jet d'autant plus considérable que l'on presse le piston avec plus de force.

Prouver, comme nous l'avons fait, que le cœur conserve une influence manifeste sur le cours du sang dans les vaisseaux capillaires, ce n'est point avancer que ces vaisseaux n'ont point d'action sur le mouvement de ce fluide. Une foule de phénomènes physiologiques établissent, au contraire, que les capillaires peuvent se prêter avec plus ou moins de facilité au passage du sang, et par conséquent influencer sensiblement son cours.

Du prétendu soulèvement de l'estomac dans le vomissement (1). — Dans aucune circonstance l'estomac ne se soulève, comme le dit Bichat. L'opinion que l'estomac se soulève dans le vomissement a pris naissance dans un temps d'ignorance, et l'on a droit de s'étonner qu'elle ait trouvé jusqu'à nos jours des partisans. Ce n'est pas qu'on l'ait constamment suivie; Bayle et P. Chirac l'avaient combattue par des expériences; Senac, Van Swiéten, Duverney, s'étaient déclarés contre elle; mais Haller, en l'adoptant, changea tout à coup les esprits, et fixa les incertitudes de ce grand nombre de physiologistes qui, ne prenant pas la peine de faire eux-mêmes des expériences, aiment à se reposer sur la foi d'un nom fameux. Certainement, en physiologie, les opinions de Haller sont en général d'un grand poids; mais c'est qu'avant de les énoncer en proposition générale, ce sage observateur avait coutume de répéter un grand nombre de fois les expériences sur lesquelles il les fondait : or, dans ce cas, il n'a pas assez douté de l'usage de l'estomac dans le vomissement.

Il a fait quatre expériences seulement, moins pour s'assurer que le phénomène existât que pour le voir tel qu'il le supposait. Il est bien difficile, même pour le meilleur esprit, de se dépouiller, en observant, des idées reçues précédemment sans examen. On peut donc croire que dans cette circonstance Haller a vu légèrement. Ces considérations m'ont déterminé, il y a quelques années, à m'assurer par moi-même de ce qui se passe dans le vomissement, et de la part qu'y prend l'estomac. Je rapporterai brièvement les expériences que je tentai à ce sujet. La première fut faite sur un chien de moyenne taille, auquel je fis avaler six grains d'émétique. Quand ce médicament eut excité des nausées, j'incisai la ligne blanche au niveau de l'estomac, et j'introduisis mon doigt dans l'abdomen. A chaque nausée, je le sentais comprimé assez fortement en haut par le foie, qu'abaissait le diaphragme, et en bas par les intestins, que pressaient les muscles abdominaux. L'estomac me paraissait aussi comprimé; mais au lieu de le sentir se contracter, il me semblait, au contraire, augmenter de volume.

(1) Note de M. Magend

Les nausées, cependant, se rapprochaient de plus en plus, et les efforts plus marqués qui précèdent le vomissement se manifestaient. Le vomissement enfin se montra, et alors je sentis mon doigt pressé avec une force vraiment extraordinaire. L'estomac se vida d'une partie des aliments qu'il contenait ; mais je n'y distinguai aucune contraction sensible. Les nausées ayant cessé quelques instants, j'agrandis l'ouverture de la ligne blanche afin d'observer l'estomac. Aussitôt que l'incision fut agrandie, l'estomac vint s'y présenter, et fit effort pour sortir de l'abdomen ; mais je m'y opposai en le comprimant avec la main. Les nausées recommencèrent au bout de quelques minutes, et je ne fus pas peu surpris de voir l'estomac se remplir d'air à mesure qu'elles se rapprochaient. En très-peu de temps l'organe tripla de volume ; le vomissement suivit bientôt cette dilatation, et il fut sensible pour toutes les personnes présentes que l'estomac avait été comprimé sans avoir éprouvé la moindre contraction dans ses fibres. Cet organe se vida d'air et d'une portion d'aliments ; mais, immédiatement après la sortie de ces matières, il était flasque, et ce ne fut qu'au bout de quelques instants que, se resserrant peu à peu sur lui-même, il reprit à peu près les mêmes dimensions qu'il avait avant le vomissement. Un troisième vomissement eut lieu, et nous vîmes se reproduire la même série de phénomènes.

Afin de savoir d'où venait l'air qui, pendant les nausées, distendait l'estomac, j'appliquai une ligature sur l'estomac, près de l'ouverture pylorique, de manière à fermer la communication qui existe entre cet organe et l'intestin grêle, et je fis avaler au chien six autres grains d'émétique en poudre. Au bout d'une demi-heure, le vomissement reparut accompagné des mêmes phénomènes. Le gonflement de l'estomac par l'air fut au moins aussi marqué que dans l'expérience précédente ; du reste, aucune trace de contraction dans l'estomac ; on ne distinguait pas même sensiblement son mouvement péristaltique. L'animal ayant été tué quelques instants après dans une expérience qui n'avait point de rapport au vomissement, nous examinâmes l'abdomen. Nous vîmes que l'estomac avait des dimensions considérables ; son tissu était flasque et nullement contracté ; la ligature placée à l'orifice pylorique ne s'était point dérangée ; l'air n'avait pu pénétrer par cette voie.

Ayant répété cette expérience et obtenu constamment les mêmes résultats, je crus être en droit de conclure, avec Chirac et Duverney, que la pression mécanique exercée sur l'estomac par le diaphragme et les muscles abdominaux entrait pour beaucoup dans la production du vomissement : or, s'il en était ainsi, en soustrayant l'estomac à cette pression, on devait empêcher le vomissement ; l'expérience confirma cette conjecture.

J'injectai dans la veine d'un chien quatre grains d'émétique dissous dans deux onces d'eau commune (par ce moyen on obtient le vomissement d'une manière plus prompte et plus sûre); je fis ensuite une ouverture à l'abdomen, et quand les premiers efforts de vomissement commencèrent à paraître, je tirai promptement au dehors la totalité de l'estomac, ce qui n'empêcha pas les efforts de vomissement de continuer. L'animal fit absolument les mêmes efforts que s'il eût vomi ; mais il ne sortit aucune matière de l'estomac ; cet organe resta complétement immobile. Je voulus voir alors quel serait l'effet d'une pression exercée sur l'estomac ; pour cela, je plaçai la main droite sur la face antérieure de cet organe et la main gauche sur la face postérieure. A peine la pression fut-elle commencée, que les efforts de vomissement, c'est-à-dire la contraction du diaphragme et celle des muscles de l'abdomen recommencèrent avec force. Je suspendis la pression ; les muscles abdominaux et le diaphragme suspendirent bientôt leurs contractions. Je renouvelai la pression, les contractions des muscles recommencèrent ; je la suspendis de nouveau, elles cessèrent ; et ainsi sept ou huit fois de suite. La dernière fois, j'exerçai une pression forte et soutenue, ce qui produisit un véritable vomissement. Une partie des matières contenues dans l'estomac fut évacuée. Je répétai cette expérience sur un autre chien ; j'observai les mêmes faits : seulement je remarquai de plus que les contractions du diaphragme et des muscles abdominaux pouvaient être déterminées par une simple traction exercée sur l'œsophage.

Dans l'expérience que nous venons de rapporter, la substance vomitive avait été introduite dans les veines, et nous avons fait remarquer que les effets étaient plus prompts et plus sûrs que si la même substance eût été introduite dans l'estomac. Cela seul pouvait porter à soupçonner que le vomissement n'était pas dû, comme on le croyait généralement, à l'impression de l'émétique sur la membrane muqueuse de l'estomac; car, dans ce cas, son action aurait dû être plus prompte quand il était mis directement en contact avec cette membrane que quand il y arrivait avec le sang après avoir traversé les poumons et les quatre cavités du cœur. Afin d'éclaircir cette question, afin de voir si les contractions des muscles étaient le résultat de l'impression produite sur l'estomac, ou si elles étaient excitées plus directement par la substance vomitive charriée dans le torrent de la circulation, je fis l'expérience suivante :

J'ouvris l'abdomen d'un chien, et, ayant fait sortir par là l'estomac, je liai avec soin les vaisseaux qui se rendent à ce viscère, et je l'extirpai en totalité (j'avais reconnu dans des expériences précédentes qu'un chien pouvait vivre ainsi quarante-huit heures après qu'on lui avait enlevé l'estomac). Je fis un point de suture aux parois abdominales ; puis, ayant mis la veine crurale à découvert, j'injectai dans sa cavité une dissolution de deux grains d'émétique dans une once et demie d'eau. A peine avais-je fini l'injection que le chien commença à avoir des nausées, et bientôt il fit tous les efforts que cet animal a coutume de faire quand il vomit. Ces efforts même me parurent beaucoup plus violents et plus prolongés que dans le vomissement ordinaire. Le chien parut tranquille environ un quart d'heure ; je renouvelai alors l'injection, et je poussai toujours dans la veine crurale deux autres grains d'émétique, ce qui fut suivi des mêmes efforts de vomissement. Je répétai plusieurs fois l'expérience, et toujours avec le même succès. Mais celle-ci même m'en suggéra une autre, que j'exécutai de la manière suivante. Je pris un chien d'une assez grande taille, auquel j'extirpai l'estomac, comme je l'avais fait dans l'expérience précédente ; j'introduisis dans l'abdomen une vessie de cochon au col de laquelle j'avais fixé par des fils une canule de gomme élastique; je fis entrer le bout de cette canule dans l'extrémité de l'œsophage, et je l'y fixai aussi par des fils, en sorte que la vessie simulait assez bien l'estomac, et était comme lui en communication avec l'œsophage. Je fis passer dans la vessie environ un demi-litre d'eau commune, ce qui la distendit, mais ne la remplit pas entièrement. Une suture fut pratiquée à la plaie de l'abdomen, et quatre grains d'émétique furent injectés dans la veine jugulaire. Bientôt les nausées se manifestèrent et furent suivies de véritables efforts de vomissement ; enfin, après quelques instants, l'animal vomit en abondance l'eau de la vessie.

Il résultait évidemment des expériences précédentes que les muscles abdominaux et le diaphragme concourent à produire le vomissement ; mais il restait à déterminer quelle est la part du diaphragme dans la production de ce phénomène, quelle est celle des muscles abdominaux.

Si le diaphragme n'avait reçu que les nerfs diaphragmatiques, il aurait été facile de s'opposer à la contraction de ce muscle en coupant ces nerfs ; mais il reçoit aussi des filets des paires dorsales, et ces filets suffisent pour entretenir ces contractions. Cependant l'expérience nous a démontré que, les nerfs diaphragmatiques étant coupés, la contraction du diaphragme diminue très-sensiblement d'énergie ; et l'on peut dire, sans se tromper beaucoup, que ce muscle perd par cette section les trois quarts de sa force contractile. Il était donc utile de voir quelle influence aurait sur la production du phénomène la section de ces nerfs. Nous avons pratiqué cette section au cou sur un chien de trois ans, et nous lui avons ensuite injecté dans la veine jugulaire trois grains d'émétique : il n'y a eu qu'un vomissement très-faible ; une autre injection d'émétique, faite un quart d'heure après, n'a pas excité de vomissement. Nous avons ouvert l'abdomen, et nous avons cherché à produire le vomissement en comprimant l'estomac. La pression, quoique très-forte et très-longtemps soutenue, n'a provoqué aucun effort de vomissement ; elle ne parut même pas déterminer de nausées. Nous crûmes que cette circonstance pouvait tenir à une disposition individuelle de l'animal ; mais ayant plusieurs fois depuis répété cette expérience, nous n'avons pas obtenu d'autres résultats.

Pour bien apprécier la part que prennent dans le vomissement les muscles abdominaux par leurs contractions, nous devions observer ce qui aurait lieu quand ces muscles ne pourraient plus agir. Il n'y avait qu'un seul moyen d'y parvenir : c'était de séparer ces muscles de leurs attaches aux côtes et à la ligne blanche ; c'est ce que nous avons exécuté sur plusieurs animaux ; nous avons détaché successivement le grand oblique, le droit et le transverse, ne laissant dans toute l'étendue de la face antérieure de l'abdomen que le péritoine. Lorsque l'on a ainsi enlevé ces muscles, on voit très-distinctement à travers le péritoine tout ce qui se passe dans cette cavité ; on distingue parfaitement, par exemple, le mouvement péristaltique de l'estomac et des intestins ; et si l'estomac se contractait, il serait aisé de s'en assurer. Les muscles abdominaux ainsi détachés, nous avons injecté trois grains d'émétique dans la veine jugulaire, et presque aussitôt les nausées et les vomissements se sont manifestés par le seul fait de la contraction du diaphragme. Il était curieux de voir dans la contraction convulsive de ce muscle toute la masse intestinale poussée en bas et venant presser fortement sur le péritoine, qui se rompait dans certains points. Dans ce cas, la ligne blanche, formée dans toute sa longueur par un tissu fibreux très-fort, est la seule partie qui résiste à la pression des viscères : son existence est donc tout à fait indispensable pour que le vomissement puisse arriver ; peut-être remplit-elle un usage analogue dans l'état ordinaire. Cette expérience prouve que le vomissement peut être produit par les seuls efforts du diaphragme, ce qui est encore confirmé par l'expérience suivante.

Nous avons, comme ci-dessus, détaché les muscles abdominaux et mis à nu le péritoine ; nous avons ensuite coupé les nerfs diaphragmatiques et nous avons injecté de l'émétique dans les veines. L'animal a eu quelques nausées, mais rien de plus. Quoique nous ayons recommencé plusieurs fois l'injection de l'émétique, nous n'avons jamais pu produire aucun effort sensible de vomissement.

Des différentes expériences que nous venons de rapporter, et des faits que nous avons fait connaître dans une note précédente relativement aux mouvements de l'œsophage, on peut conclure sans rien hasarder :

1° Que le vomissement peut arriver sans que l'estomac présente aucun indice de contraction ;

2° Que la pression exercée immédiatement sur l'estomac par le diaphragme et les muscles de l'abdomen paraît suffire pour la production du vomissement lorsque l'occlusion de la partie inférieure de l'œsophage n'y met point d'obstacle ;

3° Que la contraction convulsive du diaphragme et des muscles abdominaux, dans le vomissement par le tartrate antimonié de potasse et les substances vomitives proprement dites, est le résultat d'une action directe de ces substances sur le système nerveux et indépendante de l'impression ressentie par l'estomac.

De l'absorption considérée comme dépendante de la sensibilité organique des orifices absorbants (1). — C'est principalement à la théorie de l'absorption que Bichat applique avec une prédilection marquée sa prétendue loi vitale désignée sous le nom de *sensibilité organique*. A l'en croire, les orifices absorbants n'admettent que les fluides qui sont en rapport avec leur propre nature et leur fonction; ils se ferment et repoussent tout fluide étranger, toute substance nuisible. Malheureusement pour cette théorie, les lymphatiques n'offrent aucune espèce d'orifices et se trouvent clos de toutes parts; malheureusement aussi l'absorption des poisons, des virus, des miasmes, etc., nous prouve chaque jour que les organes chargés d'accomplir cette fonction ne possèdent pas ce précieux discernement vital. L'hypothèse de Bichat est trop répandue, trop généralement acceptée pour que nous n'entrions pas dans quelques détails sur cet important problème de physiologie.

Avant la découverte des vaisseaux lactés par Aselli en 1622 et celle des lymphatiques en 1650, les veines passaient pour les agents de l'absorption; mais lorsqu'on vit ces nouveaux vaisseaux se remplir de chyle après le repas, lorsqu'on reconnut la disposition des valvules des lymphatiques, en un mot, quand on fut assuré qu'ils absorbaient, on se trouva porté à les regarder comme seuls chargés de cette fonction. Aujourd'hui il est généralement reconnu que ces deux ordres de vaisseaux en sont concurremment les organes. Les expériences de nombreux observateurs, celles surtout de MM. Magendie, Emmert, Mayer, Tiedemann, Gmelin, expériences qui ont été variées de toutes les manières, ont mis hors de doute la faculté absorbante des veines qu'on leur refusait absolument depuis bientôt un siècle, depuis Hunter. Mais si les veines absorbent aussi bien que les lymphatiques, d'où vient la nécessité de ce dernier ordre de vaisseaux? Serait-ce une superfétation, une création inutile de la force qui produit les organes? Une pareille supposition n'étant guère admissible, on devait donc présumer que ces deux espèces de vaisseaux n'avaient pas un

(1) Cette note et les notes suivantes nous ont été communiquées par M. le docteur Dubreuil.

rôle identique, ne se comportaient pas de la même manière dans l'accomplissement de l'absorption, et peut-être encore n'agissaient pas sur les mêmes matériaux.

Les substances fluides pénètrent dans les capillaires, et de là passent nécessairement dans les veines, parce que le courant sanguin marche des artères aux capillaires, puis aux veines et au cœur. Le phénomène primitif de l'absorption considérée dans les capillaires est la perméabilité des tissus animaux aux liquides et aux gaz. Cette perméabilité que nous observons dans ces tissus, même après la mort, dépend de leur porosité invisible et se nomme imbibition. On pourrait donc, selon Muller, appeler cette sorte d'absorption qu'exercent les tissus animaux complétement privés de vie, absorption inorganique, par opposition à l'absorption lymphatique.

Mais cette pénétration du tissu par les fluides liquides ou gazeux suit certaines lois. Quand deux liquides, de l'eau pure et de l'eau salée, par exemple, sont séparés par une membrane organique, il s'établit à travers cette membrane un double courant. Les deux liquides tendent à se mêler jusqu'à ce que la distribution du sel dissous soit uniforme des deux côtés du diaphragme. Le liquide le moins dense traverse plus rapidement la cloison membraneuse que l'autre; de sorte que ce dernier s'accroît aux dépens du premier jusqu'à certaines limites. Deux gaz en contact avec les deux surfaces d'une membrane pénètrent à travers cette séparation et se mêlent également, conformément à la même loi; cette règle générale pourtant, comme la plupart des autres, présente quelques exceptions. Un gaz se comporte avec un liquide comme le fluide le moins dense avec le plus dense. Il traverse la cloison pour être absorbé par le liquide voisin. C'est ainsi que pendant la respiration les fluides gazeux pénètrent dans le liquide sanguin sans que les globules de celui-ci puissent s'échapper, les pores des tuniques vasculaires ne donnant point passage aux particules rouges du sang. M. Dutrochet a donné à ces phénomènes, dont il a fait une étude spéciale, les noms d'endosmose et d'exosmose. Il a prouvé expérimentalement que la pénétration directe des substances dissoutes jusque dans les capillaires et le sang est un phénomène d'endosmose et non de simple imbibition. Toutefois l'endosmose ne suffit pas encore à elle seule à expliquer ce qui se passe dans l'absorption de tous les fluides par les tissus des animaux. Elle explique bien l'échange et le mélange de ces fluides, mais non leur diminution de quantité ou l'absorption proprement dite. A côté de l'endosmose il faut donc admettre que les tissus vivants exercent sur les fluides qui circulent en eux une attraction particulière, en vertu de laquelle ils ne laissent pas échapper leurs fluides propres tout en admettant les fluides extérieurs ; alors seulement il s'opère, non un simple échange, mais une véritable absorption. Il nous semble évident, en outre, que dans les capillaires sanguins l'action du cœur ou le mouvement du sang facilite l'introduction des fluides, et entrave au contraire jusqu'à un certain point l'exhalation à travers les parois vasculaires.

Obligé, sur un sujet aussi vaste, de n'effleurer que certains points principaux et de passer sous silence un grand nombre de considérations importantes, nous ne parlerons ni des diverses théories par lesquelles on a essayé d'expliquer l'endosmose et l'exosmose, ni de l'influence du galvanisme, de la pléthore, de la température, etc., sur l'absorption, ni des changements que subissent les matières absorbées, ni des différences que présentent les divers tissus quant à leur perméabilité, ni enfin de l'exhalation et de la sécrétion dans leurs rapports avec l'absorption ; nous signalerons seulement encore deux caractères particuliers de l'absorption veineuse. Le premier est la rapidité avec laquelle elle s'opère. Les expériences de Muller établissent qu'il faut moins d'une seconde pour qu'un liquide traverse, dans une quantité appréciable, une membrane dépouillée de son épiderme, de façon à atteindre le premier réseau de capillaires, et à pénétrer ainsi dans le courant circulatoire. Maintenant le sang se meut avec une telle rapidité, qu'il parcourt son circuit en une ou deux minutes, et même, selon les calculs d'Hering, en une demi-minute. Une demi-minute ou deux minutes au maximum suffisent donc pour qu'un liquide mis en contact avec une membrane privée d'épiderme soit distribué dans le corps entier. C'est ainsi que s'explique l'action si prompte des poisons narcotiques.

Le deuxième caractère qui distingue l'absorption veineuse est le fait que toutes les substances en état de solution peuvent pénétrer dans ces vaisseaux ; mais il ne faut pas qu'elles consistent en globules. Elles n'y subissent d'ailleurs aucune altération particulière.

Comme nous l'avons fait pour l'absorption veineuse, nous traiterons seulement des particularités qui distinguent l'absorption lymphatique, c'est-à-dire des substances qui pénètrent dans les vaisseaux lymphatiques et chylifères, du procédé suivant lequel s'opère cette absorption, enfin du mouvement et de la progression du chyle et de la lymphe dans leurs vaisseaux propres.

La partie liquide du sang qui a fourni les matériaux nécessaires à la nutrition des organes et qui imbibe les tissus rentre dans la circulation par l'intermédiaire des lymphatiques et du canal thoracique. Le fluide contenu dans les lymphatiques est donc tout simplement du sang sans globules rouges, et le sang est de la lymphe avec des globules rouges : aussi, d'après Muller, lorsque le sang perd la propriété de se coaguler, la lymphe la perd également. La liqueur du sang est le principal élément sur lequel s'exerce l'absorption lymphatique dans l'état normal, les globules que contient la lymphe paraissant formés par de petites molécules enlevées au parenchyme des organes. Mais on a quelquefois découvert dans ces vaisseaux d'autres substances encore, de la bile dans le cas d'obstruction des conduits biliaires, des matières calcaires dans certains cas d'affections des os. Du pus même, dit-on, a été trouvé dans les lymphatiques. Nous ne nions pas le fait ; mais alors le pus provenait de l'inflammation de ces vaisseaux eux-mêmes ; car si la partie fluide du pus peut être absorbée par ces vaisseaux, les globules purulents ne sauraient y pénétrer du dehors ; leur volume est trop considérable, et double même de celui des particules rouges du sang. De nombreuses expériences établissent que les lymphatiques n'absorbent pas les matières colorantes, et que les sels sont les seules substances étrangères qu'ils admettent ; encore ce cas se présente-t-il rarement. Maintenant, pourquoi l'absorption lymphatique ne s'exerce-t-elle que sur certains fluides ? On ne peut répondre à cette question que par l'hypothèse d'une affinité particulière entre ces fluides et ces vaisseaux. En outre de cette affinité, les lymphatiques et leurs glandes font subir une élaboration spéciale aux substances qu'ils ont admises, non-seulement au chyle, comme chacun sait, mais encore aux matières étrangères, ainsi que l'a prouvé Emmert.

L'absorption par les vaisseaux chylifères et lymphatiques

ne peut s'expliquer par les lois de la capillarité ni par celles de l'endosmose. Elle paraît dépendre, dit le célèbre physiologiste que nous avons déjà souvent cité, d'une attraction dont la nature nous est actuellement inconnue, mais dont la sécrétion forme, pour ainsi dire, la contre-partie; les fluides, après avoir été modifiés par l'action sécrétante, sont repoussés vers le seul côté libre des membranes sécrétoires, et ensuite sont mus *à tergo* par l'impulsion continue du nouveau liquide qui se produit successivement. Cette attraction mérite réellement d'être appelée vitale, puisque les lymphatiques n'absorbent plus après la mort.

La cause principale du mouvement du chyle et de la lymphe dans leurs vaisseaux paraît résider dans la continuation de l'absorption par le réseau radiculaire des lymphatiques; sans doute aussi leur progression est aidée par la disposition des valvules des absorbants, par l'action aspirante du cœur sur le contenu du canal thoracique, par l'action musculaire; et quoiqu'on n'ait pu parvenir à provoquer des contractions bien évidentes dans les lymphatiques et le canal thoracique, on pourrait peut-être encore, avec Tiedemann et Gmelin, y admettre une contraction progressive et imperceptible.

L'obscurité des causes qui déterminent la marche des liquides dans le système lymphatique doit faire présumer qu'elles n'agissent pas avec une très-grande énergie. En effet, le mouvement de ces fluides est fort lent, surtout si on le compare à celui du sang. On ne peut, au reste, le mesurer que d'une manière fort indirecte et inexacte. Collard de Martigny ayant vidé par la compression le principal tronc lymphatique du cou d'un chien, le vaisseau se remplit de nouveau en sept minutes. Magendie obtint en cinq minutes une demi-once de chyle du canal thoracique d'un chien de moyenne taille.

Si en traitant de l'absorption lymphatique nous n'avons pas parlé de celle du chyle par les vaisseaux lactés, c'est que cette dernière suit les mêmes lois que la première. Les seules particularités qu'elle présente résultent de la nature propre du fluide.

Nous n'avons pas besoin de dire que dans les parties où l'on n'a pas pu démontrer l'existence de lymphatiques, par exemple dans les os, l'œil, le placenta, l'absorption s'opère nécessairement au moyen des veines; mais pour celles qui reçoivent à la fois des vaisseaux lymphatiques et des vaisseaux sanguins, on n'a pu encore déterminer quel est de ces deux ordres de vaisseaux celui qui prend le plus de part à l'accomplissement de cette fonction.

De l'introduction des gaz délétères par la voie pulmonaire. — Tous les gaz, l'oxygène excepté, sont incapables d'entretenir la respiration, par conséquent tous produisent l'asphyxie; mais plusieurs d'entre eux, ainsi que l'établit Bichat, outre qu'ils n'artérialisent pas le sang, exercent sur l'économie une action délétère. L'azote, le protoxyde d'azote et l'hydrogène sont impropres à la respiration, et ils causent la mort par suite de la non-conversion du sang noir en sang rouge. Dans son excellent *Traité de médecine légale*, M. Devergie énumère, parmi les gaz délétères, les gaz ammoniac, oxyde de carbone, acide carbonique, chlore, protoxyde et deutoxyde de chlore, cyanogène, hydrogène arsénié, hydrogène sulfuré, hydrogène carboné, hydrogène protophosphoré et perphosphoré, acide nitreux, oxygène et acide sulfureux.

Il y a bien des degrés dans la faculté toxique de ces différents fluides. Ainsi, par exemple, l'hydrogène arsénié tue aussi sûrement, mais moins vite, que la vapeur du cyanogène. L'absorption de l'hydrogène sulfuré, lors même qu'elle s'opère exclusivement par la surface cutanée, est promptement mortelle. Les effets délétères du gaz acide carbonique se produisent également avec rapidité par cette voie, ainsi que M. Collard de Martigny l'a expérimenté sur lui-même.

Quelques-uns des gaz que nous venons de citer ne se préparant que dans les laboratoires, c'est dans ces endroits seulement qu'ils pourraient donner lieu à des accidents, comme on l'a observé une fois pour le gaz nitreux. Le plus ordinairement, lorsque les gaz délétères déterminent des accidents, ils agissent à l'état de combinaison. Ainsi donc, si, sous le point de vue physiologique, il est mieux d'étudier isolément les effets que détermine chaque gaz en particulier, sous le point de vue pratique, il est préférable de décrire les asphyxies produites par des gaz combinés, dans des conditions et des circonstances où ces combinaisons s'opèrent et peuvent devenir funestes. On doit, par exemple, décrire à part l'asphyxie que détermine la combustion du charbon, et celle que produit la vapeur qui se dégage dans la fermentation alcoolique, l'asphyxie par le gaz de l'éclairage, et celle qui résulte de l'action des gaz divers qui se développent dans les fosses d'aisances.

De l'impulsion donnée à la circulation dans l'expiration. — La force de l'impulsion qui chasse le sang dans le système artériel augmente pendant l'expiration. Cela dépend de ce que, dans cet acte, la poitrine se contracte, et fait ainsi subir aux gros vaisseaux une certaine compression. Ce phénomène, déjà noté par Haller, a été apprécié plus exactement par M. Poiseuille, au moyen de l'ingénieux instrument qui lui a servi à mesurer la puissance du cœur. Cet observateur a constaté expérimentalement que l'impulsion de l'ondée sanguine était plus énergique à chaque expiration, et devenait plus faible pendant l'inspiration : « L'augmentation que l'expiration détermine dans la force par laquelle le sang est chassé est si considérable chez beaucoup de personnes, dit Muller, que le pouls radial devient imperceptible, quand elles font une inspiration prolongée et retiennent leur respiration ; je suis moi-même dans ce cas. Ce phénomène explique jusqu'à un certain point la fable qui attribue à quelques individus la faculté de suspendre à volonté les battements de leur cœur. »

De l'introduction de l'air dans les veines. — Ce fait important, que l'injection de l'air en quantité notable dans les veines détermine des accidents promptement funestes, est depuis le xviie siècle acquis à la science : c'est Wepfer qui le premier en fit l'expérience sur un animal vivant. Un grand nombre d'expérimentateurs la reproduisirent avec le même résultat. Dès cette époque on reconnut que la mort dépendait de l'introduction de l'air dans le cœur, dont les parois, distendues outre mesure par le fluide gazeux, ne pouvaient plus se contracter. Telle était donc l'opinion commune, opinion qui avait pour elle l'autorité imposante de Morgagni, lorsque Bichat s'éleva contre cette doctrine, et prétendit que dans ce cas la mort survenait par le cerveau. Depuis lui, quelques expérimentateurs, M. Leroy (d'Étiolles) entre autres, ont attribué à l'emphysème du poumon le résultat fatal de l'introduction de l'air dans le système veineux.

La théorie de Bichat est fausse de tout point ; la seconde est vraie dans certains cas, mais on ne doit pas l'adopter exclusivement. Nysten et M. Magendie ont établi par de nombreuses expériences que la mort est subite toutes les fois que l'on injecte brusquement une grande quantité d'air dans les veines ; car alors les cavités droites du cœur sont tellement distendues par la présence de l'air dilaté par la chaleur, qu'elles sont incapables de se contracter pour chasser le sang dans les poumons. Ce n'est pas seulement sur les animaux que l'on a observé ce phénomène ; malheureusement l'homme en a fourni plusieurs exemples tout à fait identiques. En voici deux que cite M. Ollivier à l'article AIR du *Dictionnaire de Médecine*, 2e édition : « Une jeune fille entra à l'Hôtel-Dieu pour y être traitée d'une tumeur énorme qu'elle portait à la partie postérieure et latérale droite du cou. L'accroissement rapide de cette tumeur décida M. Dupuytren a en pratiquer l'ablation. La dissection était presque achevée ; la masse ne tenait plus qu'à un lambeau des téguments de la partie antérieure et latérale du cou, lorsque tout à coup on entendit un sifflement prolongé, analogue à celui qui est produit par la rentrée de l'air dans un récipient où l'on a fait le vide. La malade est aussitôt prise d'un tremblement général, s'affaisse sur sa chaise et expire. Tous les moyens usités pour combattre la syncope et l'asphyxie furent employés inutilement. A l'ouverture du cadavre, on trouva l'oreillette droite gonflée par de l'air qui lui donnait une tension élastique, et lorsqu'on incisa, l'air s'en échappa en grande quantité sans aucun mélange de sang. Les veines et les artères du tronc et des membres contenaient un sang liquide mêlé à une si grande quantité d'air, que les vaisseaux, piqués de distance en distance, laissaient partout échapper des bulles mêlées de sang : une veine assez volumineuse, logée dans un sillon de la tumeur, et qui s'ouvrait dans la jugulaire, avait été ouverte. Adhérent à la gouttière qui le contenait, ce vaisseau dut rester béant et laisser une voie facile à l'introduction spontanée de l'air atmosphérique au premier mouvement d'inspiration fait par la malade. — Chez un jeune homme tous les vaisseaux du membre supérieur gauche étaient devenus le siége d'une hypertrophie considérable qui avait déterminé à la fois l'épaississement de leurs parois et la dilatation de leur cavité. Les accidents graves résultant de cette altération nécessitèrent la désarticulation du membre ; l'opération était presque terminée, de nombreuses ligatures avaient été appliquées, quand on entend tout à coup, à deux reprises, un bruit que M. Delpech compare à un reniflement très-bruyant : au même instant le malade éprouve une syncope et meurt. L'épaisseur et la résistance des parois de toutes les veines du membre malade avaient empêché ces vaisseaux de s'affaisser ; leur cavité restait béante : aussi pensa-t-on que la mort était due sans doute à la pénétration de l'air dans quelques-uns de ces vaisseaux ; l'ouverture du cadavre le démontra. On la fit après avoir plongé le corps dans une immense baignoire : des cloches avaient été disposées pour recueillir tous les gaz qui se dégageraient ; il n'en sortit que des cavités droites du cœur, qui en étaient distendues. L'analyse prouva que ce gaz était bien de l'air atmosphérique. »

Quand on injecte de l'air dans le système veineux en faible quantité et à plusieurs reprises, les parois du cœur ne sont pas paralysées ; cet organe, au contraire, se contracte avec plus de vivacité : alors le fluide gazeux, chassé avec le sang dans les poumons, s'accumule dans les dernières ramifications de l'artère pulmonaire. De là embarras de la respiration, toux et sécrétion d'un liquide visqueux et écumeux qui remplit les bronches et qui est en partie expectoré. Cet obstacle mécanique empêchant la circulation et l'artérialisation du sang veineux, la mort en doit être, au bout d'un temps plus ou moins long, la conséquence nécessaire. Dans ce cas-ci, on ne trouve pas d'air dans les cavités du cœur. La mort arrive donc évidemment par le poumon.

L'air injecté par les carotides agit autrement qu'injecté par les veines, parce qu'alors il n'est pas transmis directement au cœur. Lorsque la quantité d'air introduit est suffisante, on observe tous les phénomènes qui résultent d'une congestion cérébrale intense, et la mort survient dans ce cas comme dans toutes les apoplexies. Si toutefois on vient à injecter dans les carotides de l'air en telle quantité et avec une telle force qu'il parvienne dans les jugulaires, et de ces veines au cœur, le résultat de cette pénétration est rapidement fatal. L'animal périt comme dans les cas où l'air est insufflé immédiatement dans le système veineux.

Enfin, quand on introduit de l'air dans une des divisions de la veine porte, il n'en résulte ordinairement pas d'accidents fâcheux. Cette différence paraît tenir à l'influence particulière qu'exerce le foie sur les substances qui le traversent. M. Magendie, en effet, a démontré expérimentalement que plusieurs substances perdent leurs propriétés dans leur passage à travers ce milieu.

Distinction des nerfs de la sensibilité et de la contractilité animales. — Depuis Bichat, une découverte qui a quelque analogie avec celles de la circulation du sang a été le signal d'une révolution dans la physiologie et même l'anatomie du système nerveux. Nous voulons parler de la distinction des nerfs cérébro-spinaux en nerfs destinés aux impressions et en nerfs destinés au mouvement.

Les nerfs spinaux, au nombre de trente et une paires, naissent des parties antérieure et postérieure de la moelle épinière par deux racines. La racine antérieure fournit à chaque nerf les fibres motrices, et la postérieure les sensitives. Le nerf qui résulte de cette réunion des fibres de nature différente, en se répandant dans les tissus, y porte à la fois le principe du mouvement et celui du sentiment. Charles Bell n'avait cependant pas démontré par des expériences absolument inattaquables la vérité de sa découverte; mais depuis ses travaux un grand nombre de physiologistes distingués se sont mis à l'œuvre, et la science leur doit de nombreuses et importantes acquisitions. Aujourd'hui il est assez généralement admis que les nerfs encéphaliques, tout comme ceux qui proviennent de la moelle épinière, se divisent en nerfs moteurs et en nerfs sensitifs. Parmi ces derniers mêmes on doit encore distinguer les nerfs de sensations spéciales, c'est-à-dire les nerfs optiques, auditifs et olfactifs; car ces derniers ne jouissent pas de la faculté de transmettre au cerveau les impressions sensitives générales; ils ne lui portent que les impressions qui ont rapport à la fonction particulière de chacun d'eux.

De la transfusion du sang. — Ce n'est qu'avec une certaine précaution que l'on doit lire les expériences de transfusion qu'a exécutées Bichat, celles principalement où il s'est servi d'une seringue pour pratiquer cette opération. La coagulation du sang a lieu dans ce cas avec une extrême rapidité, et on doit le plus souvent y rattacher les accidents que l'on observe, et que l'on attribue à des causes tout à fait différentes. Il faut aussi ne pas oublier qu'une certaine quantité d'air peut pénétrer dans le système circulatoire pendant cette manœuvre. Depuis l'époque où vivait notre grand physiologiste, les effets de la transfusion ont été étudiés par un grand nombre d'auteurs, parmi lesquels

se distinguent surtout MM. Prevost et Dumas, Blundell, Dieffenbach, Bischoff. Nous allons résumer les principaux résultats
de ces recherches.

Prevost et Dumas ont démontré que la faculté vivifiante du
sang réside plus dans les particules rouges que dans le sérum.
Si, après avoir saigné un animal jusqu'à la défaillance, on lui
injecte dans les vaisseaux du sérum pur à la température de
37° centigrades, on ne le fait pas revenir à lui ; mais lorsqu'on
se sert du sang entier d'un individu de même espèce, l'animal
semble reprendre une nouvelle vie à chaque coup de piston,
et il se ranime graduellement. On réussit de même en se servant de sang dépouillé de sa fibrine. Le professeur Dieffenbach
a confirmé l'exactitude de ces expériences. Or, comme les
particules rouges du sang ne subissent pas d'altération quand
on lui a enlevé sa fibrine, comme le sang reste fluide et perd
sa tendance à la coagulation, qui est le principal obstacle au
succès de l'opération, Muller conseille dans le cas d'hémorrhagie, où il ne reste plus d'autres ressources que la transfusion,
d'employer préférablement du sang privé de sa fibrine. Les
recherches récentes du docteur Bischoff donnent une nouvelle
importance à cette observation.

Blundell, Dieffenbach et d'autres observateurs ont démontré
que le sang d'animaux d'espèces différentes, comme chien et
mouton, dont les corpuscules, quoique ayant la même forme,
diffèrent pourtant de volume, ne ranime en général que momentanément l'animal soumis à l'expérimentation, et que
celui-ci meurt au bout de peu de jours, après avoir offert de
l'accélération dans le pouls, une rapide diminution de chaleur,
avec des évacuations muqueuses et sanguinolentes.

Mais si l'on transfuse, même en très-minime quantité, du
sang de mammifère dans les veines d'un oiseau (les corpuscules sanguins des premiers sont circulaires et ceux des seconds
elliptiques), l'oiseau meurt en général instantanément et comme
empoisonné. Ce phénomène remarquable n'est pas susceptible
d'une explication mécanique ; car les corpuscules sanguins
des mammifères étant plus petits que ceux des oiseaux ne
peuvent asphyxier ceux-ci en obstruant la circulation pulmonaire. Le sang des poissons est également délétère pour les
mammifères et pour les oiseaux. Cette sorte d'intoxication
semble liée à la présence de la fibrine. En effet, Bischoff, après

avoir vérifié l'influence fatale que le sang de mammifère exerce sur les oiseaux, et vu ceux-ci périr en quelques secondes avec de violents symptômes semblables à ceux de l'empoisonnement, expérimenta sur du sang de mammifère préalablement dépouillé de sa fibrine au moyen du battage. Ayant chauffé à un degré convenable ce sang ainsi préparé, il l'injecta dans les veines d'oiseaux, et, à sa grande surprise, l'animal parut n'en éprouver aucun inconvénient ; aucun symptôme fâcheux ne se manifesta. Le principe qui rend le sang d'une classe d'animaux délétère pour une autre classe n'est donc pas, suivant Bischoff, identique avec le principe vivifiant du sang que l'on pourrait supposer propre à chaque classe tandis qu'il serait mortel pour toutes les autres. Si, en perdant sa fibrine, le sang d'un animal quelconque perd sa puissance toxique pour les animaux d'espèces différentes dans les veines desquels on l'injecte, il ne devient pas pour cela susceptible de les rappeler à la vie quand une hémorrhagie les a réduits à un état de mort apparente. Il n'est capable de produire cet effet que pour ceux de la même classe.

De la circulation chez les fœtus dépourvus d'encéphale et de moelle épinière. — Bichat et tous les physiologistes qui prétendent que les contractions du cœur et la circulation sont complétement indépendantes du système nerveux, s'appuient sur ce fait, que les fœtus acéphales et amyélencéphales se sont nourris et développés dans l'utérus, quoiqu'ils fussent dépourvus de cerveau et de moelle épinière. Pour répondre à cet argument, nous avons à considérer deux ordres de faits : 1° l'état du système circulatoire; 2° l'état du système nerveux dans cette classe de monstres.

Le cœur manque dans le plus grand nombre des acéphales ; Ernest Elben rapporte soixante-douze observations d'acéphales avec absence du cœur, et il regarde cette absence comme caractéristique de l'acéphalie. Cette loi pourtant n'est pas sans exception. M. Breschet cite trois fœtus de ce genre chez lesquels le cœur existait. Dans quelques cas d'absence du cœur, il existait encore une aorte et une veine cave, ou du moins des vaisseaux qui les représentaient. Les anomalies qu'offre le système vasculaire dans cette espèce de monstruosités sont trop variables pour qu'on puisse les décrire exactement d'une manière générale. Le plus souvent, néanmoins, l'appareil cir-

culatoire est simplement constitué par deux systèmes de vaisseaux unis, non par leurs troncs, mais seulement par leurs
capillaires. Selon Monro, le sang est porté du placenta au
fœtus par la veine ombilicale qui se divise et se ramifie dans
le corps du fœtus, puis il est repris par les ramifications de
l'artère ou des artères ombilicales (car parfois on n'en trouve
qu'une seule) qui le rapporte au placenta pour le revivifier.
Tiedemann donne une autre théorie qui nous paraît moins
satisfaisante, en ce qu'elle n'explique pas le mode de circulation dans les acéphales dépourvus d'aorte et de veine cave :
aussi nous ne l'exposerons pas. Il est inutile d'ajouter que les
acéphales n'ont pas de poumons, organe qui du reste se forme
très-tard dans le fœtus. C'est l'absence du cerveau qui a valu
leur nom à ces monstruosités. Les cas avérés d'amyélencé-
phalie sont d'une extrême rareté. Le cerveau manque toujours
lorsqu'il n'existe pas de moelle épinière, mais l'inverse n'a jamais lieu. Il est assez ordinaire que la moelle épinière offre
diverses imperfections chez les acéphales, qu'elle soit incomplétement développée et réduite à un fragment, à un tronçon
d'où partent des nerfs qui se rendent au tronc ou aux membres. Dans quelques cas fort rares, on a même constaté la
présence de nerfs thoraciques, abdominaux et cruraux, malgré
l'absence totale d'encéphale et de moelle épinière. Il n'existe
dans la science qu'une seule description d'un fœtus absolument dépourvu de nerfs; par malheur, cette observation, due
à Clarke, ne paraît nullement décisive.

« Mais, dit M. Breschet, il est un système nerveux lié inti-
mement aux vaisseaux : c'est le système nerveux ganglionnaire
ou nerf trisplanchnique. Il y a des exemples de fœtus acéphales
sans nerfs cérébraux et rachidiens, et par conséquent sans encéphale et sans rachis, tandis qu'on n'en connaît pas de bien
avérés d'absence du nerf grand sympathique. »

Maintenant peut-on admettre qu'il n'existait pas de circulation chez les fœtus privés de cœur? Nous ne le pensons pas.
Un point quelconque du vaisseau artériel pouvait jouir de la
faculté de se contracter, et ainsi remplir la fonction du cœur,
qui, au reste, présente simplement la forme d'un vaisseau durant la première période de la vie embryonnaire. La présence
constante de ganglions et de nerfs du grand sympathique nous
semble dans ce cas expliquer le problème de la circulation,

comme elle explique la persistance des contractions du cœur arraché de la poitrine d'un animal vivant. S'il est vrai, ainsi que l'affirment MM. Breschet et Lallemand, que les ganglions du grand sympathique présentent chez les amyélencéphales un volume plus considérable que chez les fœtus bien conformés, cette particularité anatomique doit être d'un grand poids en faveur de la théorie que nous venons d'exposer. Ainsi donc l'étude de l'acéphalie, loin de prouver que la circulation se fasse indépendamment de tout système nerveux, fournit plutôt un excellent argument en faveur de la thèse contraire, puisqu'il est démontré 1° qu'il existe constamment chez les acéphales un appareil nerveux ; 2° que le système vasculaire, se trouvant à un état tout à fait rudimentaire, n'a pas besoin pour être animé d'un système nerveux normalement développé.

De la roideur cadavérique. — On donne le nom de roideur cadavérique à un état de rigidité des membres qui survient après la mort et disparaît au bout d'un certain temps. Cette rigidité convertit le cadavre en un bloc tout d'une pièce ; pris par la tête, il s'enlève comme une planche. Si on essaye de fléchir un membre qui se trouve dans cet état, on éprouve une résistance assez considérable. Mais dès qu'en faisant un certain effort on est parvenu à la vaincre, l'articulation est assouplie pour toujours, et la roideur ne se renouvelle pas.

Selon Nysten, elle s'empare d'abord du cou, puis du tronc, ensuite des membres inférieurs, et enfin des supérieurs. Mais d'après Sommer, elle commence à la mâchoire inférieure, gagne les membres supérieurs en marchant de haut en bas, et enfin les membres inférieurs en suivant la même marche. Nysten prétend que la roideur saisit les muscles dans le dernier état où ils se sont trouvés pendant la vie, et les maintient dans la même position. C'est pour cela que les traits du visage conservent encore l'expression de l'état moral durant lequel la mort a frappé l'individu. Ils expriment le calme, la frayeur, la colère et l'ivresse. Cependant Sommer a constaté l'existence de mouvements réels, mais insensibles, qui dépendent de la rigidité : ainsi, si la mâchoire inférieure se trouve abaissée au moment de la mort, ce qui arrive fréquemment, elle remonte vers la supérieure lorsque la rigidité s'empare du cadavre, Souvent encore le pouce s'applique contre la paume de la main ; parfois même l'avant-bras se fléchit un peu.

Sommer dit que la roideur cadavérique ne survient jamais plus tôt que dix minutes après la mort, ni plus tard que sept heures. Sa durée varie entre une demi-heure et plusieurs jours; la moyenne est de dix-huit à vingt-quatre heures. Bichat pensait que ce phénomène ne se manifestait pas toujours; Nysten affirme qu'il s'observe constamment. Ainsi la mort causée par l'électricité, par les poisons narcotiques, par la vapeur délétère du charbon, n'empêche pas l'établissement de la rigidité cadavérique. Seulement, lorsque la force musculaire n'est pas affaiblie, comme chez les asphyxiés, la roideur tarde davantage à se manifester; mais elle persiste plus longtemps, et dure alors jusqu'à six ou sept jours.

Après les maladies aiguës ou chroniques qui ont épuisé les forces du malade, elle se montre fort promptement; dans le typhus, par exemple, elle existe quelquefois au bout d'un quart d'heure. Elle survient également plus tôt et disparaît aussi plus vite chez les nouveau-nés et les vieillards. La destruction du cerveau et de la moelle épinière ne change rien à la promptitude de son invasion ou à sa durée. Une extrême chaleur, en hâtant la putréfaction, fait que la rigidité persiste moins longtemps. Au contraire, elle est plus forte et se maintient pendant un laps de temps plus considérable lorsque le cadavre est plongé dans l'eau à la température de 0 à 15 degrés centigrades que si on le laisse à l'air libre, même à une température également basse. Enfin Nysten prétend qu'elle ne commence qu'après la cessation de la chaleur vitale, tandis que Sommer dit l'avoir constatée avant le refroidissement.

En général, c'est dans les muscles que l'on place le siége de la roideur cadavérique. Elle se manifeste, en effet, lors même que la peau a été enlevée, et une expérience fort simple prouve qu'elle ne dépend pas des articulations. Si on ne coupe point les ligaments d'une articulation en respectant les tendons musculaires, la rigidité continue; elle cesse quand on pratique l'opération inverse, c'est-à-dire quand on fait une section transversale des muscles.

Nysten pense qu'elle est due à un reste de contractilité vitale. Mais comment la simple contractilité pourrait-elle donner aux muscles cette fermeté, cette densité, cette tension que l'on observe alors? Car dans cet état ils sont aussi saillants et aussi fortement dessinés sous la peau qu'ils l'étaient sur le vivant durant les mouvements volontaires. En un mot, quelle que soit la situation d'un membre, les muscles antagonistes, les extenseurs et les fléchisseurs présentent également ces phénomènes particuliers de roideur et de tension. Un prétendu reste de contractilité organique vitale ne peut rendre compte de ces faits. En outre, la fibre musculaire paraît alors acquérir une force de cohésion supérieure. Un muscle coupé immédiatement après la mort et encore susceptible de se contracter sous l'influence des stimulants, qui se déchirait quand on y suspendait un poids d'environ 2 onces, ne cédait vingt-quatre heures après la mort qu'à un poids de 2 livres. La contractilité organique n'explique nullement ce fait singulier.

Béclard, Tréviranus, Orfila, etc., attribuent la roideur cadavérique à la coagulation du sang et des parties fluides du corps. Selon Muller, cette explication a sur la première l'avantage de rendre un compte plus satisfaisant de certains phénomènes. Dans cette théorie, en effet, on conçoit aisément comment la coagulation du sang et de la lymphe, après avoir augmenté la cohésion, la diminue ensuite. La masse entière des liquides commence d'abord par devenir ferme et se prend en gelée; mais au bout d'un certain temps, qui varie selon diverses circonstances, le caillot fibrineux qui emprisonnait les parties fluides se resserre au point de chasser le sérum de ses interstices. Dès lors la rigidité tend à disparaître.

TABLE GÉNÉRALE DES MATIÈRES.

(1) La table analytique rédigée par Bichat lui-même contenant la pagination
et le titre des chapitres ou des paragraphes dont ce traité se compose, nous
nous dispensons de les reproduire ici.

Corbeil, typ. et stér. de Crété.

G

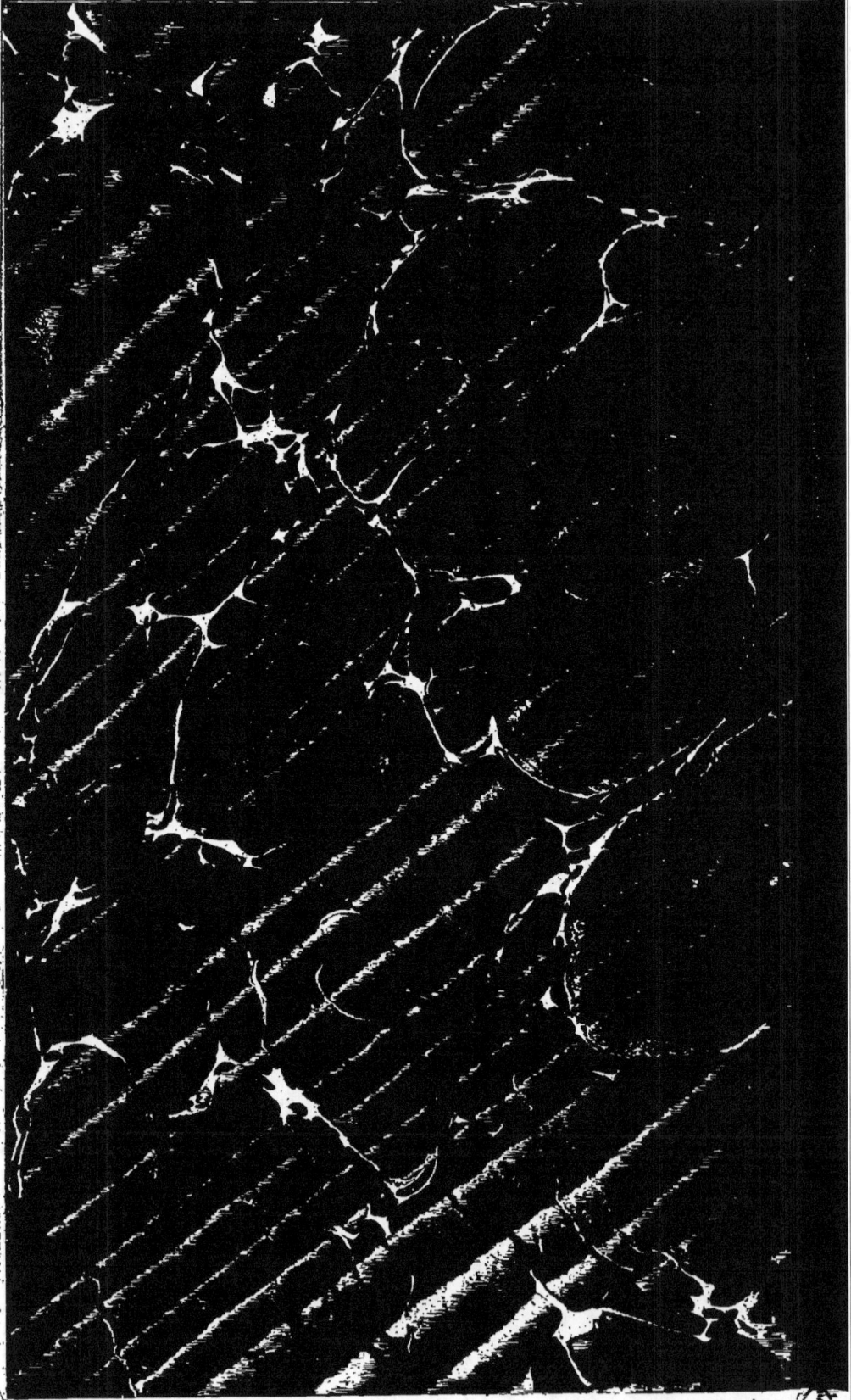